歴史知の百学連環

文明を支える原初性

石塚正英

社会評論社

はしがき

書名にある「歴史知」および「百学連環」の説明をもって「はしがき」としたい。前近代の生活文化・精神文化に、現代社会の生活文化・精神文化を支える歴史貫通的な価値や現実有効性（actuality）を見通す知、それが歴史知である。近代ヨーロッパ人のように、科学知・理論知の立場にたつ人の多くは、肉体＝身体に対する霊魂＝精神の優位を説く。脳死すなわち人の死、という現代的な発想にはこの構えが潜在している。それに対して、ヨーロッパの辺境やその外部地域に生活する多くの人々のように生活知・経験知の立場にたつ人の多くは、霊と肉とを区別したがらない。霊とか精神とか理性とかを認めないわけではないにせよ、人間（精神）も自然（肉体とそれを包み込む環境）の一部であることに、さして異論をとなえない。歴史知的な立場・視座は、その双方の価値や意義を、転倒という構えで以って連結させる。科学知・理論知の立場を転倒させると生活知・経験知の立場に至り、その両極を交互的に連結させる構え、パラダイムが「歴史知」なのである。以下に、その具体例を引く。

ヒト（Homo sapiens）は知性（sapiens）でもって道具（faber）をつくったのでなく、道具＝社会的自然をつくることで知性を獲得し、その過程でヒトは人間となった。道具＝社会的自然は、本来は人間のアルターエゴ（alter-ego もう一人の私）として間主観的に存在したが、やがて転倒が起こって人間の生存手段に貶められた。だが、いまや道具＝社会的自然は情報通信技術（ＩＣＴ）や人工知能（ＡＩ）

を備えて人間のパートナーに返り咲く。けれどもそれは人間＝身体の拡張としてあるのではない。人間＝身体を介して自然＝環境が道具に吸収され凝固・結晶することによって生じるのである。身体の変容は、身体が道具を用いて環境へ拡張することによって生じるのではなく、環境が道具を通じて人間身体に吸収され凝固・結晶することによって生じるのである。かように、〈道具＝社会的自然〉は〈人間＝身体〉のアルターエゴなのである。こうして〈脳＝知性〉は〈身体＝感性〉に支えられる。あるいはまた、或るときの「ホモ・ファベル（Homo faber、道具を使う人）」は、或るときには「ホモ・ルーデンス（Homo ludens、遊ぶ人）」であり、また或る時には「ホモ・ベルム（Homo bellum、戦う人）」である。いずれをも否定することはできない、転倒を介しての相互連携である。

もう一つ、歴史知に続けて置かれている「百学連環」について説明する。この語は幕末明治前期の思想家にして明六社の設立同人である西周が私塾の講義で使用したもので、Encyclopedia の翻訳である。その語を私は、自身の電子ブログ「歴史知の百学連環」で、以下のように自分なりに説明している。「自然と人間、世界と地域、過去と現在、それらは相互に連環し、諸学は相互に連環している。それは歴史知を、身体知を形成する。前近代に起因する知（経験知・感性知）と近現代に特徴的な知（科学知・理性知）を時間軸上で連合する。感性知と理性知を両極にして相互に往復運動をする、両者あいまって成立する知的パラダイムである。これこそが人類史の二一世紀的未来を切り拓く知、【歴史知】なのだ」。なお、本書に収録した文書は、論文・講演・エッセーなどを含む。それらの文体・表記はあえて統一されていない。

以上の説明を以って本書へのいざないとする。

歴史知の百学連環　目次

Ⅳ　研究生活五〇年記念

Ⅰ. 文明を支える先史の精神

第一章
〔講義〕

先史の精神あるいはプラトンの相対化

【講義関連情報】
開講機関　中央大学文学部
講義名　二〇一九年度後期講座「西洋思想B」
全体テーマ　神話・物語・メルヘン論
第一講テーマ　先史の精神、あるいはプラトンの相対化
講義日　二〇一九年九月二四日第二限（一〇〇分）
テキスト　石塚正英『母権・神話・儀礼』社会評論社、二〇一五年。石塚作成プリント。
＊録音データの文章化にあたり参考資料の注記や記述の補足を行っている。

一　守護神と戯れたわが幼児時代

みなさん、こんにちは。これから先史の精神あるいは神話をテーマにした講義を始めます。最初に講義資料用プリントの一ページ、前書きのように記してあるところを読んでみます。

——人は身体においても精神においても、ときとしてずっと非文明的ないし辺境的なままで過ごしてきている場合がある。その事例として地動説に対する天動説の関係が指摘できる。科学知・理性知がしっかり根を下ろした現代社会でも、我々は日常生活では天動説に即した観念—朝日が昇る、など—を捨てないでいる。最近行われたある調査では、小学生の四割が「太陽は地球の周りを回っている」と信じている。

こうして欧米的文明社会においてさえ、大人の世界では地動説が承知されつつも、子どもの世界ではけっこう天動説が愛好されているのだ。あるいはまた、大人の世界ですら、我々は現在のところ理性知や科学知の視座から地動説を認めつつも、実際には経験知や感性知の視座から天動説にしたがって生活している。頭脳は地動説を承認するものの、身体は天動説を心地よく受け入れるのである。地動説すなわち科学知からはとうてい承認しがたいものの、現代人は、日常生活ではすっかり天動説すなわち経験知に依拠して生活しているのである。

その際、経験知や感性知の立場を前近代的と見なして拒否するのでなく、これを知の体系の一方の極に据えて、また他方の極に科学知や理性知をおき、双方を交互的な運動や相互的な往還といった動的なサイクルに位置付けしなおし、連合していくことが意味を持つであろう。その先に見えてくる新しい知が「歴史知」である。二〇一九年後期セメスターの本講義「神話・物語・メルヘン論」では、こうした歴史知的な世界観をフィクション（虚構・空想）として一方的に退けるのでなく、これをむしろ日常生活をしたたかに創造する積極的な要因とみて、全一四回の解説講義の主題とする。——

私は、人権の意味や役割からみて、人権は神話なのではないかというところまで言い切ります。非常に極端なことですが。法学、政治学、経済学などの研究者たちは無論のこと、一般人が聞いたら、石塚の講義は荒唐無稽、でたらめなこと、こんなことを学生に教えて責任重大だぞ、と言われそうです。けれども、現実の私たちの生活上で扱われる人権処理と、理論上あるいは科学的なレベルにおける人権概念との乖離は見落とせません。乖離というのは現実と理念とが相互に離れてしまっていることです。それを正面に据えて考えると、ショックな言い方だけれど、現実を直視すればこそフィクションたる人権、それもありだと私は言いたいわけです。

ところでみなさん、胸に手を当てて考えてみてください。子どものころどうだったか。虫をいじめて遊んでいたころのことです。私は四歳か五歳のころの記憶があるんです。まだ保育園に上がる前でしたが、兄が保育園に行っているので、私もついていって遊びました。保育園はお寺で、遊び場はお御堂や境内だったのです。その境内で日暮れまでよく遊びました。私は賭け事が強かったんです。賭け事と言ってもお金をかけるギャンブルではなくて、メンコとかビー玉やコマとかの勝負事です。私はよく勝つんです。

例えばビー玉遊び。参加者全員が一定数のビー玉を広場の真ん中に描いた円内において、その中めがけてビー玉をぶつけて、円内からはじき出せばそれは自分のものになる。相手のビー玉に自分のビー玉を指で弾いてぶつけると、相手は敗北し、その玉はこっちのものになるんです。そうして全員をやっつければ円内のビー玉が丸ごと自分の所有になる。

幼児期、私の後頭部のあたりに、守護霊、守護神が現れます。勝負となるとよく現われました。「そっちの筋目は駄目だ。こっちの方向を選べ」「ここはカーブするから、ちょっと左側からやってみな。当たるからよ」とか言うんです、本当に。言葉で言わないで、念力みたいにして。当たらなければ相手にしないのだけれど、よく当たるんだよね。小学五年ぐらいまでいました。だけど、六年のころは記憶になくて、中一にはもういなくなってしまったんです。中学生になったらいない。知的成長期に向かう私の心中から、あるいは後頭部から、守護神はいなくなった。遊びの神だから、もういなくなってよかったんだよね。暇をやったってわけでしょうかね。

守護神と戯れる、それは私が子どもだったからですよ。私は子どもの世界に生きていたんです。女の子はお人形さんと一緒に戯れるのと同じようなものです。男の子と女の子とのジェンダー的な区別を言うつもりはないですし、男の子も人形で戯れていいんですが、とにかく、私の場合は迷っていると決断してくれる、そういう頼もしい守護神がいましたね。

小学時代、私は勉強が大嫌いだったんです。小学一年生のときに女の子と隣り合わせに座るんですが、隣の子はものすごく成績がいい。高校までずっと一緒で、彼女は信州大学だったかにストレートで進んだ。医師と結婚して、いまはたしか松本市にいます。私と同じ年だから、もう七〇歳ですけれど。

ピカピカの一年生のときには、答案を交換して丸つけするでしょう、問題は一〇個ぐらいある。彼女はいつも丸ばかりなんですよ。私はペケがいっぱいある。私はペケを付けられるのに慣れている。でも彼女にはなかなかペケがつかないんです。つまらない。でも、たまに一つくらいはあるんですよ。そうなるとうれしくなってしまってね。彼女の答案にはいつも丸しかつけないから。なので、ペケが一回でもあると、私は色鉛筆を使って、青のペケ、その上に黄色のペケとかいってカラフルにしてから彼女に返したんだよな。そうしたら、怒っちゃって、泣いちゃって。「先生、石塚君は私にこんなことした」。私はきれいなバツをつけてあげたんだから、いいんじゃないかと思うんだけれどね、駄目なんです。私の心の世界は、ものわかった学校の世界とはまだまだミスマッチだった。

二年生のときは、教室の生徒たちを笑わせてばかりだから、担任の先生は「石塚君、隣のクラスに行っていなさい！」と言って、私を隣のクラスに送った。行ったら、隣の教室は偶然にも紙芝居の時間だったの。よかったね。隣の先生は二平という先生、私の担任は林田鶴子先生なんだ。「林先生、ありがとうね」と心の中で思ったね。でも、だいたいお昼を食べたころからは放課後のことしか頭にないんだよ。そのときに出てくるわけさ、授業中から、例の守護神が出てくるんだよ。脳裏にちらつくの。それは私が紛れもない子どもだったからです。中学になってちょっと変わった。要するに勉強する、知識を身につけることに喜びを感じだした。やがて風紀委員長なんかになっちゃって。そうしたらもう、守護神は遊びの指南役だから、後頭部からいなくなってしまったんだよね。

ところが、六〇歳、還暦のころからまた出てきたんですよ。同じ格好してはいないけれど。私の心に命令するやつがたしかに出てきた。でも、守護神も年を取ったせいか、機能が変わっていた。「石塚、やめておけ。よせよせ」という、ストッパーの神になっていたんです。その頃に私は、年齢的にもいろいろな意味で無理してはいけないな、よし、やめよ、ということがあったんでしょう。それが守護神によるアドバイスのように思ったわけですよ。そう思うと気持ちいいんです。そんなわけで、六〇歳代にはいました。いまもその名残みたいなものがないわけではないけれど。

いまお話しした守護神物語は、私自身のプライベートな秘話というか、パーソナルヒストリーだよ。「ファミリーヒストリー」というテレビ番組があるけれど、プライベートヒストリーですよ。なぜこれをいま話したかというと、いまのは個人の話だけれども、その規模が社会とか、あるいは民族とかになってくると、それは民族宗教だったり、農耕文化だったりして、学問の対象になってくるんだよ。

いまだって、お正月に初詣に行ったときに受け取ったお守りとか、破魔矢とかそういうものは、無碍（むげ）には捨てられないよ。年末になったら酉（とり）の市とか羽子板市とかで神社に返し、お正月のどんど焼きとかで御焚き上げしてもらいたい。そういうときだったらいいけれど。そういった観念は生活のリズムを豊かにしてくれますね。迷信的な意味ではなくて、ものを大切にするという意味で、そういうことによって自分の力が湧いて出るわけだ。そういうことも含めて、神話とか物語とかメルヘンというのは、ここにいるみなさん、いま一〇〇人近くの人がいますが、そのみなさんの心中にいまもある。子どものころ思った人はもっとはっきりと抱いている。

子どものころに私のように強烈に守護神を意識しなくて、なにも感じなかった人は、この先生はなにを言っているんだろうかな、と思うかもしれない。でもまだ遅くない。大学生活四年間のモラトリアムがあるから。みなさん、卒業して就職するまではモラトリアムです。猶予期間と訳しますね。心身ともに放浪してみてください。

人にこんなことを話すと恥ずかしいな、と思うことでも、自分の心の中では真摯に向き合う。読書、散歩、あるいは秘密の小箱を開けるんでもいいよ。そういうことをしながら自分を見つめる、もう一つの眼を感じとってください。インスタ映えするところに行って、だれかにしつこくデータを送るのでなくて、自分の心の中に写メを撮るというかね。そういうふうにすると、私の言っていることは分かってくるのではないかな、と思います。

開講の前振りはそれだけにして、全部で一四回しかないので、第一回のきょうは少しでも本論に入ります。

二　Cultus の意味

みなさん、資料のトップページをご覧ください。第一部、文化としての神話・メルヘン・物語。第一部というのはあまり意識しないでいいです。第二部しかやりませんので。後ろの方に第二部もあるのですが、それを含むと、とてもでないけれど後期セメスターだけで終わらないので。

その第一講は Cultus の意味と先史の精神を講義します。Cultus（クルトゥス）というのはラテン語です。英語でいうと cultivate とか culture、耕すとか文化という言葉の語源です。cultus という術語は、ここでは先史の文化を指すのだけれども、これと似ている言葉をいくつかいまから紹介します。

一つ目は、carnivalです。リオのカーニバルが代表ですが、だいたいおお騒ぎする祭りのことです。そう、cultusはお祭り。一言で表現するなら、祝祭です。資料をちょっと読んでみます。carnival。先史に存在した信徒（共同体）による神獣食。神様の獣、動物神だよね。それを食べる。神獣食儀礼の風習に由来し、キリスト教では「謝肉祭」にあたる。これはcultusの一つですね。いまやブラジルのリオデジャネイロとか、フランス南部の地中海沿い、それに北欧やスイスにもあります。ヨーロッパでは、真冬になると、冬至のころになると、一年で一番日が低く短くなって、あしたから日が高く長くなっていくという節目のときに行われました。

カーニバルにはカルロ、肉という意味が含まれています。カーニバルはカルロをテーマとした祭りです。キリスト教では謝肉祭と訳します。キリスト教世界では粗暴さはもう払拭され脱色されて、きれい事になっているけれど、もともとの先史の祭りはそうではないね。自分たちが神様と認めている動物を、その日だけは殺して食べるんです。食べて感謝するんです。

あるいは、もっと残酷というか、私たちから見れば残酷に見えるんですが、その民族の神は、その王の身体と一体になっているのです。王がその民族の神を背負っているというか、含んでいる。だから、王の身体が弱ってくると王自身を殺してしまうことがあります。

王が死ねば神様も死ぬ。神が死んでしまったら困るのですけれど、即位の儀礼を施して若い王様に受け継がせるんですよ。その前に年取った王様が退位するんだけれど、退位イコール死ぬこと。それが怖かったら王様にならなければいいと言えばそうですが、そういう個人の自由でなれるようなものでない面もあります。その王位交代劇、神霊再生劇がカーニバルなのです。ちなみに、今年の秋に行われる天皇即位礼の正殿とか大嘗祭は、その名残ともいえます。

リオのカーニバルなんて、数時間、数日間ぶっ通すけれど、人が死んでもどうでもいいところがあるよね。いまでもちょっと昔の名残というかな、人が死んでもやめない。死なないように一生懸命努力するけれど、暴れるというか、乱痴気というか、そういうものがそこにはあるんです。

私は二〇〇一年八月にアテネの遺跡を見学し、アクロポリスの丘の下にある野外劇場に行きました。丘のすぐ下方にはもう使われていないディオニューソス野外劇場がありますが、それでなく、ちょっと離れたところに、ヘロド・アティコスという劇場があるんです。もちろん野外劇場で古代ギリシア時代からあるものですけれど、そこでギリシアの悲劇作家エウリピデスの作品「バッカイ」を観劇しました。夜九時から始まって、一二時過ぎに終わりました。それからアテネの飛行場、エレフテリオス・ヴェニゼロス国際空港に移動し、朝の始発便までまってから搭乗して別のところに移動したんです。

「バッカイ」というのはラテン語で、ギリシア語ではディオニューソスといいます。これはおもに女性が信仰するんです。女たちによる乱痴気が始まります。ディオニューソスのために牛を殺したりなんかしたりして、生肉を食うんです。さすがに私が見た劇のときは、赤い照明をあてたりして、生肉を食っているふうに模してやっているのですが、紀元前後のころは牛を殺してやっていました。それが、いまここでいうcarnivalですよ。私たちはそれを脱色された、洗練された形で演劇として見ているのですが、もともとは演劇ではない、儀礼なんだよね。本当にね。この「バッカイ」にはそういった残照がある。

それでは次、二番目はfestival。これは商店街のフェスティバルとか、野外コンサートのなんとかフェスとかで、しょっちゅう見聞きするでしょう。フェスティバル、これは吉日と訳します。「吉」は占いの表現、道教的言い方です。吉凶を占うというのは、道教的な占いに含まれる。仏教でなく道教的な意味でいい日、ハレの日。和語でいうと、ハレがいい日で、ケというのは反対の日、というか日常の日々です。晴れ着といえば、みなさんは成人式などに着ますね。もう済んだ人もいることでしょうがね。

ところで、今朝の朝刊（二〇一九年九月二四日の毎日新聞）に載っていたけれど、成人式用の晴れ着や振り袖をいま注文しても、受け取るのは一〇月一日以降だとのことです。そうなると消費税が一〇パーセントになってしまいます。でもネットで注文すると、八パーセントとかいろいろある。なぜこんなことを言ったかというと、フェスティバルはハレの日だからです。ところで、私には、かわいい、かわいいグランドドーター、孫娘が一人いるんです。来月下旬が誕生日で六歳になります。来年の春に小学校に上がります。このあいだランドセルを買ってあげたけれども受け取るのは先のこと。でも、ちゃんと店員さんと話をして、八パーセントで済むように買いました。ちょっと個人的な余談でしたね。すいませんでした。繰り返しますが、ハレの日に着るのを晴れ着と言うんです。だから、晴れ着という言葉でみなさん知っている。ハレというのは festival のことです。

別の意味や役割を説明します。ハレの日には、あらゆる規制を一時的に解除し、オルギーと同様の儀礼が行われもします。人類学者ヴィクター・ターナーの言葉で「地位転倒の儀礼」です。オルギーというのは、古代ギリシアでは忘我的、陶酔的な儀礼を指し、どちらかというとポジティブな意味です、中世のキリスト教の中で言うと、異端の魔女、悪魔のサバトのことで、ネガティブな意味です。要するに、神に逆らう、キリスト教に逆らう儀礼、黒ミサとか、そういうものは全部オルギーなのです。ネガティブな捉え方からすると、オルギーには秩序がない。めちゃくちゃな ことをやる。殺し合う。誰彼構わず乱交セックスをする。キリスト教世界では、そういう儀礼をオルギーに括って弾圧したのです。あるいは弾圧に利用したのです。

これはいま現在、府中市の大國魂神社で毎年五月の連休に挙行される「くらやみ祭」に名残みたいなのが観察されます。たしか五月五日の夕方から始まるんです。いまは電気をつけているから真っ暗にはなりませんし、無礼講のオルギーなど観察できません。私は友だちの西兼司さんと、神輿の行列が一番よく見える十字路の二階で酒を飲みながら、それをよく見学したものです。夕刻になると神社からたくさんの神輿が大太鼓を打ち鳴らしながら旧甲州街道に繰り出し、御旅所に向かうのです。御旅所は、私が高見の見物をする対面にあたります。最近は行ってないけれどね。江戸の昔は、真っ暗になったら無礼講。農民も町人もない、家来も家臣も殿様もない。男も女もない。一晩だけ真っ暗な中でなにをしてもいいよ、というのです。

さすがにいまは、夕刻からお巡りさんがいっぱいいます。一応、交通整理をしているんだけれど。くらやみ祭は江戸時代の名残であって、現在では乱痴気も違反行為もないですね。ほかでもどこでも、いま各地の商店組合でやっているフェスティバルは、商品の販売促進のためのツールになっているわけです。へんなことやったらお客さんは来なくなっちゃいます。

次、これは最初にお話しした cultus。農耕儀礼のすべてを包括した意味を有し、そこから儀礼（cult）、農業（cultivation）、文化（culture）などが派生した。また cult は開放的な儀礼だったが、のちに支配宗教となったキリスト教に抑圧されて地下に潜み、そこで反転が生じてオカルト（occult）が生じた。

カルトの前の「オ」というのは反対という意味ですから、カルトの反対という意味で、反転という意味があります。oppositeとか、英語の単語に「オ」がつくのがあるでしょう。反対という意味があります。「オ」だけではなく、「ア」にも反対の意味がある。英語の単語を思い浮かべれば、例えば「アモラル（amoral）」はモラルがない、不道徳という意味で、反対を意味します。

ところで、cultusというのは、さきほど挙げましたいくつかの単語をみんな含んでいます。まずは儀礼ですね。カルト、儀礼。生活上なにかを仕切る儀礼です。たとえば年始や仕事始めの儀礼です。

先日、テレビで中国少数民族のミャオの人たちの一年間の生活を見ました。ミャオの人たちは稲作です。日本のように種籾から発芽まもない苗を植えるのではなくて、かなり伸びるまで苗床で育てます。そのあと田植えになるのですが、そこで儀礼をやります。ちょっとかわいそうだけれど、ニワトリの血を使います。だから、ニワトリは生贄として殺されてしまうわけです。そういうふうに儀礼をしてから田植えをするわけです。

テレビの映像によると、その儀礼は、ある一人のおじいちゃんが行いました。そのおじいちゃんの家は先祖代々その役割なんです。その家がまず田植えをやらないと、ほかの農民たちはやらない。これはみんな儀礼に従っているんです。ばかばかしいのではないかと思うかもしれないけれど、それがカルトです。縁起担ぎというか、伝統を重んずるというか、そういうものとしてカルトはあるんです。

だから、カルトというのは、宗教というよりは儀礼です。いまだって、小学校の朝礼も儀礼だし、オリンピックの聖火リレーも儀礼だし、入学式とか、みんな儀礼ですよ。儀礼がないと始まらないでしょう。開会式をやらないまま、スポーツ大会が始まったら、おかしいじゃないですか。儀礼とはそういうものです。

それから、農業agriculture。これは耕作cultivationや耕すcultivateとの複合名詞です。大地を耕していくこと。これを農業という。日本では中国からきた言葉で農業と訳していますが、耕すことです。種を植えておくと芽が出てくる。それを育て、実ったら刈り取る。当然、一番目の儀礼と深く関連しています。

それから culture。カルチャーと聞けば、私たちはカルチャーセンターとか、ハイカルチャーを連想します。ようするに、カルチャーというのは教養に関係すると思う。「私は子どものころからピアノをやっています」とか、「茶道をやっています」とか聞くと、あなたはハイカルチャーだね、ハイソだねとなる。ハイソはハイソサエティのことだからね。私などには縁がありません。旧高田藩の城下町、その職人町に生まれ育った私は、子どものころから寺社の境内でビー玉やって遊びました。どろんこになって帰宅すると、夕飯を食べるや、もうなにもしないで、くたくたでそのうちに寝ていました。本当に庶民的だった。少なくともハイソではないですよ。幼児期には日が暮れるまで守護神といっしょに遊んでいましたから。でも、生活文化を満喫したことは間違いありません。

ですから、文化というのは二つあるんです。一つは、洗練された意味の文化。もう一つは、日常生活の文化です。最初の方を、私は〔文化の第一類型〕とし、後の方を〔文化の第二類型〕としています。みなさん、高校のときに日本史や世界史を習った人、いや習わなかった人でも常識として知っているでしょう。石器文化とか縄文文化とか弥生文化とか、これは生活文化、つまり第二類型です。文化の前に利器の名称がついています。それに対して、雅楽や能・狂言のような宮廷文化とか国民文化とかの第一類型は、文化の前に利器でなくそれを担う階層がついています。高級な、あるいは公式な雰囲気をもっているでしょう。

私がいまここでみなさんに力説しておきたいのは、高級や公式のほうではない、生活上の文化です。文化という言葉は中国の言葉なので惑わされるんだよ。中国では、行動にかかわる教育を武化と称し、勉強にかかわる教育を文化と称しました。だから、文化という概念は武化という概念とセットで考えないとよく分からないです。よく文武両道と言うじゃないですか。両方できる人、勉強もできるし、スポーツもできる人のことを文武両道という。文が勉強、武がスポーツ。セットの意味の文化です。この場合の「文」は高級で公式なほうです。私が力説するのはそうではありません。耕作の意味での生活文化です。大地を耕すことで人を耕す文化なのです。

余談ですけれど、令和の元号について。今回は万葉集から取った。日本独自の文化からやっと元号を取るようになったとなる。けれどもみなさん、とんでもないです。眉に唾をつけすぎて、どろどろになっている人がいっぱいいるよね。

日本固有の文化というのはいつ頃誕生したのでしょうか。よく説かれるのはこうです。遣隋使や遣唐使を通じて中国文化の影響下に花開いた平安前期の白鳳文化ののち、遣唐使をやめてしばらくして、国風文化として宮廷文化として洗練されていく。それでもやはり、下地は紛れもなく中国から得た文化です。法律制度、政治制度、建築文化、婚姻制度などなど。そういったものみんな、中国あるいは大陸、東アジア的なままです。とくに稲作文化はルーツを無視しえません。そういうことを考えると、文化という言葉は、日常生活の文化を土台としつつ、その上に洗練された文化が構築されたとみるべきです。明治維新以後、欧化政策のもとに称揚された国民文化は、文化の基本形態と考えないほうがいいかと思います。

もう一つ。最後の四つ目は、先ほど説明しましたカルトの前に否定の「オ」がついたオカルト occult です。資料を読みます。

閉ざされた儀礼、隠された儀礼。oc は ob と同義で、「反対」の意味。キリスト教は異教をオカルトと決めつけたが、現代では非科学的な超自然現象、ないし、それを引き起こす霊感、霊力への信仰をオカルト、オカルティズムと解釈する。

ときの権力によって弾圧されると、仕方ないから地下に潜るでしょう。あるいは辺境に追いやられるでしょう。そういうのがオカルトです。隠れて、見えなくなる。閉ざされる。本当はキリスト教もそうだった。ローマ帝国のコンスタンティヌス帝がミラノで勅令を発して、三一三年だったかな、ちょっと年号は怪しいですが、国教として公認するんです。キリスト教は手ごわい敵なので、その勢力をむしろ吸収する。大弾圧してもキリスト教徒は地下で広がっていくから、抑えようがない。反転して、その勢力を味方につけようと、ローマ帝国はキリスト教会を認めた。そのことによってローマ教会のヒエラルキーができていく。のちにカトリック、正統という意味のカトリック教会へと発展するのです。

つまり、キリスト教も元来はオカルトだった。カタコンベと称する地下で、密にと言うか、隠れてずっと信仰を維持したんです。その際、カタコンベ（カタコム）というのは、言葉の意味では窪地・凹地のことですが、地下の墓地をも指すんです。墓地だから死骸というか、頭蓋骨というか、そういうものがあるでしょう。そういうものと一緒なので大変だったな、弾圧されなければ明るい太陽の下でやれるのにな、まさか地下まで追いかけてこないものね、つらかったね、と思ったら間違いです。キリスト教徒は遺骸が重要な、積極的なモメントになっている。遺骸というのは、信仰にとって絶対に切り離すことのできないものです。

最初期のローマ教会で活躍したペテロ、初代ローマ教皇ペテロが亡くなると、教会の下に遺体を埋めました。その後の二代目、三代目のローマ教皇たちの遺骸も地下に埋葬してあるとのことです。私は、母神信仰の民俗調査で地中海のマルタ島に行ったとき、遺骨信仰に関心があったので気にかけて調査したんですけれど、成果はありました。教会に入れば、遺骸を図案化したモザイクタイルが敷き詰めてありました。教会によっては、祭壇の下にしゃれこうべが安置してあります。修道士フランチェスコで有名なイタリアのアッシジは、フランチェスコの遺骸の上に教会ができたのです。また、地中海でなくても、たとえば一九八二年だったか、ドイツのアーヘンに行ったとき、シャルルマーニュ大帝、ドイツ語でいうとカール大帝の遺骨がアーヘン教会にあるのを確認しました。大きい棺に入っているとのことでした。ちなみに、遺骨信仰は古代においてのみならず、近代においてもその名残はあります。根強い文化慣性です。

メメント・モリ（memento mori）、死ぬ日を忘れるな。要するに、人はいずれ死ぬんだと。だから、そのことを肝に銘じなさいという意味があるらしいです。けれど、そういうことよりももっと現世を楽しみなさい、ということでもあります。死の世界が持っている積極的な意味ですよね。大地に存在することには大きい意味があって、遅かれ早かれ人は絶対に天上に行くという新約聖書のヘブンの思想ではカバーできないようなものがある。それはいまみなさんに説明した、先史の精神です。天井に意味を持たせるキリスト教の精神ではないです。地上の生活に意味を持たせるオカルトの精神です。神の死が農耕の開始を告げる。神の死と再生でもって季節の巡りや自然界の循環に節目をつけ、そうして自然の営みと人々の生活を調和させる観念が重んじられる先史の精神です。

三　先史の精神

資料の続き、cultus の解説に続いて、先史の精神と記してあるところに進みます。ここには要点が簡潔にまとめられています。①から④まであります。順に読んでいきましょう。

①　神が人をつくるのでなく、人が神をつくる。これはとても大事だ。ユダヤ・キリスト教世界では、天地創造といって、神が森羅万象のすべてをつくって、人間もつくった。アダムをつくって、エヴァをつくる。アダムは土というか、泥というか、それからつくられる。エヴァは、アダムのあばら骨かなにかからつくられる。それはすべて神様がやったことで、ようするに人間は神によってつくられたもの、つまり被造物なんです。それが先史の世界では真逆にひっくり返ってしまっているわけ。人が神をつくる。あるいは天地開闢。こちらが先なんです。

アダムは人間という意味です。けれども、エヴァができてから男という意味も付け加わった。アダムのヘブライ語は、もともとアダマーという語の派生です。アダマーは女性名詞で、土という意味です。土からアダムができた、つまりアダマーからアダムができた。アダマーは女です。そう、元来は女から男ができたのに、文明期に至ってひっくり返ってしまったのです。男のあばら骨から女ができたというストーリーがその転倒を物語っています。

そういう転倒のストーリーは実に巧妙に歴史を紡ぎだしています。転倒を考慮して神話を読むと、神話は先史の社会組織、社会生活、共同体の意識をよく反映しているな、と理解できるようになります。先史は人が神をつくったというわけですが、私が文献を調べた限りで一番古いのはフェニキアの神話です。文字どおり、神をつくる場面の叙述がでてきます。これを私はミュトス神話とし、確立したギリシア神話をロゴス神話として明確に区別しています。

②　暦の中に行事があるのではなく、行事の後に暦ができていく。これは先ほどの儀礼でお話したことです。田植えの儀礼をしないと田植えは始まらない。したがって、田植えの季節は始まらない。資料をご覧ください。

英語で一月は January といいますが、ラテン語でヤヌス（Janus）という神に関連します。ヤヌスは門出の神。前後に顔があって、過去の世界と未来の世界をつかさどります。この神に儀礼を施すことで、その年が始まる。

February、March、みんな神の名です。ただし、七月と八月は人間なんです。July と August。ケルトの習俗にかかわる April を例外として、あとはみんな神に由来します。後ろへいくと数字になる。September の Sept は seven、七です。October の oct は、足が八本のタコを octopus ということから連想できるように八です。November の Novem は nine、九で、December の Decem は deca と同じで一〇を示しています。

「石塚先生、おかしなこと言うね、セプテンバーは九月だよ、七月ではないよ」と思うでしょう。その原因はカレンダーの成立過程に求められます。諸説あるのですが、一説には、ローマではもともと三月からカレンダーが始まっていた、今の三月がかつての一月だった。よって数字の季節は二ケ月ずれた。でも、私はそういう説をまるごと受け入れはしません。なぜ最初から数字じゃないのか、などなど。私の考えでは、ときの権力者がカレンダーにいたずらしたんですよ。ユピテルの妻ユノ（Juno）を示す六月の後、七番目に、ローマの独裁者にしてユリウス暦を制定したユリウス・カエサル（Julius Caesar）の名が入ったので七月は July となった。そのあとには、カエサルの養子婿オクタビアヌスにして初代ローマ皇帝アウグストゥス（Augustus）が義父カエサルの暦を修正するとき、自分の名を入れ込んだので八月は August となった。この二人が割り込むと、七月が九月にずれ込むでしょう。

カレンダー、暦学について私は詳しくありません。私がいま説明したいのは、とにかく儀礼を施して、初めてカレンダーが動いていく、行事の後に暦ができていくということです。でも現代は、寝ていても自動的に次々と月日が過ぎてしまう。いまの天気予報で昔をしのばせていていいな、と思うのは春一番です。立春から春分までの間に吹いた嵐のことを言うのです。その時期を過ぎたらどれだけ吹こうがもう春一番は来ない。ところで、春一番にも儀礼があったとして、昔ならば儀礼を施さないと春一番は来ない。現代の私たちは、気象台の認定基準に即して来たか来なかったかを判断するのですが、昔ならば儀礼を執り行うことで風の神を受け入れたんです。風が強ければそれなりに、弱ければそれなりに。この方が人間的でいいのではないかな。

それに対して梅雨というのは困りものです。気象庁が「開けました」と言うまではずっと梅雨が続く。これは人為的で駄目です。そういうものは、カレンダー、暦学的に言うと、現代合理主義で駄目ですね。意を決して「開けた」と宣言したらもう開けたんだよ。次の日にザーザー降ったって開けたもんは開けたんだ。そんなにくよくよしないで、雨の中でも元気に働こうぜ、と言うほうがいいんです。生きるってことはそういった波風を乗り切ることなんであって、避けていては強くなれません。

③ 文明人はミミクリー（模倣）により、先史人はミメーシス（なりきり）により神と交信する。ミミクリーはフランスの多才な研究家ロジェ・カイヨワの用語とのことですが、これもミメーシスもギリシア語からきています。ミメーシスというギリシア語はやはり模倣という意味があるのですが、先史の段階のミメーシスはなりきってしまうことです。イギリスの神話研究者ジェーン・エレン・ハリソンは明確に論じています。ハリソンによれば、先史人は模倣しているわけではない。

たとえば、相思相愛の二人が、まだ結婚する前は恋人同士で別人だけれど、結婚して、あるいは子どもが産まれると、お父さんやお母さんになりきってしまうでしょう。二人の間に生まれた子どもは、永遠の昔からお父さんとお母さんはいるように思っています。みなさんぐらいの年になると、「私が生まれたとき、できちゃった結婚したみたいね、うちの親父とおふくろ」なんてことを話題にするようになるけれど、小さいころはお父さん、お母さんは永遠の昔から自分たちを守ってくれる親愛なる存在です。そのとき、お父さん、お母さんは子どもに対して親になりきっています。「いや、おまえが生まれたのは、実はね…」なんて言わない。「おまえはお父さんとお母さんの愛の結晶なんだよ」とか言って。いずれにしても、なりきるというのはそれそのものになるんです。

先史はそうです。先ほど言ったアクロポリスの丘の下にある劇場でやるディオニューソスの儀礼などでは、演技者は「バッカイ」になりきってしまう。演技していないです。なりきる儀礼をギリシア語ではドローメノンと言います。それに対して、演技はドラマと言います。ドローメノンは複数形で、単数はドロメナと言います。これはギリシア語です。のちに英語になったのがドラマです。ミミクリーはドラマのほうです。ミメーシスはドローメノンのほうです。これが先史と文明を分ける要素、基準です。

私は一九九〇年代に明治大学の和泉校舎で講義していたときに、あそこには演劇学専攻があって、聴講してくれる人たちがありました。そこの彼ら彼女らが必死になって私に質問しに来た。「なりきるというのは、演技ではできないんですか」と。いや、なりきってもらったら本当は困るんだけれど、役づくりのためにすごい努力する役者ならいると教えてあげました。

たとえば、深沢七郎の「楢山節考」が映画化されたとき、山に捨てられる老婆「おりん」になりきるために自分の前歯を全部抜いた役者がいます。一九八三年、四七歳の時に今村昌平監督「楢山節考」の主演女優としてカンヌ国際映画祭のグランプリを受賞した坂本スミ子です。彼女は、お歯黒を塗るのではなくて、大事な前歯を四本とも本当に抜いてしまった。抜けば山に捨てられる老婆の風体になっていくと考えたのでしょう。私はみなさんには勧めないですけど、たとえばそういうことではないかな、と話しました。だから、なりきるのは無理だ、と。やはり演技だよ、なりきったように見せるのが演技の見せ場なんじゃないか、君らはそういう意味で演劇をやるんじゃないの？　という話で本音をそらしたことがある。

もう亡くなったけれど、アンジェイ・ワイダというポーランドの舞台監督というか映画監督も、迫真の演出をやった。演劇学研究者の谷山和夫さんに教えて戴いたことです。シェークスピアの「ハムレット」をポーランドのワルシャワかどこかで監督・演出したときに、すごいことやりましたね。いま教室のみなさんを観客、ここを舞台とすると、舞台の後ろに楽屋、衣裳部屋がある。そこにも観客を入れるんです。人数は少ないけれど。演技者は外からやってくるんだよ。普段着のままで楽屋に入ってきます。そしてまず普段着を脱ぎます。そして、ハムレットならハムレットの衣装を着て、お化粧していく。そうしている間に、ハムレットになりきっていくんです。ワイダさんはそれを全部四囲に見せた。ハムレットは本舞台と楽屋の両方で演技する。劇場にいる人たちは直接全部は見えないよ。だけど、そういうことによって、演技者も役になりきっていくんだ、舞台も客席も楽屋もない、その区別を取り払ってなりきっていく。そういうふうに演出していったんです。これは究極の演技にして演技を抜け出していると、私は思うんです。生前、一九九六年ころ千葉市で、劇作家の如月小春さんと歓談したとき、彼女はこれと似たことを私に話してくれました。教師と生徒にラブシーンをやらせると、きまって教師は下手だ、と。なぜなら、教師は生徒の前ですでに教師という役を演じているから、二役の切り替えが苦手なんだ、と。

そういうことは、演劇をやっている人は痛いほど分かるのではないかな。でも、ハムレットの演技者だって、先史のようにはなりきっていないと思います。その劇が終われば、楽屋に戻ってきて衣装を脱いで、私服になって街頭にでていくでしょう。そのときはもう元に戻るでしょう。うちに帰ってきてもハムレットみたいに「生きるべきか死ぬべきか、それが問題だ!」などと言ったら、その役者さんはおかしいよね。次の役ができないし。

あと、新藤兼人という社会派の監督はすごかった。NHK朝のテレビ・ドラマ「おしん」で大人になってからのおしんをやった乙羽信子を役者に起用して一九六四年に演出・監督した「鬼婆」で、音羽に迫真の演技をやらせたんです。時代設定は中世の南北朝末期のころ、その後の応仁の乱ほどではないにせよ、京都は死骸でウッとなっているころです。いろいろなところで戦があると、近隣の盗賊や流民は死体から金品を奪うわけ。倒れて死んでいる兵士から奪っていく。すごい壮絶な世界を描くんだけれど、その中で音羽は全裸の演技をやり、陰毛までフィルムに収まった。その場面は最終的にカットされましたがね。それから、相棒の泥棒役をした佐藤慶もすごかった。野武士というかな、そんな役の佐藤慶と乙羽信子が激しくセックスする場面がある。映像を見ると、私にはなりきっているようにしか思えませんでした。乙羽信子はその後、新藤兼人の奥さんになります。それが年を取って、一九八三年から「おしん」の役をするんです。

いまそんなディープなことさせられる役者はいないだろうね。新藤兼人の映画をYouTubeかなにかで見てください。すごい迫力です。モノクロの映画が多いですね。私がいま紹介したのはみんなモノクロですが。あの人はドローメノンに近いようなことを役者に求めていたのではないかなと思う。陰毛シーンのカットではないけれど、本当にやったら監督業はできないからね。そういうことはあります。

次は最後です。④ プラトンはあらゆる事物・事象の本質として「イデア」を考え、あらゆる事物をイデアの結果、派生と見なし、先史の精神を転倒させた。

先ほどのカタコンベの説明でも言いましたけれど、プラトンはリアルな世界や時代をひっくり返してしまうんです。そうして転倒したほうの世界が、なんと理想(idea)

とされたんです。「真善美」といった理想のほうが現実より先にある、あるいは理想は現実のモデルとしてある、とプラトンは考えた。永遠の真、本当の善、究極の美などを掲げて、先史の精神を総破壊したのです。

この私の講義「西洋思想B」シラバスの英語名、きょう気づいたんだけど、西洋思想の英語名を見てください。“western ideas B”と書いてある。私自身が英語名を考えたわけではありません。西洋思想の思想はアイデア。私は、けっして中央大学の科目名検討委員の先生たちに文句を言っているわけではないです。思想とくれば、通常は thought、こちらを使うんです。だけど、中央大学のこのシラバスでは、idea を使っている。プラトン的ですよね。何を言いたいかというと、西洋思想はプラトンから始まっているのであって、私の講義が守備範囲とする先史世界をひっくり返したところに位置しているということです。私の講義内容はある意味で反プラトン的だというところを一番言いたいわけです。プラトン思想の歴史知的相対化を企てているのです。

四　私は天動説を棄てない

話はこれで終わりますが、天動説と地動説のことに一度戻ってみてください。生活の局面ではみなさん天動説でしょう。知識がなければ。小学校四年生ぐらいまで、みんな天動説だったんだから。それが小学校四年くらいから理科で天体の運行を習うんです。だんだん習って頭がよくなると、もう駄目。私の場合、守護神がいるような子ども時代は天動説だったよ。

断っておきますが、私は、太陽が地球を回るという意味の天動説を言っているわけではありません。そうではなくて、間違いなく太陽も動いているでしょう。天は銀河系の中を動いている。そういう意味での天動説です。天が動いている軌道をさらに水金地火木土天海冥がひゅーっと螺旋的に動いて宇宙を回っているんだよ。なに一つとしてとどまっているものはない、鴨長明ではないけれど。

だから、幼児の少年少女のたわいもないことの中にだって、それなりの意味はあるんです。子どもだから、何かおかしなことを言っているなと思うけれど、子どもは率直に見てそのまま感じ入るから、それは先史の精神に結構通じるんです。プラトンは大人で、プラトンだったらドラマでいいです。だけど、先史の精神世界に生きているころの子どもはドローメノンのほうだなということですね。きょうの講義は、これで終わります。まだ少し時間があるので、質問がある人は来てください。

第二章

〔講演〕

神話の三類型

――天地開闢・国産み・天地創造（成る・産む・創る）

【講義関連情報】

講演企画者　学校法人河合塾、河合塾一九九三年度夏期特別企画「アラカルト温故知新」

講演会場　河合塾・大阪南校

講演開催日　一九九三年八月二四日

講演名　フェニキア神話とユダヤ神話―「なる」「うむ」「つくる」の差異―

＊講演直後に録音テープから一度文章化したが未公表のままに据え置いた。今回発表するにあたり、会場配布資料・自著ほか参考史資料をもとにあらためて内容を吟味し、記述の補足を行っている。また、挨拶言葉や冗長な説明は省き、文章を話し言葉で表記せず、論文としてまとめた。文章化作業は、新型コロナウイルス・パンデミックで外出困難な状況を生かし、二〇二〇年五月に実施した。

はじめに

古代の地中海沿岸は神話形成の舞台だった。東地中海沿岸のシリア地方にあるレバノンは、古くからフェニキア人が商業活動の拠点にしていた。彼らはレバノン杉で船をつくり、地中海貿易を独占した。その全盛期は、エーゲ文明が滅ぶ前一二世紀からアッシリア帝国の台頭する前八世紀にかけてである。その過程で、いわゆる〔フェニキア神話〕が形成された。その末期にはギリシアにホメロスがあらわれたが、その頃までに地中海海域では、デーメーテール信仰に代表される母権制的社会が衰退し、代わってアポロンやゼウス信仰に象徴される父権制的社会が出現した。その段階では、神々の姿は不可視となり、代わってさまざまな偶像が考案されるに至っている。〔ギリシア神話〕の形成が進んだ。先史ギリシア先住民つまり農耕ペラスゴイ人が信仰する神々は山や石、樹木、あるいはワニの鱗だったりした。これらは可視の神体＝具象神だった。神が可視なのだからその代理、偶像は考えられず、したがって存在していない。ところが、民族移動の後に出現した有史文明ギリシア人が信仰する神々は真善美や正義・平和であり不可視であったものの、それを包込む偶像はかような抽象神を体現する形姿をしており、その究極の形姿はミロ島のヴィーナスに窺われるのだった。

こうして始まった〔神話の文明化〕＝〔神話の非神話化〕の過程で、神話には三類型が形成されることとなった。①天地は自ずと生まれる〔天地開闢神話〕、②天地は神から生まれる〔産む神話・国産み神話〕、そして③天地は神が創造する〔天地創造神話〕である。以上の三類型のうち、例えば①はフェニキア神話や日本神話に読まれる。②は日本神話に、③はユダヤ神話に、それぞれ読まれる。そのうち②は出産によるものと死体化成によるものと、生まれ方にバリエーションがある。

たとえば、『古事記』には、死体化成神話が以下のように記されている。高天原を追放されたスサノヲは、オオホゲツヒメの下に来て食物を乞うこととした。その求めに応えてヒメは、鼻、口、そして尻から美味しい食材をいろいろ取り出して料理して差し出した。しかしその所業を見たスサノヲは、汚いものを食べさせようとしているな、と思い、この女神を斬り殺してしまった。ところがヒメの死体から穀類ほか様々なものが生えてきた。頭から蚕、両目から稲、両耳から粟、鼻から小豆、陰部からは麦、そして尻からは大豆が、それぞれ生えてきた。そこでカミムスヒの母神がそれらを五穀の種として農業を創始した。

本講演では、以上の分類になる神話の三類型を、それぞれに関係する史料・資料を紹介する方法で説明してみたい。なお、この区分について、私はまずもって以下の拙著に記した。『フェティシズムの信仰圏――神仏虐待のフォークロア』（世界書院、一九九三年）。だが、この三類型に特化した説明を明示的には行っていなかった。そこへ先般、河合塾から夏期講演会の依頼があったのでお引き受けし、上記の自著を参考にしつつ、その課題を遂行することとした。なお、主な史料としては以下の文献を参考に使用している。倉野憲司校注『古事記』岩波書店、日本聖書協会『旧約聖書』。

一　天地開闢神話〔成る神話〕

葦牙（アシカビ）神話

〔古事記原文〕

天地初発之時、於二高天原一成神名、天之御中主神。次高御産巣日神。次神産巣日神。此三柱神者、並独神成坐而、隠身也。
次国稚如二浮脂一而、久羅下那州多陀用弊流之時、如二葦牙一因二萌騰之物一而成神名、宇摩志阿斯訶備比古遅神。次天之常立神。此二柱神亦、独神成坐而、隠レ身也。

〔読み下し文〕

天地初めて発けし時、高天の原に成れる神の名は、天之御中主神。次に高御産巣日神。次に神産巣日神。この三柱の神は、みな独神と成りまして、身を隠したまひき。
次に国稚く、浮きし脂の如くして、海月なす漂へる時、葦牙の如く萌え騰る物によりて成れる神の名は、宇摩志阿斯訶備比古遅神。次に天之常立神。この二柱の神もまた、独神と成まして、身を隠したまひき。

　天地開闢神話の一例として、『古事記』『日本書紀』および日本神話学研究の主要著作にみられる葦牙論を検討してみることとする。直接には、本居宣長と平田篤胤を対象とする。

　まずは本居宣長（一七三〇～一八〇一年）の『古事記傳』をみる。その三之巻に葦牙に関する解説が読まれる。

　如二葦牙一、葦は、和名抄に、蘆葦、兼名苑云、葭一名葦、爾雅注云、一名蘆、和名阿之と見ゆ、葦牙は阿斯訶備と訓べし、（中略）葦のかつぐ生初たるを云名なり、牙字は芽と通へり、和名抄に、玉篇云、蘆菼也、菼蘆之初生也、和名阿之豆乃とある、（葦の初生るを角具牟と云故に、葦角とも云なり、）是葦牙なり、さて如とは、此は其物の形の葦牙に似たるなり、只萠騰るさまの似たるのみには非ず。☆01

　本居宣長の解釈によると、天地開闢にあたり、葦牙に似た形状のものが未成熟な状態の国土に生え初めたとなる。

日本神話では、こののちに本格的に国土を生成(うみな)す二神諸冉が出現するわけだから、葦牙の如きものが生え初めた頃の国土とはいったいどのようなものかと疑問に思われるもするのであるが、いまはそこを追究しない。☆02 肝要な点は、むしろ葦牙の如きものの具象性である。「如とは、此は其ノ物の形の葦牙に似たるなり、只萠騰るさまの似たるのみには非ず」とは、泥土に具体的な形を持った生命が誕生したと解釈できる。それが神か或いはたんなる生物かということはさして重要なことではない。重要なことは、それが可視のものか或いは不可視のものかということである。その点、本居の描写は、開闢の泥土に生え初めた葦牙の如きものが可視のものであり、その外観が葦牙にそっくりであったことを記したものといえる。

次に平田篤胤（一七七六〜一八四三）の『古史傳』をみる。その一之巻に葦牙に関する解説が読まれる。

状(カタチ)如(ゴトク)二葦牙(アシカビ)ノ一云々。葦牙は、師云、阿斯訶備と訓べし（中略）葦牙とは、葦のかつぐ生(ヒ)初たるを云ノ名なり。牙字は芽と通へり。（中略）さて如(ゴトク)とは、此は其物の形の、葦牙に似たるなり、只萠騰(モエアガ)るさまの似たるのみには非ず。☆03

読まれる通り、当該箇所のかぎり平田『古史傳』は本居『古事記傳』の、一字一句漏れなきの再録なのである。どちらかと言えば『古事記』を重んずる本居と、どちらかといえば『日本書紀』を重んずる平田とのあいだには、こと「葦牙」解釈については対立点がない。平田は、本居と違って出雲神話を重視し、大国主（大己貴）神と少彦名神による「国造り」を日本神話のハイライトに数えている。☆04 奈良朝にあってはたんに「国譲り」のためにしか意義を与えられなくなってしまった「国造り」を、平田は日本（出雲）開闢という意義において捉えかえす。そうであるならば、伊邪那岐、伊邪那美二神に負けず劣らず大国主神が何かしら重要な働きをしたと、平田はそう解釈していたはずである。はたして、その証拠ともいうべき神話分析が、『古史傳』一七之巻に記されてあったのである。『大三輪神鎮座記』から引いた「於(ニ)レ是(ココ)殖(ウエ)二生葦薦菅(オフシアシコモスゲ)一而(テ)。如(ナス)二水母(クラゲ)一浮漂之國地(ウキタユタフクニトコロ)。固造矣(カタメツクリタマヒキ)。因曰(カレイフ)二葦原國(アシハラノクニト)一」の箇所について、平田は以下のように説明する。

文ノ意は、天地初発の時に、伊邪那岐伊邪那美二神して、大八嶋國を始め、嶋々をも生置給へれど、地稚く(クニウヒシ)、水母なす浮漂ひて(ウキタダヨ)在しかば、大名牟遅少毘古那二神、御心を戮せて(アハ)葦蘆萱(アシコモスゲ)などを殖生(ウエオフ)しつゝ、国造り給へり、其葦の生茂りし故に、葦原國と云となり。☆05

平田は、「天地初発の時に」泥土に生茂った葦牙の如きものを、ここでは明確に植物として描き、と同時に薦(こも)とか菅(すげ)とかも天地初発の時に生え始めたとしている。要点は、「如く」の解釈にかかる。これはおおむね、①…のように、②…のとおりに、という二つの解釈を有するが、本居は①に、平田は②に依拠していると私には思われる。平安時代の『伊勢物語』第二十三段「筒井筒」に読まれる「つひに本意(ほい)のごとく逢(あ)ひにけり」(訳・とうとう、かねての望みのとおりに結婚したのだった)は、②の事例である。

風の交わりが万物生成の開始

〔フェニキア神話史料〕

宇宙の第一原理を彼(サンコニアトン)は、雲と風とをともなった暗闇の大気、いやむしろ曇った大気の突風、およびエレボスのごとき暗闇の、濁ったカオスであったと想像している。またこれらは、どこまでいっても果てがなく、いつまでたっても際限がないものと想像している。しかし――と彼(サンコニアトン)は言う――風がそれ自身の両親に魅せられると、混合が起こり、その交わりは欲求と呼ばれた。これが万物生成の開始であった。けれども風自身は、自らの生成に関しては何も知っていなかった。その交わりからモト(Mot)が生まれた。このモトは泥(mud)とも称され、或いは湿気を含み持った腐敗物とも称される。ここからありとあらゆる生成の胚種が出て来たし、ここから宇宙の発生があった。まったく感情を持たない動物がいくらかいて、それから知能を持った動物が生まれた。それらはゾファセミン(Zophasemin)と呼ばれたが、その意味は「天の観察者」であり、卵の恰好のように形づくられた。それから、モトは破裂して光となり、また太陽、月、星、そして絢爛たる星座になった。

(南風ノトス Notos とか北風ボレアス Boreas とか)これらは大地の産物を聖別した最初のものであり、神がみと見做され、自分自身およびその後に生ずることになった者、それ以前にあった者すべての生命を支えるものとして崇拝された。またそれらには飲物の供物と神酒とが捧げられた。

これらは、弱くて小心な精神に相応した崇拝観念であった。それから、サンコニアトンが言うには、風コルピアス（Colpias）とその妻バーウ（Baau）《これをサンコニアトンは『夜』と解釈している》からいわゆる死すべき人間たるアイオーン（Aeon 永遠）とプロトゴノス（Protogonus 始原生成）とが生まれた。そしてアイオーンは樹木から食糧を採ることを考え出した。また彼らの子はゲノス（Genos）とゲネア（Genea）と呼ばれ、フェニキアに住んだ。旱魃が発生した時、彼らは腕を天空の太陽の方へ伸ばした。彼らは太陽のみを《とサンコニアトンは言う》天の支配者と見做し、それをベールザメン（Beelsamen）と名付けた。この名はフェニキア語で「天の支配者」を意味し、ギリシア語では「ゼウス」を意味する。

アイオーンとプロトゴノスの息子ゲノスから、さらに光、火、そして火炎という名を持つ、人間の子どもたちが生まれた。彼の言うところでは、これらの子どもたちは、木片を擦り合わせると火ができることを発見し、その使用方法を教えた。それからこの子どもたちは、すぐれた体格、身長の息子たちをこしらえ、その子どもらの名は、その子らが占めた山に適用された。それで、彼らからカシウス（Cassius）、リバヌス（Libanus）、アンティリバヌス（Antilibanus）、そしてブラティ（Brathy）という山が命名された。彼が言うには、これらからメムルムス（Memrumus）とヒプスラニウス（Hypsuranius）が生まれたが、その名は―彼が言うには―母親たちに因んで名付けられた。その当時、女たちは偶然出逢った者だれとでも自由に交わっていたからである。

ヒプスラニウスはティルスに住み、葦とか藺草、パピルスでなんとか小屋を作った。彼は、兄弟のウソース（Ousöus）と反目したが、ウソースは野獣の毛皮で身体を覆うことを考え出した最初の人物であって、こうした野獣を捕まえるのに十分強靭だった。ティルスで凄まじい暴風雨が発生した時、樹木は互いに擦れ合い、火が付いた。そして、この地にあった森は焼き尽くされた。そこでウソースは、一本の樹木を取り、その枝を払い、海に浮かべ、勇気を振って船出した最初の人となった。また、彼は火と風とのために二本の柱石を聖別し、それらを崇拝した。そして、彼が狩りで捕えた野獣の血を献酒としてそれらに注ぎかけた。[☆06]

このフェニキア神話は、カエサレアのキリスト教会史家エウセビオスの『福音の準備』に記録されていた。大元の著者はサンコニアトンで、書名は『フェニキアの歴史』である。これを、サンコニアトンから千年以上後、紀元後一～二世紀のフェニキア人、ビブロスのフィロンがギリシア語に翻訳した。

フェニキア神話は天地開闢の典型である。「宇宙の第一原理」たる「濁ったカオス」の中で風が吹き、「それ自身の両親に魅せられると、混合が起こり、その交わりは欲求と呼ばれた。これが万物生成の開始であった」。そして「その交わりからモト（Mot）が生まれた」。Motあるいはmudは、ローマ語ではmaterとなる。物質・素材である。土と称してもよい。Motあるいはmudは、神ないし神性の始元（mater）なのである。

先史のフェニキアでは、まず最初に自然物が文字通りおのずと生成したのである。そこに神は介在しない。天地開闢である。神はむしろ自然に備わるものの一断片を素材（mater）にしてウソースのごとき人間がつくる。自然界にはこうして自然と人間と、その人間がつくった神が共存することになるのだった。フェニキア人の生活原理は唯物論だった。ただし彼らの世界は、ただ物だけの世界でなく、さまざまな神や神性を次々と産み出す世界であって、唯物的な生活を信条とするフェニキア人であればこそ、たくさんの神がみを崇拝したのだった。

ところで、やがてギリシア・ローマ世界に伝えられたフェニキア神話は、もはやフェニキア語で書かれたものでなく、ギリシア語に翻訳されたものだった。周知のようにギリシア人はフェニキア人居住地を征服していく。アレクサンドロス軍はその作業を完成する。その結果、フェニキア人の歴史は地中海史から抹殺されるか、極度に歪曲されることになった。その過程で、フェニキア神話の主語と述語が転倒する。つくったものがつくられたものに、つくられたものがつくったものに、ひっくり返ったのである。フェニキアでは人間だった者がギリシアでは神に祀られる。あるいは、物語はもともとフェニキアやカリアに発生したものだったが、反対にギリシアに発生して周囲に伝播したことにされてしまう。こうして、〔天地開闢〕は〔天地創造〕へと転倒されていくこととなるのだった。

二　イザナギ・イザナミによる〔産む神話・国産み神話〕

〔古事記原文〕

雖レ然久美度爾（此四字以音。）興而生子、水蛭子。此子者入二葦船一而流去。次生二淡嶋一。是亦不レ入二子之例一。於レ是二柱神議云、今吾所レ生之子不レ良。猶宜レ白二天神之御所一。即共参上、請二天神之命一。然爾天神之命以、布斗麻迩爾（上此五字以音。）卜相而詔之、因二女先言一而不レ良。亦還降改言。故爾反降、更往二廻其天之御柱如レ先。於レ是伊邪那岐命、先言二阿那迩夜志愛袁登売袁一、後妹伊邪那美命、言二阿那迩夜志愛袁登古袁一。如レ此言竟而御合、生子、淡道之穂之狭別嶋。

〔読み下し文〕

然れどもくみどに興して生める子は、水蛭子。この子は葦船に入れて流し去てき。次に淡島を生みき。こも亦、子の例には入れざりき。

ここに二柱の神、議りて云ひけらく、「今吾が生める子良からず。なほ天つ神の御所に白すべし。」といひて、すなはち共に參上りて、天つ神の命を請ひき。ここに天つ神の命もちて、太占に卜相ひて、詔りたまひしく、「女先に言へるによりて良からず。また還り降りて改め言へ。」とのりたまひき。

故ここに反り降りて、更にその天の御柱を先の如く往き廻りき。ここに伊邪那岐命、先に「あなにやし、えをとめを。」と言ひ、後に妹伊邪那美命、「あなにやし、えをとこを。」と言ひき。かく言ひ竟へて御合して、生める子は、淡道の穂の狭別島。

イザナギ（伊弉諾）とイザナミ（伊弉冉）の夫婦が同衾する場面だが、最初は、妻が夫をリードしたためにうまくいかず「水蛭子」をお産したようである。この子は葦の船に載せられて流されたのちにエビス神になったと伝えられることとなった。次には夫が妻をリードしたので出産に成功したようである。奈良時代の家父長的時代思潮を反映した物語だ、と私は思っている。

その後、イザナギとのあいだに神がみを生み続けたイザナミは、ヒノカグツチを生んだ際にみほとを焼かれて病み臥し、ついに神避り給う。悲しみにくれるイザナギは、ヒノカグツチの首を斬ってのち、黄泉へイザナミを迎えに行く。それでイザナミは、「黄泉神とあげつらわむ、吾をな視たまいそ！」と告げて、生きたままの姿でその殿内に還り入る。だが、視てはならじとの禁忌を破ってイザナギが火をともしてイザナミを視ると、そのからだはうじのたかる腐乱状態にあった。「吾に恥見せつ」と叫んで、イザナミは、逃げるイザナギを追いかけて、黄泉比良坂まで来るのだが、イザナギはそこを石でふさぎ、ことなきを得る。このストーリーは、肉体は一度死んでもその復活がありうるというように、イザナギ・イザナミの神話のゆたかな具象性を象徴している。黄泉におけるあのイザナミの腐乱状態が〔産む神話〕の特徴をよく示している。

このような具象性・可視性は、アマテラス神話――霊として復活・神格化するアマテラス――に至ればすっかり消滅し、神話の位相は具象的な〔産む神話〕から抽象的な〔創る神話〕へと移行しているのである。

ところで、②産む神話のバリエーションとして、「はじめに」で紹介した死体化生神話（オホゲツヒメ）は、じつはイザナギ・イザナミ神話から始まっている。夫婦神イザナギとイザナミは国産みの後に神々を産むが、ヒノカグツチを産んでホトを焼かれ死ぬ間際、「たぐりす」つまり嘔吐し、「くそまる」「ゆまりまる」つまり糞尿を排泄する。嘔吐からカナヤマビコとカナヤマビメが生まれた。糞からは粘土の神ハニヤスビコとハニヤスビメが生まれた。そして尿からは水の神ミツハノメと穀物の神ワクムスヒが生まれた。[☆07] そのイザナミから生まれた一神であるオホゲツヒメは、本章冒頭で紹介したとおり、『古事記』では口や尻から食物を生み出したことで知られる。数々の悪事をはたらいたためついに高天原を追放されたスサノヲは、オホゲツヒメの下に来て食物を乞うこととした。その求めに応えてヒメは、鼻、口、そして尻から「くさぐさつくりそなへて」つまり美味しい食材をいろいろ取り出して料理して差し出した。しかしその所業を「たちうかがい」していたスサノヲは、汚いものを食べさせようとしているな、と思い、この女神を斬り殺してしまった。ところが、ヒメの死体から穀類ほか様々なものが生えてきた。女神の頭から蚕、両目から稲、両耳から粟、鼻から小豆、陰部からは麦、そして

尻からは大豆が、それぞれ生えてきた。そこでカミムスヒの母神がそれらを五穀の種として農業を創始した。[☆08]

死体化生神話の一つウケモチ説話についても紹介しておく。『古事記』にあるスサノヲのオホゲツヒメ殺しの説話は『日本書紀』には含まれていないが、同様の説話がツクヨミとウケモチの説話として記されている。高天原に住むツクヨミは、姉のアマテラスに命じられて葦原中国にいる女神ウケモチのところに出向いた。ウケモチはツクヨミを接待するのに、こうべを国のほうに向けて口からご飯を吐き出し、こうべを海のほうに向けて魚の類を吐き出し、山の方に向いて鳥や獣を吐き出し「ももとりのつくえ」つまり食卓に盛りつけした。それを見たツクヨミは激怒し、剣をぬいてウケモチを殺してしまった。その後ウケモチの死体は変化し、頭は牛馬となり、額から粟、眉の上には蚕、目の中にはヒエが、腹からは稲が、陰部からは麦や大豆、小豆が生え出てきた。女神アマテラスはこれらをもって畑作や稲作を始めることとし、さらには蚕のマユを口に入れ糸を引きだし、養蚕をおこした。[☆09]

三　天地創造神話〔創る神話〕

はじめに神は天と地とを創造された

〔旧約聖書（創世記・第一章）〕

第一節　はじめに神は天と地とを創造された。

第二節　地は形なく、むなしく、やみが淵のおもてにあり、神の霊が水のおもてをおおっていた。

第三節　神は「光あれ」と言われた。すると光があった。

第四節　神はその光を見て、良しとされた。神はその光とやみとを分けられた。

第五節　神は光を昼と名づけ、やみを夜と名づけられた。夕となり、また朝となった。第一日である。

第六節　神はまた言われた、「水の間におおぞらがあって、水と水とを分けよ」。

第七節　そのようになった。神はおおぞらを造って、おおぞらの下の水とおおぞらの上の水とを分けられた。

第八節　神はそのおおぞらを天と名づけられた。夕となり、また朝となった。第二日である。

第九節　神はまた言われた、「天の下の水は一つ所に集まり、かわいた地が現れよ」。そのようになった。

第一〇節　神はそのかわいた地を陸と名づけ、水の集まった所を海と名づけられた。神は見て、良しとされた。

第一一節　神はまた言われた、「地は青草と、種をもつ草と、種類にしたがって種のある実を結ぶ果樹とを地の上にはえさせよ」。そのようになった。

第一二節　地は青草と、種類にしたがって種をもつ草と、種類にしたがって種のある実を結ぶ木とをはえさせた。神は見て、良しとされた。

第一三節　夕となり、また朝となった。第三日である。

第一四節　神はまた言われた、「天のおおぞらに光があって昼と夜とを分け、しるしのため、季節のため、日のため、年のためになり、

第一五節　天のおおぞらにあって地を照らす光となれ」。そのようになった。

第一六節　神は二つの大きな光を造り、大きい光に昼をつかさどらせ、小さい光に夜をつかさどらせ、また星を造られた。

第一七節　神はこれらを天のおおぞらに置いて地を照らさせ、

第一八節　昼と夜とをつかさどらせ、光とやみとを分けさせられた。神は見て、良しとされた。

第一九節　夕となり、また朝となった。第四日である。

第二〇節　神はまた言われた、「水は生き物の群れで満ち、鳥は地の上、天のおおぞらを飛べ」。

第二一節　神は海の大いなる獣と、水に群がるすべての動く生き物とを、種類にしたがって創造し、また翼のあるすべての鳥を、種類にしたがって創造された。神は見て、良しとされた。

第二二節　神はこれらを祝福して言われた、「生めよ、ふえよ、海たる水に満ちよ、また鳥は地にふえよ」。

第二三節　夕となり、また朝となった。第五日である。

第二四節　神はまた言われた、「地は生き物を種類にしたがっていだせ。家畜と、這うものと、地の獣とを種類にしたがっていだせ」。そのようになった。

第二五節　神は地の獣を種類にしたがい、家畜を種類にしたがい、また地に這うすべての物を種類にしたがって造られた。神は見て、良しとされた。

第二六節　神はまた言われた、「われわれのかたちに、わ

れわれにかたどって人を造り、これに海の魚と、空の鳥と、家畜と、地のすべての獣と、地のすべての這うものとを治めさせよう」。
第二七節　神は自分のかたちに人を創造された。すなわち、神のかたちに創造し、男と女とに創造された。
第二八節　神は彼らを祝福して言われた、「生めよ、ふえよ、地に満ちよ、地を従わせよ。また海の魚と、空の鳥と、地に動くすべての生き物とを治めよ」。
第二九節　神はまた言われた、「わたしは全地のおもてにある種をもつすべての草と、種のある実を結ぶすべての木とをあなたがたに与える。これはあなたがたの食物となるであろう。
第三〇節　また地のすべての獣、空のすべての鳥、地を這うすべてのもの、すなわち命あるものには、食物としてすべての青草を与える」。そのようになった。
第三一節　神が造ったすべての物を見られたところ、それは、はなはだ良かった。夕となり、また朝となった。第六日である。

ユダヤ神話の冒頭を読むと、フェニキア神話と比べてはっきり相違することがわかる。前者では、先天的に神が存在し、神の言葉があって天地創造が始まる。後者では先天的にカオスが存在し、そこに風が吹いて天地が開け、やがて人間が誕生する。フェニキア人ビブロスのフィロンは、この転倒をもってフェニキアの歴史と文化の抹消されることをもっとも恐れており、サンコニアトンの断章を後世に残すよう努力したのだった。フィロンの懸念は、ユダヤ神話のほかギリシア神話についても妥当した。ギリシア神話では、なるほど最初はカオスが存在したが、そこから先ずもって神々が誕生した。フェニキア神話では人間が神々に先んじていたがギリシア神話では逆転しているのだった。

ギリシア神話にみられる諸神の大半はアジア各地から寄せ集められたものである。例えばゼウスはリビアから、というふうに。その際、ギリシア人はこんな作り話で事実を引っ繰り返す。ある時ゼウスらオリンポス諸神は対立する巨人神たちに終われてナイル流域に至り、しばらく雄羊など動物の姿に身を変えて迫害を逃れた。そのため、ゼウスらがふたたびギリシアに戻った後に北アフリカ沿岸にゼウス信仰が広まった。

オリュンポスの神々が宴会を開いていたところに突然怪

物テュポンが現れた。驚いた神々はエジプトのナイル川沿いに逃れ、それぞれ動物の姿に変身して難局をやりすごすこととなった。ゼウスは牡羊に、ヘラは白い牝牛に、アポロンはカラスに、アルテミスは猫に、そしてアフロディテーは魚に変身した。牧神パンはヤギの形になりナイル川に飛び込んだが、下半身しか変わらなかった。[☆10] この変身譚は、ついでながら、ギリシアよりもエジプトの方が信仰の先進地域であることを証明している。ゼウス信仰の起原はギリシアにでなくリビアないしエジプトにあるのであって、ゼウス神は不可視の霊的観念とかイデア的概念でなく、可視の牡羊そのものとかモト的自然だったのである。

アマテラス〔天の岩屋戸神話〕

〔古事記原文〕

故於レ是、天照大御神見畏、開二天石屋戸一而、刺許母理此三字以音坐也。爾高天原皆暗、葦原中國悉闇、因此而常夜往。於レ是萬神之聲者、狹蠅那須此二字以音滿、萬妖悉發。

是以八百萬神、於二天安之河原一、神集集而訓集云都度比、高御產巢日神之子・思金神令レ思訓金云加尼而、集二常世長鳴鳥一、令レ鳴而、取二天安河之河上之天堅石一、取二天金山之鐵一而、求二鍛人天津麻羅一而、麻羅二字以音。科二伊斯許理度賣命一、自伊下六字以音。令レ作レ鏡、科二玉祖命一、令レ作二八尺勾璁之五百津之御須麻流之珠一而、召二天兒屋命・布刀玉命一布刀二字以音。下效此。而、內二拔天香山之眞男鹿之肩一拔而、取二天香山之天之波波迦一此三字以音。木名。而、令二占合麻迦那波一而、自麻下四字以音。天香山之五百津眞賢木矣、根許士爾許士而、自許下五字以音。於二上枝一、取二著八尺勾璁之五百津之御須麻流之玉一、於二中枝一、取二繫八尺鏡一、訓八尺云八阿多。於二下枝一、取二垂白丹寸手、青丹寸手一而、訓垂云志殿。此種種物者、布刀玉命・布刀御幣登取持而、天兒屋命、布刀詔戸言禱白而、天手力男神、隱二立戸掖一而、天宇受賣命、手二次繫天香山之天之日影一而、爲レ縵二天之眞拆一而、手二草-結天香山之小竹葉一而、訓小竹云佐佐。於二天之石屋戸一伏二汙氣一此二字以音。蹈登杼呂許志、此五字以音。爲二神懸一而、掛二出胸乳一、裳緒忍二垂於番登一也。爾高天原動而、八百萬神共咲。

於レ是天照大御神、以二爲怪一、細二開天石屋戸一而、內告者、因二吾隠坐一而、以二為天原自闇亦葦原中國皆闇矣一、何由以、天宇受賣者為レ樂、亦八百萬神諸咲。爾天宇受賣白言、益二汝命一而貴神坐。故、歡喜咲樂。如レ此言之間、天兒屋命・布刀玉命、指出其鏡一、示二奉天照大御神一之時、天照大御神逾思レ奇而、稍自レ戸出而臨坐之時、其所二隠立一之天手力男神、取二其御手一引出、即布刀玉命、以二尻久米（此二字以音。）縄一、控二度其御後方一白言　従レ此以内、不レ得二還入一。故、天照大御神出坐之時、高天原及葦原中國、自得二照明一。

〔読み下し文〕

故ここに天照大御神見畏みて、天の岩屋戸を開きてさし籠りましき。ここに高天の原皆暗く、葦原中國悉に闇し。此れに因りて常夜往きき。是に萬の神の声は、さ蝿なす満ち、萬の妖悉に発りき。ここをもちて八百萬の神、天の安の河原に神集ひ集ひて、高御産巣日神の子、思金神に思はしめて、常世の長鳴鳥を集めて鳴かしめて、天の安の河の河上の天の堅石を取り、天の金山の鉄を取りて、鍛人天津麻羅を求ぎて、伊斯許理度売命に科せて鏡を作らしめ、玉祖命に科せて、八尺の勾玉の五百箇の御統の珠を作らしめて、天児屋命、布刀玉命を召して、天の香山の真男鹿の肩を内抜きに抜きて、天の香山の天の朱櫻を取りて、占合ひ麻迦那波しめて、天の香山の五百津真賢木を根こじにこじて上枝に八尺の勾たまの五百津の御統の玉を取り著け、中枝に八尺鏡を取り繋け、下枝に白和幣、青和幣を取り垂でて、此の種種の物は、布刀玉命、布刀御幣と取り持ちて、天児屋命、太詔戸言祷き白して、天手力男神、戸の掖に隠り立ちて、天宇受売命、天の香山の天の日影を手次に繋けて、天の真拆を鬘として、天の香山の小竹葉を手草に結ひて、天の石屋戸に槽伏せて蹈み轟こし、神懸りして、胸乳をかき出で裳緒を陰に押し垂れき。爾に高天の原動みて、八百万の神共に咲ひき。

是に天照大御神、怪しと以為ほして、天の石屋戸を細めに開きて、内より告りたまひしく、「吾が隠りますによりて、天の原自ら闇く、亦葦原中国も皆闇けむと以為ふを、何由にか、天宇受売は楽をし、亦八百万の神も諸咲へる。」とのりたまひき。ここに天宇受売白ししく、「汝命に益して貴き神坐す。故、歡喜ひ咲ひ楽ぶぞ。」とまをしき。かく言す間に、天児屋命、布刀玉命、その鏡を指し出して、天照大御神に示せ奉る時、天照大御神、いよよ奇しと思ほして、稍戸より出でて臨みます時に、その隠り立てりし天手力男神、その御手を取りて引き出す即ち、布刀玉命、尻くめ縄をその御後方に控き度して白ししく、「これより内にな還り入りそ。」とまをしき。故、天照大御神出でましし時、高天の原も葦原中国も自ら照り明りき。

ここに引用した神話は、アマテラスが岩屋戸に隠れるところから、そこを出るところまでである。アマテラスが岩屋戸に隠れると、たちまち高天原も葦原中ツ国もことごとく暗くなった。しかし、その暗闇の中で八百万の神がみが大笑いして楽しんでいる。アメウズメが神懸りして乳房や腰を露わにして踊ったからである。その事情をしらないアマテラスは、怪しいなと思って岩屋戸を少し開けてみる。そこでアメウズメは、アマテラスより貴い神がそとにいると告げる。そしてアメコヤネとフトタマの二神が鏡を見せる。アマテラスは鏡に映った神が自分より貴いのかと思ってさらにそとを見ようとする、その瞬間、アメタヂカラヲが手をとってアマテラスを引き出した。それ以後、アマテラスの姿は見えねど、鏡がその象徴になったのである。この時をもってアマテラスは不可視神となった。

天の岩屋戸の前でのアメウズメの舞は、神であるアマテラスを動かす儀礼だった。だが、岩屋戸を出てからのアマテラスは動かされる神でなく、森羅万象を動かす天照大御神となった。その性格は、天地創造とまではいかないものの皇祖神として高天原と葦原中ツ国を統べる主宰神となった。イザナギ・イザナミのような神々と国土とを産むのでなく、孫のニニギノミコトを葦原の中ツ国に送ってそこを治めさせ、自らは絶対神となって万物に君臨した。よって、日本神話のうち、天地開闢の創生からイザナギ・イザナミ神話までを物語の前編として括るならば、ユダヤ神話ほど明確ではないものの、アマテラスからの後編は天地創造の後編バリエーションとみなしえる。なお、上記アマテラス物語の最後に「高天の原も葦原中国も自ら照り明りき」とあるが、その光は天地開闢のときと違って、不可視となった絶対神アマテラスの威光によるものであり、むしろ天地創造にふさわしい描写である。

おわりに

神話の三類型を問題にする私は、おなじ三類型でも、いま一つの基準で考察している。それは、可視（地上世界）・見え隠れの半可視（天・地・冥界往復）・不可視（天空・冥界）によるものである。第一類型は地上における可視の物語。第二類型は地上と天空ないし地上と冥界を行き来する物語で、可視・不可視が混交している。そして第三類型は天空ないし冥界のみにおける不可視の物語である。第一の代表はフェニキア神話であり、第二の代表は日本神話やギリシア神話であり、第三の代表はユダヤ神話である。第二の日本神話は、天地開闢の創生からイザナギ・イザナミ神話までが地上・冥界物語で、アマテラス以降が天空神話である。神々の系統では天津神・国津神ないし海神（ワタツミ）というように区分されている。この分類は〔成る・産む・創る〕神話区分と大きく重なっているが、神話の生成と伝播を考察するに際しては、それぞれ別個の区分としておく必要がある。河合塾での今回の講演内容を決めるに際して、〔可視・半可視・不可視〕にするか〔成る・産む・創る〕にするか、少々悩んだが、一般の方々にお話しするのには物語としていっそう興味深いほうが好ましいと考え、〔成る・産む・創る〕に決めた。しかし、〔可視・半可視・不可視〕の区分けで見ると、日本神話は三類型のすべてを含んでいる。すなわち、〔可視（アシカビ）・半可視（イザナギ・イザナミ）・不可視（アマテラス）〕である。その意味で、日本神話は世界に類まれな、学術的にみてすこぶる意義深い事例なのである。

注

01　本居宣長、本居豊頴校訂『校訂・古事記傳』一、吉川弘文館、一九二〇（初版一九〇二）年、一六六頁。

02　国土生成以前から国土が出現している点につき、本居は苦しい解釈を行なっている。「さて國土は、伊邪那岐伊邪那美ノ大神の始めて生成（うみなし）賜へれば、此ノ時には未だ然物（さるもの）は無きを。如此（かくいへ）言るは、成れる後の名を假（かり）て、其始の状（ありさま）を談（かた）れるなり」『校訂・古事記傳』一、一六三頁。

03　平田篤胤「古史傳」一之巻、平田篤胤全集刊行会編『新修・平田篤胤全集』第一巻、名著出版会、一九七七年、一二一頁。

04　本居神学と平田神学との対比を行なった文献として次のものがある。原武史「復古神道における〈出雲〉―思想史の一つの試みとして―」（上）・（下）、『思想』第八〇九号、第八一〇号、一九九一年。

05　平田篤胤「古史傳」一七之巻、『新修・平田篤胤全集』第二巻、三八二頁。

06　Eusebius, tr. by E. Hamilton Gifford, *Preparation for Gospel*, in 2Vols., I, Baker Book House Grand Rapids, Michigan, 1981. (Reproduction of the 1903 edition issued by the Clarendon Press Oxford) , pp. 37-40.

07　坂本太郎ほか校注『日本書紀』（一）、岩波文庫、四〇頁。

08　倉野憲司校注『古事記』、岩波文庫、38頁。

09　『日本書紀』（一）、五八～六〇頁。

10　オヴィディウス、中村善也訳『変身物語』第一分冊、岩波文庫、一九三～一九四頁参照。なお、ギリシア神話はフェニキアやエジプトから移入して成立している点を、ヘロドトスもしっかり記録している。「エジプトのテバイで行なわれる託宣の方法は、ドドネで行なわれるものと酷似している。犠牲獣によって占う技術もまたエジプトから渡来したものである。いずれにしても、国民的大祭（パネギュリス）――神体を奉じてねり歩き、参詣のために行列をくむというような風習は、エジプト人の創始によるもので、ギリシア人は彼らからそれを学んだのである」。ヘロドトス、松平千秋訳『歴史』中巻、岩波文庫、一九九頁。

〔参考文献〕

倉野憲司 校注『古事記』岩波文庫。

日本聖書協会『旧約聖書』。

本居宣長、本居豊頴校訂『校訂・古事記傳』一、吉川弘文館、一九二〇（初版一九〇二）年。

平田篤胤「古史傳」一之巻、平田篤胤全集刊行会編、『新修・平田篤胤全集』第一巻、名著出版会、一九七七年。

Eusebius, tr. by E. Hamilton Gifford, *Preparation for Gospel*, in 2Vols., I, Baker Book House Grand Rapids, Michigan, 1981. (Reproduction of the 1903 edition issued by the Clarendon Press Oxford) . 石塚正英訳。

オヴィディウス、中村善也訳『変身物語』第1分冊、岩波文庫。

ヘロドトス、松平千秋訳『歴史』中巻、岩波文庫。

第三章

土偶は植物そのものという新解釈をめぐって

――『土偶を読む』（竹倉史人、晶文社、二〇二一年）へのコメント

はじめに

創立三〇年を越えるフォイエルバッハの会や創立二〇年を越える歴史知研究会の例会を兼ねて定期的に開催されているリモートカレッジ講座「第九回ブックパーティー」（二〇二一年九月二五日オンライン）では、竹倉史人著『土偶を読む――一三〇年間解かれなかった縄文神話の謎』（晶文社、二〇二一年）を取り上げました。私がコメンテータをつとめ、参加者から質問や感想を述べて戴き、談論風発を心ゆくまで楽しみました。本稿は、そのときの録画録音記録を参考に執筆しました。

この本の内容は、ああ土偶か、考古学か、といった専門分野や、はたまた趣味の範囲にあるものではないです。著者の竹倉さんにすれば、既存の学問、明治時代から日本で活躍して来た考古学者、人類学者、造形美術家などを向こうに回して、あるいは西洋哲学由来の解釈をひっくり返し、その伝統に果敢に挑もうという意図をもった野心作です。しかも同時に、非常にアップトゥデートな視線でもって土偶を処理しようとしています。私はそうした彼の姿勢が大いに気に入りました。その点でアカデミックポストへの就職難の昨今、彼は「独立研究者」と称して、文字通り独立独歩を自認しています。当然ながら従来の研究スタイルは保てないわけです。その意味でも、この本は彼の独立宣言みたいなものでしょうね。それだけに未整理というか未完というか、研究途上というか、そういう印象は否めません。そうしたことを含めて、これまで、「縄文土偶と記紀神話[☆01]」などで土偶をフェティシズム論で説明してきた私によるコメントをお聴きください。なお、以下においてあ

れこれ批評しますが、すべて激励のつもりです。

一　土偶はすべて植物のフィギュアをしている

みなさん、まずは本書のトップの数頁にわたっておかれている〔土偶＋植物〕カラー口絵写真をご覧ください。それぞれにキャプションが付いていますので、それを読んでみます。まずは「ハート形土偶とオニグルミ」です。「土偶のモチーフは食用植物にちがいないと感じながらも、ハート形の植物が見つからない日々が続いていた。そんななか、オニグルミとの出会いは突然訪れた」。彼は、土偶は何かの植物を象っていると理解していますから、これはなぜこんなシェイプをしているのか、という問いへの返答は、それに一致する植物がある、という指摘です。ハート形土偶の写真を片手に森や草地を歩き回るわけです。ところが、外見の似ている植物は、そうそう簡単には見つからない。ハート形土偶の場合は、クルミを割って見なければ発見できなかったのです。次のページにある中空土偶の場合は柴栗です。これも屋敷栗とちがって、里山の雑木林にでも立ち入ったりしなければ、なかなかお目にかかれない。「柴」ですからね。食料品売り場で普通に買い求めることのできるような改良を重ねた大粒のクリは、縄文時代には存在しないわけですからね。そのほかのページを飾るヒエは刺突土偶に一致するとのことです。今どき、ヒエはスーパーでもまず見かけません。最後の口絵ページを飾る里芋は遮光器土偶、とくに足に一致するとのことですが、今どき里芋は、八百屋さんやスーパーでサトイモと片仮名書きされ、きれいに洗われて調理済みのがパックされています。とにかく竹倉史人さんは、懸命になって、縄文人の食用植物の中から、当該の土偶とシェイプの一致する個物を探し求めたわけです。[☆02] このように竹倉さんは、縄文人が食べたであろう植物に特化してそれと土偶との形状の一致不一致を確認し、ついに以下の結論を導いたのでした（太線による強調は原著者による）。

> 結論から言おう。
> 土偶は縄文人の姿をかたどっているのでも、妊娠女性でも地母神でもない。〈植物〉の姿をかたどっているのである。それもただの植物ではない。縄文人の生命を育んでいた主要な食用植物たちが土偶のモチーフに選ば

> れている。……（引用者による中略）……
>
> すなわち、土偶の造形はデフォルメでも抽象的なものでもなく、きわめて具体的かつ写実性に富むものだったのである。土偶の正体はまったく隠されておらず、常にわれわれの目の前にあったのだ。
>
> ではなぜわれわれは一世紀以上、土偶の正体がわからなかったのか。
>
> それは、ある一つの事実がわれわれを幻惑したからである。すなわち、それらの〈植物〉には手と足が付いていたのである。
>
> じつはこれは、「**植物の人体化**（アンソロポモファイゼーション）（anthropomorphization）」（ギリシア語で〝anthropo〟は〝人間〟を、〝morph-〟は〝形態〟を意味する）と呼ばれるべき事象で、土偶に限らず、古代に制作されたフィギュアを理解するうえで極めて重要な概念である。☆03

この結論の前半は彼のオリジナルな視点・論点を如実に示す箇所であって、おおいに評価できます。私の関心から言うと、これはフェティシズムと絡みます。フェティシズムの特徴は以下の内容になります。①フェティシュ（神）は人（信徒）によってその地位に選定される。②フェティシュ（神）は生物・無生物そのものであって、可視の自然である。③フェティシュ（神）は人（信徒）を災難から護るべきであり、それができなくなれば打ち叩かれたり殺されたりする。☆04 その三点のうち、竹倉史人さんの土偶論には①と②が含まれるのです。なるほど竹倉さんは土偶を地母神のような自然神とはしていないです。その点を無視すれば、これはフェティシズムにちかい。けれども、後半の「じつは」から以降は、彼のオリジナルな視点、私にすればフェティシズム的な側面を突き崩す内容を含んでいるのです。

二　精霊をかたどる土偶もある

最初の口絵写真の中に「椎塚土偶（山形土偶）とハマグリ」があります。そのキャプションにはこう書かれています。

> 宇宙人のような椎塚土偶。でも、「土偶は人間をかたどっている」と決めつけるから奇妙な姿にみえるのだ。もしあなたが「ハマグリの精霊像」を造るとしたら？どのようにデザインする？☆05

読んで字のごとく、この説明には、著者の主張にある「土偶の造形はデフォルメでも抽象的なものでもなく」とか「〈植物〉の姿をかたどっている」に反する記述が含まれています。「ハマグリの精霊」です。椎塚土偶は、端的にハマグリをかたどったものでなく、その抽象的存在である精霊をかたどっているというのです。本書には「精霊」という術語が散見されるので、その文脈を以下に一例だけ引用しましょう。口絵写真の一枚、長野県茅野市の棚畑遺跡出土「縄文のビーナスとトチノミ」があり、それについて次の説明があります。「ビーナスはやはり妊娠像なのである。ただし、それは人間女性の妊娠像ではない。トチノミの精霊の妊娠像なのである[06]」。ところが、他方で彼は「精霊」説を否定してもいます。

一方、これまで散見された「土偶は地母神である」とか「目に見えない精霊をかたどっている」といった類の言説は、感覚ではなく連想である。これらはわずか数点の土偶の姿形から連想された主観的な印象に過ぎず、人々を納得させるだけの物理的な根拠を欠いている。それゆえ、どれほど多言を弄しようとも、そもそも検証も反証も不可能であり、学術的な水準で扱うこと自体が困難な主張であると言わざるを得ない[07]。

こうして辿ってくると、著者の「精霊」理解は、なにか十分な根拠をもってはいないように思えるのです。確立してはいない。すばらしいことに、彼には精霊や人体(手足)を植物のアナロジーとみる発想があるのですが、植物を精霊や神霊のアナロジー(アレゴリー)とみる発想のほうがアニミズムなどの伝統として強いのです。土偶は植物すなわち物質として存在意義があるとみる竹倉史人さんですから、精霊すなわち観念を肯定的にもち出すと混乱が生じます。私のそうした憂いは、本書に記された「ヒトガタ」においてピークに達してしまいました。引用します。

破壊された土偶が多いのは、土偶が不要になった際に破壊されてから遺棄されたからだと考えている。土偶は人体と同様に神霊の宿るヒトガタであるから、そのまま遺棄する場合には相当な心理的負荷が発生する。当該の神霊の怒りを買うおそれがあるからである[08]。

なにか言い間違いをしたように聞こえます。クリやヒエはヒトガタではありませんからね。けれども、彼は言い間違うべくして言い間違えているようです。本稿ですでに引用した一文「それらの〈植物〉には手と足が付いていたのである。じつはこれは、「**植物の人体化**（アンソロポモファイゼーション）（anthropomorphization）（ギリシア語で〝anthropo〟は〝人間〟を、〝morph-〟は〝形態〟を意味する）と呼ばれるべき事象」という箇所にかかわってくるのです。植物に手足が伸びた理由を、竹倉史人さんは直接的にはつまびらかにしていないのですが、間接的には言及しています。その問題に関して重要な箇所を引用します。

〔引用一〕土偶もフィギュアであるから、土偶のモチーフを考えるのであれば、まずはその土偶が何に似ているか、つまり「見た目の類似」こそが依拠すべき最優先のファクターである。このような研究手法をイコノロジー（iconology）と呼ぶことにしよう。☆09

〔引用二〕われわれが採るべき道は、イコノロジーの排除ではなく、イコノロジーの補強である。土偶の正体が知りたいのであれば、あくまでもイコノロジーを方法論の中心に据えたうえで、他の実証的な手法を併用してその可謬性のリスクを最小化することが目指されるべきだろう。☆10

ようするに、竹倉さんは土偶の手足を取り除けば植物そのものが見えてくるが、手足をつけると、その縄文的「見た目の類似」が浮かんでくる、と言いたいのです。たとえば、オニグルミで見ますと、竹倉さんは、人体を具えた土偶は「オニグルミの精霊を祭祀するために作られた呪具」と見ています。だからこそ、イコンが介在することとなるのです。キリスト教の聖画で知られるイコンは象徴です。本物ではありません。竹倉さんにとって、シバグリは植物そのもの、本物ですから、それがイコンであるはずはない。ですから、人体化した土偶がイコンということになりましょうね。そうなると、土偶はクリという本物に対する「見た目の類似」したイコン・象徴・抽象という位置に置かれることになります。「土偶の造形はデフォルメでも抽象的なものでもなく、きわめて具体的かつ写実性に富むもの」という彼の主張は根拠を失いつつあります。また、「土偶のような無機物は人為的に破壊して霊魂を解放する必要がある」というとき、[☆11]土偶はもはや桎梏と解釈され「霊魂」はアニマと同類に理解されています。これはおかしい。けれども、土偶に、その素材の「土」「土塊」を介在させると、この議論は息を吹き返します。一九九〇年代初から二〇一〇年代末にかけて継続した、日本各地や地中海域での私のフィールドワークは、石と土と樹木を訪ねる旅でした。刻まれた形像は石や土や樹木に媒介されて初めて意味をもつのだと念じて歩き続けました。

三　土偶は植物である前に土塊であること

土偶に類する形像は、先史のメソポタミアやエジプトにも散見されますが、それらの多くは石像であって、日本の土偶のように土で造られるものは少ないです。土偶に類する多くの形像と土偶との違い、特徴を一つ挙げるとすれば、土か石か樹木か、といった区別ではありません。端的に申しまして、縄文土偶はたんなる呪具や呪物でなく、また背後に高尚なる神霊があってこれの依代（イドル・イコン）にすぎないのではなく、それのみで単体の神（フェティシュ）であった点です。その際重要なのは、土偶を形づくる土塊＝素材がそもそも聖なる存在である点です。竹倉さんは認めませんが、私にすれば、シバグリに手足が伸びるのは、自然（物）の擬人化、自然に人間の形姿をまとわせることにより、じつはそうすることでシバグリを聖化しているのです。いわば擬神化しているのです。ユダヤ教の世界では神は神に似せて人間を造りましたが、縄文人の世界では人は人に似せて自然神を観念し崇拝したというわけです。

ここで、少し面倒な説明をします。私が長年研究してきた一九世紀ドイツの哲学者フォイエルバッハの文章を引用します。「人間は、自然が創造と破壊をなすかぎり、または一般に自然が人間に対して畏敬の念を起こさせる威力という印象を与えるかぎり、自然を人間化して全能な存在者にする（zu einem allmächtigen Wesen vermenschlicht）」。[☆12]自然を人間化して全能な存在者にする、という行為を解釈すると、実は自然の「人間化」でなく、形像のうえでは自然を人間化するものの、内実としては自然を「神格化」「神霊化」することを意味しているのです。

Vermenschlichung の意味としては、人間化（擬人化）、神の人格化、神人同形同性観、などのバリエーションがあります。一見すると自然（風や樹木、小鳥）の擬人化に思えますが、時と場合によって、擬人化でなく擬神化と解釈する必要があるのです。人は、自然をあたかも人間と同様・同等であるとみなしますが、その自然が神である世界では、人は自然を人間化することにより、自然を神となし、人間自身をも神となすのです。[☆13]

ここに、江戸時代から頸城野に伝わる風神の石造物を紹介します。この造形は、暴れん坊の風——よく「風の三郎」と呼ばれる——を懐柔して立ち退かせることを目的にしています。農民は、暴風を自分たちの姿に似た像に作りはするが、自分たちと同じ人間を作っているのでなく、つまり風を擬人化しているのではなく、神として作っているわけです。つまり風を擬神化しているのです。[☆14]

さて、ここで先ほど話題にした素材について、あらためて以下に土と石と樹木の三例を、拙稿から引用して説明します。

〔引用一〕土のことをヘブライ語で「アダマー」という。ローマ字で綴ればadamahとでもなろうか。女性名詞である。このアダマー＝土から「アダム（adam）」が造られた。すなわち、ヘブライ世界で大元は母＝女であり、これから人＝男＝アダムが生まれるのであった。その有様は、あたかもX染色体からY染色体が生まれるがごとくである。ユダヤ教徒になる以前のプレ・ヘブライ人は母＝アダマー神信仰を隠さなかったとみえる。文明時代になってから成立した旧約聖書によれば、始めにヤーヴェが森羅万象を創造しつつアダムをこしらえたのであるが、先史のプレ・ヘブライ世界では、始めに森羅万象あるいは大地（アダマー＝女）があって、そこから人（アダム＝男）が生まれヤーヴェが生まれたのである。いったんヤーヴェが生まれると、今度は事態が逆転して、神が男をつくり、神がその男から女をつくることになった。[☆15]

〔引用二〕（【ミケランジェロと理想の身体】展 二〇一八年六月〜九月、東京の国立西洋美術館の）会場で手にした図録『ミケランジェロと理想の身体』を開いて、驚いてしまった。素材としての大理石に関係して、こう記されていたのである。

★ミケランジェロいわく「私は彫刻というものは、どうしても取り出すべきものとして制作するものと考えます」（一一頁）。

★美術史家セブレゴンティいわく「ミケランジェロによれば、石の中にはすでに潜在的にその像は内包されており、芸術家の手によって余計なものを取り去られ自由になるのを待っているというのである」（一一頁）。

「後者の四体〈若い奴隷〉〈髭の奴隷〉〈アトラス〉〈目覚める奴隷〉）…はいずれも苦しみを表現しており、あたかも自らを閉じ込めている大理石の塊から自由になろうと途方もない努力をしているように見える」（一一頁）。

「ミケランジェロは《聖マタイ》…では、自身を閉じ込める大理石塊から抜け出ようともがく聖人の肉体の劇的なコントラポスト、反射的な頭部のひねり、苦痛が引き起こす迫力ある躍動のうちに《ラオコーン》像から受けた影響を示している」（一〇三頁）。

「《ダヴィデ＝アポロ》は、ミケランジェロの生み出した根本的な表現方法である『曲がりくねった』動きの最高の例であり」（一一五頁）

「彼の芸術は閉じ込められた大理石の中から自由になろうともがいている人間の形との闘いであると解釈されている」（一一六頁）。

セブレゴンティ編集による以上の大理石観を、私はミケランジェロ自身の受け止めとみている。論拠は「ミケランジェロの詩と手紙」（須賀敦子訳、SPAZIO 1976 No.12）ほかに散見される。[☆16]

くどいほど長大な引用となりましたが、ようするに、縄文土偶を聖なる存在とみる私は、それを縄文時代の大地と同一視しているのです。そのうえで、その大地は聖なる存在であり、土偶と大地はもともと一体の関係にあったのです。よって、土偶それ自体が単体で聖なる存在だったのではありません。けっしてイコンやアナロジー、象徴や比喩ではありません。竹倉さんは「アナロジーは人類の認知の基盤をなすものであり、最も普遍的な思考様式だ」としていますが、[☆17]それは縄文人などの先史人には妥当しないです。アナロジーでなく、もともと聖なる存在であったものを、儀礼を通してもともと聖なる大地に戻す。土偶の破壊と散布、それはごく自然な行為だったのです。竹倉史人さんは土偶に聖性を認めませんが、私は先史の精神として、その双方に聖性を見通しています。

その傍証となる事例を、私は縄文時代を越えて弥生時代にも見出しています。岡山県で前方後円墳の起原的研究を深めた考古学者である近藤義郎の業績に係ります。拙稿から以下に引用しましょう。

> 彼が主要なフィールドにしていた岡山県倉敷市の楯(たて)築弥生墳丘墓(つきやよいふんきゅうぼ)からは、首長に対する埋葬祭祀に使用された多くの祭祀的品々が小円礫堆中から発見された。特殊器台や特殊壺、勾玉形土製品(まがたまがたどせいひん)、人形土製品(ひとがたどせいひん)ほか。ただし、その大半が神事の後で破壊された。祭祀に使用した後、打ち割られる意味、その目的は何か。その背景を考察するには、例えばジェームズ・フレイザーの大著『金枝篇』の世界に入りこむ必要があるものの、ひとことで言えば、先史以来の、神霊＝神体を殺す呪術行為である。神事の後で破壊されたものの中には神体「弧帯文石(こたいもんせき)」と相似形（体積比九分の一ほど）の「出土弧帯文石」もあった。神体には顔面に思える図形が浮き彫りされており、相似形は火炙りにされ砕かれ埋められた。出土弧帯文石は一点のみだから、この儀礼――種々の土器、呪具の破壊を伴う――は一度のみだったようだ。破壊される縄文土偶と共通する呪術的行為であると同様に、器物や生物を含む聖物の破壊は聖性の再生と周囲への聖性の浸透を意味する。☆18

この神体「弧帯文石」と「出土弧帯文石」は、縄文の破壊される土偶の末裔であると推測できる。先史縄文時代の儀礼文化は、弥生式時代と古墳時代の過渡期を経て、やがて文明的飛鳥時代に受けつがれるのです。その段階ではいろいろな簡素化が進み、もとの意味や役割は忘却されています。その証拠に古墳での出土品を精査すると、最初から底に穴の穿たれた形で造られるものが登場してくるのです。要するに弥生前期の祭祀文化はその後期から古墳時代に至ると形式化し、儀礼の簡素化と抽象化が進んでいったのです。

なるほど、土偶が土塊として崇拝された過去は、火田の縄文から水田の弥生へと生活様式が変化すると、それ自体としては忘却のかなたに追いやられますが、土塊や植物それ自体を崇拝するという儀礼文化は稲作や土壁に継承されて行くのでした。

四　ブックパーティーでの質問や感想

ここで、ブックパーティー当日、参加者から戴いた質問や感想の概要を、録音記録に即して以下に記しておきましょう。

【米田祐介】聖霊について。土偶を神それ自体とみるか、それとも神は土偶の中に潜む精霊とみるか。報告者は前者の立場ですが、竹倉史人氏は後者の意味で精霊を理解しているのでしょうか。

【石塚正英】そのあたりを竹倉さんは詰めて明確に語ってはいません。しかし彼は、シバグリを明確に土偶だと言っている。数多いる考古学者、造形美術家と違って、彼は土偶を植物つまり自然物、物質だと言ったこと、そこを私はおおいに評価しています。だだ、土偶を地母神のようにはみなさないので、土偶を自然から取り出された自然神それ自体とみなす私の立場とは微妙なズレがありますね。土を地母神つまり自然神とみる私の理解を共有していない。肩透かしのような印象を受けます。

【入江公康】竹倉史人さんの本には励まされました。いろいろ大変なこともあったと本に書かれていますが、いずれにしても新鮮かつ魅力的な視点を出しているわけで、もしそれがダメだというなら、ここはこうではないかと素直に異論なり反論なりだせばいいし、これがと思うような事実があれば積極的に取り上げていけばいい。そうすれば話も生産的になると思います。少なくとも全否定するというようなことではないです。

さて、破壊されて出土する土偶の件で質問があります。これについて民族学者イェンゼンのいうハイヌゥエレ型神話を思い出しました。死体化生神話ですが、男たちが女性を凄惨な形で殺して切り刻んでしまうというマヨ儀礼とともに、神話学の吉田敦彦氏が古事記のオオゲツヒメ殺害の場面をハイヌゥエレ型として解釈します。オオゲツヒメは食べ物を口や鼻や尻や陰部から出すので、汚い、下品だということでスサノヲが殺害する。そして、そのあとの死体から穀類がたくさん生える。吉田説はそれを縄文の焼畑農耕の開始と関連づけます。土偶の人為的な破壊、これは石塚さんの神仏虐待儀礼ともつながるかと思うのですが、ぼくは、この焼畑農耕の開始、ひいては農耕の開始はまた、国家的なものの原基というか、クニの出現とも大いに重なっているんではないかとも思うんですよね。

それはいいとして、破壊された形での出土が多々見受けられる土偶、そしてハイヌゥエレ神話と古事記という記紀神話があらわすもの、そのあたり石塚さんの解釈ではどのようになりますか？

あと蛇足ですが、二〇一八年に上野の国立博物館で開催された土偶展にぼくも行ったけれど、すごく小さい土偶もたくさんあった。こんなに小さいんだなあと感慨をもったのを覚えています。石塚さんのコメントへの反応になってしまいましたが、その「形を見る眼」をこのままもっと「おれのイコノロジー」として、竹倉氏が方法論的につき詰めていけばすごくおもしろいと思いました。

【石塚】 二つほど、思い当たることがあります。まず、先史時代や野生地域の倫理観念では、人を傷つける行為は非難されるようなものでないケースがあります。行為において野蛮なことと精神において野蛮なこととは区別されなければならないわけです。現代のような文明期は先史・野生の真逆だったりします。殺してばらばらに撒き散らす、それはいわば土に戻すことです。土に戻すということは大地と一体化させること、つまり地母神に抱かれるわけです。インカルナチオ（受肉）ではないけれど、いったん土で人間の格好をしたけれど、また土に戻る。もう一つは、さきほど話した弥生末期の墳丘墓で出土した神体「弧帯文石」と「出土弧帯文石」ですね。その神体を粉々に破壊する。この二つの事例はともに破壊としかるのち創造という儀礼を物語っています。その縄文的証拠が土偶で、ハイヌゥエレが海外の伝承で、古事記が日本の伝承ということだと思います。つまり儀礼としては三つ巴に絡んでいるわけです。竹倉史人さんが言うような、使わなくなったから壊すんじゃないですね。それからまた、「土偶のような無機物は人為的に破壊して霊魂を解放する必要がある」[☆19]とするのも、土偶の抽象的な扱いを否定する竹倉さんの言葉とも思えません。ここでは土偶と霊魂を対立する、束縛し合う対象と考えているとしか解釈できませんね。

【川本　隆】 土偶がばらばらにされて土にかえる、というところで質問があります。なぜばらばらにするんでしょうか。そこになにか意味があるんでしょうか。それとフォイエルバッハの術語として〝Vermenschlichung〟を挙げて、それに「擬神化」という訳語をあてがった件ですが、内容を捉えてのことでしょうが、ぽんとその訳語を置かれると違和感があります。いかがでしょうか。フォイエルバッハがテクニカルタームとしてこれをいつも使っていたかの誤解を招きかねないと思いますが。

【石塚】ばらばらにして各住居に持って帰り懸け仏のように吊るしておく、あるいはあちこちの畑に散布するかしたのです。こちらはのちのオオゲツヒメ物語とつながるでしょうね。それから〝Vermenschlichung〟を「擬神化」と訳した点ですが、竹倉さんは縄文人はシバグリなどの植物に手足をくっつけて人体化したといいます。でも私に言わせれば、人間の格好をさせたのはクリを人間化したいのではなくて、自然神に転化して崇拝したかったということなのです。フォイエルバッハは竹倉史人さんのように土を無機的に考えたのでなく、私のように自然神的に考えたのです。フォイエルバッハにすれば、擬人化は擬神化へのステップにすぎないのです。よって、〝Vermenschlichung〟を「擬神化」と訳すほうがベターなのです。

【杉山精一】さきほど土偶の破片を畑に撒く、という話がありました。つまり農耕です。しかし、それはあくまでも縄文の農耕であって、弥生の稲作農耕とはレベルが違いますね。また、弥生期は人口も多くなりクニも形成されますが、縄文期は不安定だったでしょう。そのあたりと土偶を撒くという行為の間には何らかの関係があったのではないでしょうか。

【石塚】火田と水田の違い、扇状地と平野部の違い。作る場所が違う。それから焼畑では芋や根菜をつくる。米をつくっても〝おかぼ（陸稲）〟です。モグラとかネズミとかが駆除の対象で、蛇が大活躍します。そこでヘビが神様になる。土が崇敬・畏怖の対象です。一方で、水田では水稲ですね。実りは空中においてですから、スズメやカラスが駆除の対象になり、カカシ（案山子）が活躍します。江戸時代ともなればカカシあげ儀礼などでタノカンサアー（田の神）は山の方へと帰るのであって土の中に帰るわけではない。土が神の座から遠のいても不思議はない。縄文期と弥生期では儀礼の意味や方法が違ってくる。

【田上孝一】この新刊についてネットで考古学者みたいな人の手厳しい批判文が載っていた。私はそれを読んで、そうかこれはトンデモ本か、と思って読む価値なしと考えていました。でも、たまたま書店で立ち読みしたらずいぶん面白いんです。これはそもそも考古学の本ではない。また、竹倉史人さん自身はべつに考古学を批判してはいない。文書のない時代における意味を言っているわけです。それは状況証拠に基づいて個々人が考えるしかない。神話学とか宗教学と同じようにね。ところが考古学者が、これは考古学でないと批判する。ですが、石塚さんの話を聞いて、自分の印象は間違っていなかったと思えました。縄文人があれだけデフォルメするのはいったいなぜなのか、と疑問に思っていたら、いやあれはデフォルメでなくて植物そのものなんだよ、ときた。それでなるほど、と思ったわけです。そうした着眼点は良かったんですが、やはり少し多方面の研究が不足していることもわかりました。ただ、考古学といえば、〝神の手〟なんか思い浮かべてしまいます。あのようにいい加減な議論が定説になってしまっていた。そのような考古学でもあるわけです。

【石塚】なるほど、考古学にならなくて、なにが悪いの？と逆に考古学者に質問を返したんですね。土偶や埴輪は文学の素材でもあります。その扱いは竹倉流で一向にかまわない。土偶なら考古学だよ、その門をくぐってからにせよ、なんてことはない。私みたいに歴史学や哲学、社会学や民俗学、神話学の領域に慣れ親しんだ者が理工系の大学で教育と研究に勤しむ。そうなると昇進用の業績はほぼ皆無になる。あのフレイザー『金枝篇』監修本刊行は、私の勤務校では一切カウントされませんでした。

【篠原敏昭】土偶に関して考古学者の佐原真と小林達雄に見解の違いがあって、小林は、土偶は男でも女でもなく、あれは何か精霊なんだ、という説ですよね。そのこととも関連するのですけれど、土偶はフレイザーのいう植物霊祭祀の痕跡だ、ということですが、外国にもそういう解釈のできる土偶みたいなものがあるのか、というのが質問の一つです。それから、岡本太郎は一九五三年の縄文土器論で有名ですけれども、当時の彼はもちろん、縄文時代は狩猟経済の時期だと見ていましたが、土偶の植物霊祭祀解釈を土器にも及ぼして統一的に解釈することができるのか、その辺がもう一つの質問です。

【石塚】フレイザーの『金枝篇』には、土偶や石像より刈り取った後の藁、そこに植物霊が宿る、という民族とその儀礼の事例がふんだんに蒐集されています。藁の神を来年の春まで閉じ込めるんだ、とかの儀礼紹介です。でも、メソポタミアや地中海沿岸域で出土するテラコッタのようにモノとして像を焼いたり彫りこんだりしている事例は、この場面では少ないかな、と思います。ただ、縄文の模様などは南米にも見かけるわけだから、海を越えて土器文化が交流したように、土偶つまり土を焼いて作る神像の文化が行き来したことを無視はできないでしょうね。鳥居龍蔵などは植民地時代の中国北東部や朝鮮半島を調査して回りましたが、ドルメンなど石の記念物、祭祀跡は多く報告していますが、さて、土偶に類するものはどうか、私は調べてありません。

【田村伊知朗】竹倉史人さんは精霊の土偶祭祀の対象として、堅果類と貝類を考察しています。そのうえで、縄文人が、この二つを統合するカテゴリーを持っていたんではないか、という仮説を提示してます。「縄文人も貝類と堅果類とを近接するカテゴリーに分類し（あるいは両者を包摂する認知カテゴリーが存在し）、どちらも精霊の土偶祭祀の対象になっていると考えても不自然ではないであろう。**海は水のある森であり、森は水のない海なのである**」（竹倉、三一二頁）。竹倉さんによって解明された土偶において形象化された食用植物（含む貝類）は、オニグルミ、クリ、ハマグリ、イタボガキ、ヒエ、サトイモです。雑穀類とイモ類は、縄文人によって栽培され、彼らの食糧にとって重要な役割を果たしていたことが知られています。縄文人によって採取された動かないもの、現代の用語を用いれば、堅果類と貝類が同一概念に包摂され、精霊化されています。少なくとも古代日本人が摂取した栄養素（脂質、タンパク質、炭水化物等）にとって、雑穀類とイモ類と同様に、あるいはそれ以上に、堅果類と貝類が大きな役割を果たしていた、と結論づけることも可能でしょうか。

この点に関して、石塚氏はどのように考えているのでしょうか。

【石塚】それは、私にはわかりません。でも、済州島の海女さんたちの習俗と儀礼をみれば、また、それが民間レベルで長らく日本に伝えられてきたと仮定すれば、正しいと言える、そう思います。コロナ禍が去ったら、なるべく早く済州島に出かけてフィールド調査します。古代語で「ハマグリ」というのがあれば別ですがね。私はこの二〇年ほど、信濃・上野（かみつけ）古代朝鮮文化の信濃川・関川水系遡上という可能性を探っているのですが、考古学者の多くは日本海沿岸経由を相手にせず畿内からの古東山道経由を想定するばかりなので、竹倉さんの気持ちはよくわかります。

【宮崎智絵】ハイヌウェレ神話については、私はちょうどそこを吉田敦彦先生に教わりました。そのときの講義では、芋作です。それに根ざした神話がハイヌウェレです。土偶をばらばらにするのは、芋は芽が出て少しすると芋をばらばらにして植えるからなんだということでした。それと焼き畑農業とがリンクしているとのことでした。それから、土偶の後ろに渦巻模様などがある場合があります。それはどう説明するんだということです。また、遮光器土偶の上には穴が開いています。たぶん吊り下げるように、だろうと思います。胸はちょびっとしかないです。胸はそれほどデフォルメされていないんです。そうなると、土偶に性別があったかは怪しくなります。また、地域と時代によっていろんな土偶が造られている。竹倉さんの土偶論にはその辺の考証が足りないです。それと、全部を植物にするところに無理がある。それもあるよ、と言えばいいのに。彼が出してくるのは都合のいいデータだけでしかない。そこはちょっと作為的かな。

【真野(しんの)俊和】じつは、この本ははじめから全然読む気がなかったんです。ことばは悪いが一種のトンデモ本ですね。好きなことを書いても構いませんが、証明だけはきちんとしなければいけません。「ついに土偶の正体を解明しました」(一頁)がひどすぎます。吉野裕子さんの研究がそうで、それはある時期ですが、性のシンボルという一点に収斂させてしまおうというものでした。その後は陰陽五行説でした。さて、竹倉史人さんは、土偶はクリなんだと言うけれども、それ以外にもいろんな植物が挙げられています。土偶の出土した地域と、そこでの主要な植物だったとの関連まで説明が繋がって行かないといけませんね。

【田上】それは違います。竹倉さんは土偶との関係では、ある地域での主要な食物になっているものをあげていますよ。そこにぼくは強い説得力を感じました。マルクス主義者のぼくとしては、そこは唯物史観的だなと思ったわけです。

【池田成一】東北地方ではヒエの問題がとくに面白いです。百姓一揆が一番多発したのは岩手の南部だとのことです。それはなぜかというと、みなが貧しいからだという。でも、実際に歴史を調べると違います。ほんとうに苦しい時に一揆は起っていないんです。そんな力などないからです。では、なんで南部で一揆が頻発したかというと、米を作ったからなんです。幕藩体制の江戸時代になると米中心の経済になったわけです。むりやり米を作らされた。しかし気候にはあっていない。だから当然飢饉が起きるわけですよ。その時に一揆が起こるわけではないです。何とかして寒さに強い米をつくります。そうして余裕が生まれたとき、こうしてがんばって米を作って来たのに上から米をもっていかれる。一揆は、それに対する怒りです。その時米とかヒエとかが問題となってくる。この問題はすでに縄文時代に先取りされていたわけですね。米はいったん栽培され始めていたのがわずか十数年で放棄されたヒエとかに変わるわけです。それをむりやり米にしたのが、万事コメ立てになった江戸時代というわけです。それがこの本では扱われているんです。とにかく、縄文時代に植物が土偶になった、そこが大発見ですよね。

【真野】ただですね。米は江戸時代の政治的な農作物です。でも、縄文時代だったら、食えるものは手当たり次第に食わなければならないのです。クリやヒエは主要な食べ物の一つだったかもしれませんが、それだけでは生きていけない。ならば、食物全体が土偶化していってもいいのではないでしょうか。

【宮崎】ここに猫耳の土偶の写真があります。これはどうみても植物の土偶ではないです。

【田上】そこは確かに問題がありますが、それは必然的に修正されていくと思いますよ。

【瀧津 伸】二二三ページに「今後の考古研究によって私の仮説が追試的に検証され、遠くないうちに定説として社会的に承認されることを私は望んでいる。そうなれば学校教科書の記述も改められるだろう」という一節があります。でもそうした変更が教科書に入ってくるととんでもない量になるのではないかという気がします。ただ、二〇二二年から施行される高等学校学習指導要領で新たに設置された歴史総合や日本史探究では、生徒が自ら探求していくということになります。そうなると、この本の考え方はあり得ると思います。たとえば土偶をみて、問いかけとして、何の目的で使われたのか、とかです。そうなれば一つの材料になるという気がします。竹倉史人さんも認めているように、土偶がなぜ作られたか、どのように使われたか、という点では、まだ探究の余地があるということです。あと、縄文時代の農耕儀礼や祭祀について、アイヌ文化などからの類推ができるかな、というところですね。いずれにせよ、一つの発想としては面白かったです。

【尾崎綱賀】今回の討論では、どちらかというと竹倉説に批判的な人たちと、擁護する人たちがいます。学問とは、本来、真理を探究するものです。しかし若い人たちの中には意表を突くようなことをするかもしれません。でも、それを乗り越えて行けば、認められるようになることでしょう。この著者は独立研究者ということですが、こうして本を出版できています。私自身も、これからも真実を求めて研究していこうと思っております。

【藤澤秀紀】土偶は、人間でなくて植物だといっていましたが、けっきょく結論は何なのでしょうか。擬人化とか、擬神化の議論はどうなったのでしょうか。

【石塚】竹倉史人さん自身はその議論はしていません。土偶はクリなどの植物だといっているだけです。ただ「人体化」という表現を使ったり、精霊がでてきたり、イコンとかアレゴリーみたいな概念を使うので、それではちょっとズレてくるんではないかというように、私がそこにコメントを差しはさんだわけです。

注

01 石塚正英『儀礼と神観念の起原』論創社、二〇〇五年。
02 植物でないハマグリについても、浜のクリ、という考証している。そのアナロジーは、例えば済州島の海女たちの観念には即している。彼女たちは、海も陸（畑）も同じ意識であり、漁場を「海畑」と称している。アン・ミジョン著、キム・スンイム訳、小島孝夫解説『済州島海女の民族誌―「海畑」という生活世界』アルファベータブックス、二〇一七年、参照。
03 竹倉史人『土偶を読む―一三〇年間解かれなかった縄文神話の謎』晶文社、二〇二一年、四～五頁。
04 石塚正英『フェティシズム―通奏低音』社会評論社、二〇一四年、参照。
05 竹倉史人、前掲書、巻頭の扉に続く口絵から。
06 同上、二二五頁。
07 同上、三二二頁。
08 同上、三二六頁。
09 同上、七三頁。
10 同上、七六頁。
11 同上、三二七頁。
12 *Ludwig Feuerbach Gesammelte Werke*, Bd.6, hg.v..W.

Schuffenhauer, Berlin, Akademie-Verlag, 1969, S.360. フォイエルバッハ、船山信一訳「『宗教の本質に関する講演』に対する補遺と注解・上（一八五一年）」、『フォイエルバッハ全集』第一一巻、福村出版、一九七六年、三五九〜三六〇頁。

13 石塚正英『フォイエルバッハの社会哲学—他我論を基軸に』社会評論社、二〇二〇年、参照。

14 石塚正英「風の神とその儀礼」、頸城野郷土資料室編『「裏日本」文化ルネッサンス』社会評論社、二〇一一年、参照。

15 石塚正英『儀礼と神観念の起原』、はしがき。

16 石塚正英「ミケランジェロの大理石—〈理想の身体〉をめぐって—」『頸城野郷土資料室学術研究部研究紀要』フォーラム三九号、二〇一九年、一〜一二頁。本書、第十二章第三節、所収。

17 竹倉史人、前掲書、二四九頁。

18 石塚正英『歴史知のオントロギー—文明を支える原初性』社会評論社、二〇二一年、三〇八頁。

19 竹倉史人、前掲書、三二七頁。

第四章

信濃・上野古代朝鮮文化の関川水系遡上という可能性

はじめに――王族豪族の遠征vs諸衆庶衆の移住

考古学者森浩一の著作に『敗者の古代史―記紀を読み直し、地域の歴史を掘りおこす』（中経出版、二〇一三年）がある。この本は、ヤマト連合政権の内外で権力闘争に挑んで負けた豪族が地域に敗走していく過程を描いたものだ。落人伝説を再話しているのではなく、〈その後の敗者〉にも、正史と評価されずともそれなりの歴史があることを掘り起こしている。[☆01] しかし、弥生時代後期から古墳時代へ、その後期から飛鳥・奈良時代へと転変する古代正史は、〈その後の勝者〉にこそ歴史的重要性が備わることを物語っている。けれども、太安万侶など奈良時代の正史編纂官僚がそう「物語っている」だけであって、史実がそのように進んだかは別である。『記紀』は、それが編纂された八世紀前半当時の政権を正統化するための記述になっている場合が多いので、要注意なのである。[☆02]

さて、『記紀』をはじめとする神話・歴史資料のみならず、現代の考古学者や歴史学者の調査研究書を読むと、「首長」「有力者」「大王（おおきみ）」あるいはそれに連なる階層ばかりが登場する。資本主義の新時代に淘汰されまいと〈後ろ向きの叛乱〉に決起していく一九世紀ドイツ手工業職人を卒業研究のテーマにした私は、一九七〇年前後の若いころから強者・盛者の手になる歴史記述に違和感を懐いてきた。それには虚飾や虚栄が散見され、帰順や忍従の場面・文脈以外に、「諸衆」（弱小部族）「庶衆」（下層民）が記される余地はないのである。

ただし、半世紀前に刊行された上田正昭・大林太良・森浩一『対談・古代文化の謎をめぐって』（社会思想社、一九七七年）には、以下のような心強い議論が読まれる。〔上田〕「政治とか国境とかいうものが明確でない時代は、なおさら民間サイドの海上の道による交渉もあったわけです。一定の政治勢力ができた段階でも、民間における、たとえば漁民同士の通交とか交流もあったと思われる。ですから、渡来人とその文化でも、常に畿内から入ってきたとか、九州から入ってきたとかいうようにはいえないわけで、たとえば日本海ルートでの支配者層によらない交渉というものも考える必要がある[☆03]」。〔森〕「日本海ルートというもので、たとえば高句麗と能登とか、高句麗と富山とか、大和を介さずに馬の文化を持った相当大きな集団が信濃に入ってきているのではないかと推定できるわけです[☆04]」。

それからまた、梅原末治『東亜の古代史』（養徳社、一九四六年）には以下のようにある。「他の高い文化圏から伝えられた金属使用の初期の如き場合にあっては（中略：引用者）それの得ることの出来ない一般の民衆が、なおもとの生活の段階における石器をもってそれにあて、もしくは新しい文物に即応した形のものを作ったこと、換言すれば現に見る石器を伴う弥生式系文物のごときものがあったことを充分肯定せしめるでありましょう[☆05]」。弥生時代になっても石器を使用し続ける諸衆庶衆はざらに存在したのである。最先端ばかりでなく、そうした新旧併存の時代史を書き残さねばならないと、私は常々思ってきた。横倒しの世界史である。以上の文献は、民衆がポジティブに記された数少ないものとしておおいに評価できる。

一　汀線（ていせん）航路——汀（なぎさ）を結ぶ諸衆庶衆の足跡

そこで、思いついたことがある。古代にあって日本海を挟んで、朝鮮半島から日本列島に移住して骨を埋めるに至った諸衆庶衆の足取りをたどってみることである。例えば、『上越市史　資料編1』（同市史編さん委員会、二〇〇四年）の巻末にある年表を開くと、以下の記事が読まれる。「高句麗使節が越海岸に来着する」（五七〇年）、「越の辺の蝦夷数千人が内附する」（六四二年）。[☆06]「使節」は公的ないしそれに準ずる扱いである。「内附」は服属のことである。そういった見方ではない、政治外交的でも軍事支配的でもない民間経済的移住・交流の足跡をたどりたいのである。歴史学者の関晃は『帰化人』（講談社、二〇〇九年、初一九五六年）においてこう記している。「五七〇年の夏に、

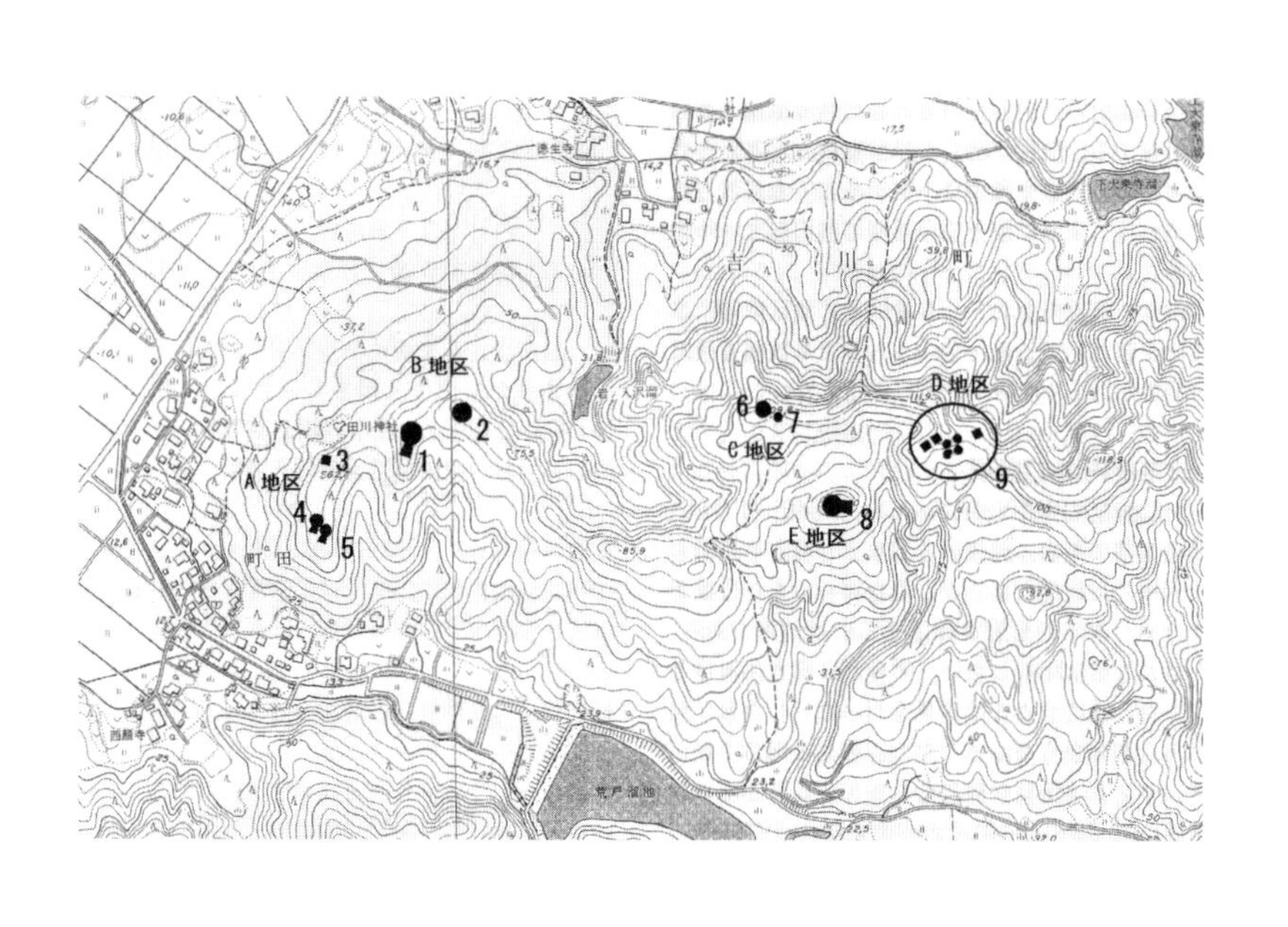

高句麗の国使の船が越の国に到着した。日本海を横断しようとして風波に遭い、今の石川県あたりの海岸に漂着したものである。高句麗といえば始めから敵国であって、未だかつて親交を結んだことがない。まして正式の使者が来訪したなどということは一度もなかった」[07]。高句麗に対してこのような一面的な理解をしている歴史家には、歴史とは王朝間の政治外交史・軍事支配史にすぎない。

正史でいう「北の海」（日本海沿岸ルート）、「南の海」（瀬戸内海ルート）でなく、丸木舟のような小型船による「汀線航路」（なぎさを伝わる航路）に即した日本海沿岸ルートに注目することにした。私の見方では、「北の海」の一端である北九州から山陰へと向かう航路、あるいはもともと「北の海」とは一線を画して朝鮮半島東南部から能登半島、佐渡島へと向かう航路の行きつく北陸・越後沿岸では、汀伝いに航行する「汀線航路」が築かれていたはずである。詳しくは拙稿「信濃・上野古代朝鮮文化の信濃川水系遡上という可能性」[08]に記したが、今回は、信越県境を下って日本海（直江津）に流れる関川水系遡上という可能性を探ってみたい。その契機となった出来事がある。二〇二〇年三月一七日、頸北歴史研究会メンバーの佐藤春雄が上越市吉川区町田で前方後円墳を発見したことである。現在までのところ少なくとも三基以上になるので、仮に「町田古墳群」と称することにしたとのことである。[☆09]

新発見の前方後円墳（初期古墳）は、造営当時はおそらく大きな潟湖に面しており、河川で日本海と結ばれていた。頸北歴史研究会のおかげで、私が長く探していたエビデンスが、古代クビキ沿岸汀線航路の物証が、ついに出てきた。紀元三〜四世紀にはこの港が、関川遡上のルートで信濃・上毛野方面への人流・物流の拠点となっていた可能性が高まったのである。関川上流域に入る妙高市関山の関山神社には、朝鮮三国時代の金銅菩薩立像が神体として鎮座している。上田正昭はこう記している。「新潟県の関山神社の御神体となっている金銅菩薩立像も私は渡来仏と考えている。この菩薩立像も眉に刻線を深く刻み込んでいる特徴が、古代朝鮮の仏像と共通している。本像の背面の型式も法隆寺夢殿観音像にきわめて近い。（引用者による中略）このように本像は、これまで知られている朝鮮三国時代の仏菩薩像中、わが国の飛鳥時代の諸像と最も共通点をもつ像として重要である」[☆10]。

『上越市史 資料編1』には、以下の記述が読まれる。「四世紀から七世紀の古墳が、関川左岸の難波山東山麓に観音平第一号墳に始まる頸城西部古墳群がある。（引用者による中略）関川右岸の頸城東部古墳群には、新潟県で唯一の後期の前方後円墳、菅原三一号墳があり、首長墓と理解できる。同時に、明治時代に一〇八基の古墳が存在した菅原古墳群は、頸城東部古墳群で最大の規模を誇る古墳群でもある」[☆11]。弥生時代から古墳時代にかけて、これだけの歴史を刻んでいる関川流域に朝鮮半島から移住者があって、少しも不思議ではない。その移住者の中には、関山神社の神体「金銅菩薩立像」を持参したものがいたと想定して、少しも違和感はない。さらには、関川を源流まで遡上して信濃・上毛野へと向かったグループがいたと想定して、さほどの飛躍はない。

また、日本古代史研究者の田中史生は、『渡来人と帰化人』（角川選書、二〇一九年）でこう記している。「興味深いことに、これら各地の渡来人の活動痕跡を示す考古資料には、朝鮮半島とのつながりを示す系譜に、それぞれ異なりや特徴がある。このことは、渡来人が一旦王権のもとに集められ、その後、各地に分配されたのではなく、各地の首長層が、それぞれに朝鮮半島諸地域との関係を築いて、彼らを独自に本拠地に呼び寄せていたことを示している」[☆12]。田中の分析に私は納得できる。あとは、町田古墳群に関係するクビキの首長層と半島為政者との間に生まれた交流ルートとは相対的に別個の民間ルートを、私なりに探り当てることが肝心となってくるのである。古代東国文化形成の動脈、古代クビキ沿岸汀線航路・関川水系遡上ルートの探索である。

二　高句麗系の積石塚――諸衆庶衆の生活痕

信越県境の千曲川流域に残る鎧塚古墳など高句麗系の積石塚について、私はこれを現在のところ信濃川遡上の渡来文化と見なしているが、半世紀ほど以前の学界ではヤマト政権が政策として渡来人をこの流域に移住させたと見なしていた。たとえば研究者の桐原健は以下のように紹介している。

〔引用一〕四世紀末という年代から連想されることは、「十四年甲辰、倭不軌、侵入帯方界、（中略）倭寇潰敗、斬殺無数。」という好太王碑文の一節である。四世紀の六〇年代から始まっている日本と朝鮮半島との交渉の過程で、大和政権は相当な数の人々を連れ去った[☆13]。

〔引用二〕鎧塚の場合に関しては、直接間接に結びつく史籍の記載はもちろん見当らないが、高句麗人・百済人の何れにせよ、帰化人に関係ある遺跡であることは云い得るであろう。ただ、六・七世紀の古墳であれば、帰化系の人の墳墓としてもあえて異とするに足りないが、一号墳が五世紀に遡る年代を示すとなれば、一応考うべき問題が提されるように思う。一号墳の築造された五世紀の頃の帰化人が、信濃のような東国へ配置されたことを文献上で探ることは困難であるが、もしそのような極く初期の帰化人が、この地方に配置されるには、相当の理由があってのことと考えられる[☆14]。

たとえば、半島からの渡来人の一部は信濃川や関川から内陸へと遡上して各地に定住した、という仮説を考慮していないこのような言説は、中央権力一辺倒の史観に特徴的である。桐原もまたその傾向にあるものの、おおいに悩んでいる。それはたとえば、以下の記述に暗示されている。

現在の段階では、平壌遷都前の四世紀代に日本に渡来し、信濃の地域に定着した氏族が、故地の墓制を墨守していた、後世になって新しく渡来した氏族は、大和政権の配慮で、地方豪族の要請により、先住していた同族のもとに配属された、そして今来の氏族は先住氏族の墨守して来た墓制を継承したという、仮定の多い推察をとらざるを得ない。[☆15]

私のように日本海沿岸からのルートを想定していれば、桐原はこのような悩み事を綴るに及ばなかったのである。要するに、この彼の記述には一つだけ、重要な考察が抜けている。それは、「四世紀代に日本に渡来し、信濃の地域に定着した氏族」が半島から信濃まで辿ったルートについてである。私は半島→能登・佐渡→越後沿岸（関川河口・信濃川河口など）→信濃→上毛野というルートを想定している。[☆16]

さて、高崎市に残る積石塚のうち、既刊拙稿二篇「信濃・上野古代朝鮮文化の信濃川水系遡上という可能性」（二〇一八年六月）、「先史と文明を仲介する前方後円墳の儀礼文化」（二〇二一年八月）で考察していない箇所について補足的に触れる。それは五世紀前半の築造になる高崎市の剣崎長瀞西遺跡（積石塚）である。『剣崎長瀞西遺跡1―浄水場建設に伴う発掘調査報告第1集』（二〇〇一年、高崎市教育委員会）を読むと、概略で以下の特記事項に目が止まる。当遺跡には、円墳九基・方形墳三基・積石塚五基・小石槨二基の、計一九基が確認される。そのすべてで円筒埴輪が出土している。また多くは周堀で囲って輪郭を整え少量の盛土をなす程度の低墳丘墓である。したがって、当初は積石塚でなかったとしても盛土や墳丘の欠損によって石室が露出し、外観だけではそれと見分けがつかなくなっているものもある。私は本報告書掲載の写真から受ける印象のみで現場を確認していない。[☆17]あらかた埋め戻されているからでもある。長野市と須坂市での積石塚調査をもとに述べるならば、長い年月のあいだの風雨によって盛土が消失し葺石を残すのみとなれば、あるいは粉塵を受け植物が生い茂るとなれば、それも頷ける。

また、だいたいが積石塚の様態自体に以下の揺らぎがある。①土は盛らず近隣河川で採取した河原石のみの積石塚。②土と石の双方が確認できる積石塚。さらに③河原石が入手しやすい自然環境でできた結果としての積石塚。④高句麗など外来文化の影響下に造られた積石塚[18]。当古墳では一〇号墳の墳丘斜面から韓式系土器の破片が出土しており、近隣の下芝谷ツ古墳からは朝鮮半島由来の飾履が出土していることからして[19]、私は高崎市に残存する積石塚は④であると結論している。本古墳群が五世紀前半の築造となれば、その時期は畿内からの幹線道路である東山道敷設の三世紀も以前にあたる。七世紀後半から朝鮮半島系渡来住民が造り出した「上野三碑」とて、それまで長く上毛野近辺に生活していた移住民の存在が前提となる。

埼玉県日高市にある高麗神社境内に掲げられている由緒書には概略でこう記されてある。同神社は高句麗国の王族高麗王若光を祀る社である。八世紀前半に中央政府は高句麗遺民一七九九人を東国に移住させ、若光を高麗郡の国司に任命し統治させた。この記述は、もっとも重大な経緯を記し損ねている。それはヤマト連合政権成立以前からこの地に前もって高句麗から移り住んでいたはずである移住民のことである。中央政府が高句麗遺民を東国に移住させた理由の一つは、かの地にまえもって高句麗系民間渡来人の生活圏が整っていたことである[20]。そのような経緯はほかに多くある。たとえば松本市の針塚（積石塚）古墳のケースにも妥当する。この地では、前もって積石塚墓を造った人々が五世紀初から住みついていて、そこへ六六八年の高句麗滅亡後、多数の遺民が同郷人の里を頼ってやってきたという理解が自然である[21]。よって、先述した桐原健の悩み事は無用の長物なのだ。

さて、国家間の公的交流とは限らない民間諸衆庶衆は、どのような動機で、いずこのルートを経由して裏日本列島へ渡ってきたか。その見通しを、森浩一に語らせてみる。

積石塚というのは日本では長野県が一番多いんです。普通には長野県に積石塚を残したのは比較的新しい「帰化人」、つまり高句麗と百済の滅亡の前後に渡来したというんですけれども、辻褄が合わない。積石塚は高句麗では古い時期にしかないんです。それに高句麗や百済の滅亡のころには向こうも土塚なんです。そうするとおそらく日本海航路で来ておったと思うんです。（引用者による中略）信濃あたりに朝鮮的集団が入ってくるのは、高句麗や百済の滅亡の時期よりももう百年も二百年も前に入っていたと思われます。その一派が関東にどんどん入ってくるんですね。そこで関東地方におびただしい後期古墳を残している。後期古墳の立派な馬具とか環頭太刀とかは関東が圧倒的ですからね。[☆22]

くりかえすようだが、古代日韓交流時代には、半島南岸・東岸から海流に乗って日本海を横切り、能登、佐渡、越後地方へと沿岸の港や汀を結ぶ渡航ルート（汀線航路）があった、と私は考えている。さらには、現在の新潟市に河口を有する信濃川や上越市に河口を有する関川をはじめとする越後沿岸の河川を遡上して関東地方に向かう列島横断峠越えルートを予測している。移動は政治的な征服・併合よりも生活上の交流・移住が目的だったろう。渡航ルートの先には汀を経由する汀線航路と、舟を曳いて河川を遡上する曳舟航路が開拓されただろう。中央権力ヤマトに恭順の意を表し東国遠征軍に組み込まれた蝦夷や渡来人と、そうやすやすとはヤマトに下らなかった〔まつろわぬ民〕たる蝦夷や渡来人との交戦・鎮圧のシナリオには、そうやすやすとはだまされない。なぜならば、中央権力ヤマトそれ自体を構築したものこそ、渡来系の知識（人）や技術（者）だったからである。二〇〇四年一〇月にフィールド調査で研究仲間の門田春雄と共に飛鳥の地を巡り、伝統的とはいえ一地方の文化に接していっそう強く思ったことがある。それは飛鳥時代、かの地では渡来系人脈と渡来系文化が九割以上を占めて主流をなしていたことである。彼らはヤマトに帰化したのではない。ヤマト連合政権に帰順したのでもない。彼らこそ実質的にヤマトの文物制度を創出したのである。研究者の関晃は一九五六年の時点で、『帰化人』（講談社、二〇〇九年）において以下のように明確に記している。

古代の帰化人は、われわれの祖先だということ、日本の古代社会を形成したのは主に彼ら帰化人の力だったということ、この二つの事実が、とくに本書ではっきりさせたかったことである。[☆23]

ところが、その関は――すでに引用済みなのだが繰り返す――同書において、「高句麗といえば始めから敵国であって、未だかつて親交を結んだことがない。まして正式の使者が来訪したなどということは一度もなかった」と力説している。「われわれの祖先だ」と古代の半島諸民族を遇する関は、その一つ高句麗に対してはこのような理解をしている。国家形成以前や冊封的公的儀礼を経ずに育まれた汀線航路・曳舟航路による日韓の民間交流史、これに一瞥だに与えない関の歴史観が、本書の随所に垣間見られる。[☆24]

むすび

『新潟市史 通史編1』（同市史編さん原始古代中世史部会・近世史部会、一九九五年）には、以下の記述が読まれる。「越後平野は前期古墳の日本海側の分布の北限地域である。北陸北東部を見ると、前期古墳の分布は能登半島・富山湾西部沿岸と越後平野に集中し、頸城平野などにはほとんどない。このことは、この二つの地域が海路によって直接結ばれていて、能登の古墳文化が越後平野の古墳文化形成に大きな影響を与えたことを示している」[☆25]。二〇二〇年三月、上越市吉川区における町田古墳群の発見により、この記述は大きく書き換えられる段階に入った模様である。頸城野もまた、先史・古代から越後各地およびそのヒンターランドである信濃・上毛野へ向かう文化伝播のゲートウェイだったのである。

ただし、このゲートウェイは、古墳時代のヤマト連合政権による国家形成・王権強化や豪族征服・地域統治よりも、弥生・古墳時代までの諸衆移住・移民問題、生活文化の交流に寄与していたはずである。日本列島や朝鮮半島の日常生活者は一種の海洋民族なのだから、権力者と違って国土とか国境とかはあまり意識しないはずだ。研究書の多くは、戦争捕虜的な半島人の列島への連行を根拠に、ヤマト連合政権による渡来人の東国移送を史実として過剰に記述している。だが、半島人の波状的な列島移住はそれ以前から連綿と継続されている。移住をも含めて、半島と列島との民間の交流は紀元前から行われてきた。政治的交流は国家が確立してからである。それ以前は、生活圏が成立していたとまでは極論しないが、社会的・文化的交流が断続的に維持されてきた。また、先史文化の中でも衣食住の基本的文化は伝播後永久的に維持される。稲作はその代表である。

そのような視点は、これまでの歴史学や考古学のテーマにはなりにくかった。古代日韓交流史を研究するに際して、第一に有力者・豪族に注目するのは理解できるが、第二に農民層——私の表現では「諸衆」——を無視してはならない。国家的なルートやコースと直接の関係を持たない人々の移住こそ、交流史には重要なのだ。ヤマト連合政権あるいはその勢力の地方波及は初期には軍事的・政治的であるよりも文化的・社会的であった。別の見方をするならば、そうした移住が行われない地域社会は従来の社会的様式・構造であり続けた。そこで思いついたのが、古代にあって日本海を挟んで、朝鮮半島から日本列島に移住して骨を埋めるに至った諸衆庶衆の足跡を、汀線航路・曳舟航路でたどってみる、という本稿の研究なのであった。

注

01　森浩一は著作『敗者の古代史―記紀を読み直し、地域の歴史を掘りおこす』（中経出版、二〇一三年、六四頁）において、ヤマトの市師池（磐余池）ないし軽池から高志沿岸の水門（直江津）まで飛翔する鳥の神話を紹介している。古事記神話によると、第一一代天皇の垂仁（イクメイリビコ）とその妃沙本毘売（サホビメ）の第一子品牟都和気命（ホムツワケノミコト）は成長しても言葉を話さなかった。ある時、池に遊ぶ鳥を見ていて、とっさに言葉を発したい気になった。しかしその鳥はヤマトの市師池（軽池）からコシの水門（直江津）まで飛翔してしまった。垂仁は人を派遣してこの鳥を追わせた。使いは、木（紀伊）から針間（播磨）、稲羽（因幡）、旦波（丹波）、多遅麻（但馬）、さらに三野（美濃）、尾張、科野（信濃）、そして高志（越）へと渡って、ようやくその鳥を捕まえることができた。その港は関川の河口である。ということは、この神話は高志から信濃を経由して畿内方面へと向かう水陸交通路の存在を逆方向ながら物語っていることになる。

02　古今東西いずこにも、自民族の歴史（伝統・文化）を誇示しようと史実を粉飾したり捏造したりする傾向がある。石塚正英その問題を私なりにまとめたエッセイがある。石塚正英「司馬遷『史記』をモデルに―建国の古さを誇示する日本」、石塚正英編『世界史プレゼンテーション』社会評論社、二〇一三年、一九八～一九九頁。

　ここに、中国を中心とする東アジア古代国家交流史——つまり本稿では意識的に避けている分野——をかいつまんで記しておく。日本が、古代においてすでに日本よりもはるかに文明の進んだ先進国の存在した中国大陸と交流していたということ、そのことはむろん誰しも疑うことのない事実である。ここでその実例を幾つか挙げてみよう。まず紀元一世紀に倭奴国王が後漢（二五～二二〇）に朝貢し、光武帝（位二五～五七）から金印、つまり「漢委奴国王印」を賜わったことが挙げられる。それから、三世紀に邪馬台国の女王卑弥呼が魏に遣使して朝貢し、「親魏倭王」の称号を授かったことも有名だ。さらには、五世紀に倭の五王（四一三～五〇二）が南北朝時代の東晋（三一七～四二〇）・宋（四二〇～四七九）に九回ほど遣使朝貢したのも好例といえる。また他方で、四世紀に建国まもない百済（三四五頃～六六〇）が日本に朝貢使節を送ったり太子を質として送ったりしたなどという事例もある。

03 上田正昭・大林太良・森浩一『対談・古代文化の謎をめぐって』社会思想社、一九七七年、二六～二七頁。

04 同書、一〇一頁。このような民間サイドのベクトルと真逆の方向、つまりヤマト政権の国家的政策として渡来人を列島各地に入植させた事例を扱った研究に森田悌『古代東国と大和政権』（新人物往来社、一九九二年）がある。関係する箇所（三～四頁）を引用する。

　渡来人の入植に関し私は、安閑朝（六世紀中葉）、推古朝（七世紀初）、および天智朝（七世紀後半）という三つの大きな波があったことを考えている。いずれも畿内を遠く離れた東国の地で朝廷の尖兵としての役割を担い、閑地の開発に従い、朝廷支配の浸透に寄与した人たちであった。（引用者による中略）多胡建郡に当った渡来人たちは、多少とも朝廷の直轄民という性格をもち、それゆえ通常の立郡と異なった手続きをとったとみうるようであり、私は碑文中の弁官符を勅符という特異な文書様式とみている。中央の顕官たる左中弁多治比真人三宅麻呂がわざわざ下向し宣布しているのであるが、渡来系を主体とする人たちによる立郡という特異性に由来していると考えられる」。

森田は、渡来系諸勢力をヤマト政権との主従関係で説明することが多い。安閑朝に屯倉を管掌した飛鳥部吉志や七一一（和銅四）年の多胡郡設置にかかわった羊（指導者名）はその一例である（同書、七五頁、一四五～一四九頁）。この事例はみな、私が問題にしている三～四世紀までの時期、あるいは諸衆庶衆による非公式の移住活動には当てはまらない。

05 梅原末治『東亜の古代史』養徳社、一九四六年、四六～四七頁。

06 『上越市史 資料編1』同市史編さん委員会、二〇〇四年、巻末年表。

07 関晃『帰化人』講談社、二〇〇九年、初一九五六年、二〇頁。

08 石塚正英『地域文化の沃土 頸城野往還』社会評論社、二〇一八年。

09 高橋勉「上越市吉川区の前方後円墳―新発見の仮称町田古墳群から」、『新潟考古』三二号、二〇二一年、所収の地図参照。

10 上田正昭「古代の日本と渡来の文化」埴原和郎編『日本人と日本文化の形成』朝倉書店、一九九三年、三八頁。

　なお、関山神社の金銅菩薩立像について、日本中世史研究者の井上鋭夫は、白山信仰の面から以下のように述べている。「秘仏が飛鳥時代の観音様（新羅仏）であることと考え合わせて、妙高山の本地は、まず観音であったと見るべきである。これは三尊仏の一体と見るよりも、むしろ、これが善光寺三尊の源流をなしたものであるかも知れない。この観音信仰が如何なる経路で妙高山に結びつけられたかは、古仏の示すように悠久の太古に属することで、明確にすることはできない。ただ常識的に、ここには室町中期の十一面観音の焼け残りもあるので、十一面観音と聖観音を本地とする白山系信仰が、能登を廻って新羅仏をとり入れ、日本海より上陸し、信越国境の「関」の地にそびえる妙高山（須弥山）に結びついたと考えるのが妥当であろう。山岳に対する信仰は、その山麓の住民からではなく、これを遠望できる地域に発生し、登山口に神社・仏寺の成立するのが一般的であるからである」。井上鋭夫『山の民・川の民―日本中世の生活と信仰』平凡社選書、一九八一年、七九頁。

11 『上越市史 資料編1』、三六六頁。

12 田中史生『渡来人と帰化人』角川選書、二〇一九年、九八頁。考古学の分野でも、列島・大陸往還的、列島・半島往還的な文化交流を重視しようという機運は存在している。たとえば、広瀬和雄は以下のように記している。「近年、とみにその傾向を強めている他分野との没交渉的な〈考古学至上主義〉を相対化しつつ、東アジア的かつ汎列島的な視座と学際的観点からの東国古墳時代像を、これまでの学史的財産を活かしながら樹立していくことが大きな課題である」。広瀬和雄・池上悟編『武蔵と相模の古墳』（季刊考古学 別冊15）、雄山閣、二〇〇七年、一四頁。

13 桐原健『積石塚と渡来人』東京大学出版会、一九八九年、一〇六頁。

14 同上、六一頁。ただし、ここに私が引用した箇所は、それ自体が著者桐原健による永峯光一論文からの引用文の一部分である。

15 同上、一一三頁。

16 詳しくは以下の文献を参照。石塚『地域文化の沃土 頸城野往還』社会評論社、二〇一八年、第二章。

17 『剣崎長瀞西遺跡1―浄水場建設に伴う発掘調査報告第1集』二〇〇一年、高崎市教育委員会。以下に必要箇所を引用する。

　積石塚は大小合わせて五基検出されているが、全てが西側調査区の東端の谷に沿うように分布している。構造的には、方形あるいはやや崩れた方形の区画を、小口面を外側に向けながら石を積んで造り、その中に比較的小ぶりな石を充填して築き上げている。石積みの段数は、現状で二段～三段である。この区画の中央は、比較的平らな石を敷き詰めて床面とし、その両脇に小口を外に向けた石を積み上げて狭長な竪穴式小口槨を築いている。

　このように埋葬部の床面が古墳構築時の地山より高いこと、すなわち、被葬者が地下に埋葬されないことが通常の竪穴式石槨との最大の相違点であると考えられる。小石槨内には、検出された時点で拳よりやや小型の石が充填されており、天井石が存在した痕跡は見られなかった（同上、一九頁）。

18 積石塚の定義によせて一言。古墳はすたれても百済系（高句麗→百済→列島）である横穴式石室はすたれなかった。横穴を造るのに石組みが必要だから、このタイプの墓制も広義の積石塚と見なせる。奈良の石舞台古墳は、墳丘部分の欠けた石組すなわち積石の特殊例と見なせる。つまり、先史文化は爾後に登場する文明を下支えしていったのである。

19 下芝谷ツ古墳については、剣崎長瀞西遺跡1同様、すでに埋め戻されている。発掘時に調査報告書を作成しなかったが、当時の高崎市教育委員会担当者の田口一郎は個人的に以下の報告書を公表している。「群馬県下芝谷ツ古墳」（『日本考古学報』三九、一九八八年、日本考古学協会）。ただし、かみつけの里博物館発行の常設展示物解説書『よみがえる5世紀の世界』（二〇一七年、初一九九九年）には、四七～五一頁に読みやすい解説がある。

20 『続日本紀』に以下の文章が読まれる。「《霊亀二年（七一六）五月辛卯【十六】》○辛卯。以駿河。甲斐。相摸。上総。下総。常陸。下野七国高麗人千七百九十九人。遷于武蔵国。始置高麗郡焉」。七一六年五月一六日　駿河、甲斐、相模、上総、下総、常陸、下野七か国から高句麗人一七九九人を武蔵国に移し、高麗郡を設置した。

　ところで、日高市の高麗神社は、私が昨年三月まで三〇年間勤務した東京電機大学理工学部からそう遠くない地にある。幾度か種々の調査に出向き、ある時は夕闇せまる境内で薪能を堪能した。神木の林立する幽玄世界にモモンガが飛翔していた。その地に骨を埋めた渡来系庶衆の子孫と、私は親しく交流してきたことになる。また、勤務校の近くを越辺川という河川が流れている。「越辺（おっぺ）」とは、一説によればアイヌ語起原である。また一説によれば「越」つまり日本海沿岸の高志と関係する。日本書紀には「越辺蝦夷」という記述もあるという。いずれの説も、埼玉県を含む武蔵国が日本海側や東北地方と何らかの契機をもって結ばれていたことを示唆している。

21　松本市文化財調査報告一二一『針塚古墳―発掘調査・保存整備報告書』松本市教育委員会、一九九六年、参照。この古墳は、平成年間に入って数度かの発掘調査を経て五世紀後半の築造であることが判明するまでは、七世紀前後のものとされていた。他の多くの事例と同様、高句麗滅亡とヤマト連合政権の東国遠征に起因する築造と解釈されていたのである。先入観は目を狂わせるようである。

22　森浩一・岡本太郎・金達寿・司馬遼太郎「座談会 日本文化の源流に挑む」、株式会社サンポウジャーナル編集・発行『産報デラックス九九の謎・歴史シリーズ1：古代の遺産』一九七六年、九〇頁。引用文の最後に馬具が記されている。そのことに関しては、松尾昌彦『古代東国地域史論』（雄山閣、二〇〇八年）に参考となる記述が読まれる。「現在の研究では古墳時代中期に渡来人が馬飼いの技術と共に馬を日本にもたらしたことは確実であり、このような馬飼いの技術を持つ渡来人を騎馬民族というならば、騎馬民族は古墳時代中期に日本にやって来たといってよい。（引用者による中略）すなわち、現在の馬具研究からは、古墳時代中期初頭以降、大量の渡来人が馬とそれを飼育し利用するための知識と技術をもたらしたと考えられるが、それはあくまで騎馬文化の受容というレベルに止まるものといえるのである」（同書、一七一～一七五頁）。

23　関晃『帰化人』講談社、二〇〇九年、三頁（一九五六年四月付け「はしがき」から）。日本の中の朝鮮文化を調査研究した金達寿は、飛鳥という名称に関して、『古代文化と「帰化人」』（新人物往来社、一九七二年、一九三～一九四頁）において、こう記している。

そしてここはかつての安宿郡で、「あすか」というのももとをただせば、この安宿を朝鮮語でアンスク・アスク（安宿）といったところからきたもの、つまり、外来者（飛ぶ鳥）の安らかな宿・ふるさとだったのである。

したがって、遠つ飛鳥だった大和飛鳥は、近つ飛鳥だった河内飛鳥の延長にほかならなかったものであった。なぜそれが延長されたかということについては歴史学者にまかせるよりほかないが、それからまた現在の大和飛鳥、明日香村は高市郡で、これも以前は今木（来）郡ともいわれていたところだった。

24
半世紀ほど以前に諸学界で活躍した研究者の中には、ヤマト中央集権史観の持ち主が散見された。その傾向は、当時の自治体でさかんに編集されていた市町村史にも影響を与えていた。その一例を、二〇〇四年刊行の『上越市史 通史編1 自然・原始・古代』から引用する（上越市史編集委員長 加藤章「上越の自然と歴史のはじまり」六頁）。

> 大和王権にとって三世紀から四世紀にかけての時期は「東国」を鎮め、支配することがまさに国是とされていました。その結果『記紀』には応神朝の五世紀に東国の蝦夷からの貢献と労役の記事があり、諸豪族の臣僚化が進み、東国も徴税の基盤となりました。その成果が四世紀末から五世紀初頭、倭国の朝鮮半島での高句麗との戦いを支えた軍事力であり、また応神陵などの巨大前方後円墳の造営を可能にした経済力でした。
>
> 頸城国造を中心とする兵力も、朝鮮半島への出兵や補給の兵站線の役割を担っていたのです。太平洋側の坂東以北の国造たちが、もっぱら征夷の役割を果たしたこととは対照的な地域的特色を示しています。

この説明では、まるで日露戦争に際して新潟県出身の兵隊が朝鮮半島から先へと送り込まれた情景が描かれているものと勘違いしそうである。

さて、出雲や越など地域史を軍事中心で書きはじめる必然性はあるだろうか。国家と国家の勢力争いを地域史発展の軸に据える必要性はなかろう。高句麗など朝鮮半島とは諸衆庶衆といった民間レベルでの経済交流活動、儀礼を介した生活文化の交流があった。高句麗から越後に伝播した〔火の儀礼〕はその一例である（江守五夫『婚姻の民俗―東アジアの視点から』吉川弘文館、一九九八年、一四八～一五〇頁）。こうした日常的交流から書きはじめることはできないものだろうか。

25
『新潟市史 通史編1』同市史編さん原始古代中世史部会・近世史部会、一九九五年、四三四～四四頁。

☆本稿は、【ますやdeお話し会】（第一五回、頸城野郷土資料室、二〇二一年八月一四日）報告「上越市吉川区で新発見の前方後円墳―裏日本列島の汀線文化史」の配布資料として執筆され、報告後の補筆（二〇二一年九月上旬）を経て脱稿となった。

第五章

親鸞の弥陀と越後の鬼神〔続編〕

——今村仁司の親鸞研究を参考に

はじめに

一九九一年四月一日付けで、私はそれまでに探究して来た価値転倒をテーマとする社会思想研究をまとめて、『フェティシズムの思想圏―ド゠ブロス・フォイエルバッハ・マルクス』(世界書院)を刊行した。その際、キーワード「フェティシズム」に欠かせない古典、シャルル・ド゠ブロス著『フェティシュ諸神の崇拝』のフランス語原本コピーを私に与えてくれた先学の今村仁司に、新刊を献本した。その返信として、今村は、献本のあとがきに記された一文「わが心はいま、なぜか、スピノザと親鸞とにむかっている」を指して、私にこうただした。「なぜ、スピノザと親鸞なのか?」と。フランス現代思想を軸とする近代社会哲学の碩学にそう質問された私は、なぜフェティシズムからスピノザへ、のみならず親鸞思想へと向かうのか、という問いを投げかけられたと思った。そして、はやめにその返答を用意しなければならない、と念じた。

その課題を、私は一九九三年五月一日付けの『フェティシズムの信仰圏―神仏虐待のフォークロア』(世界書院)で果たした。第五章「親鸞の弥陀と越後の鬼神」、とくにその第三節「親鸞とフェティシズム」が回答の書である。

それから一〇年と少し経た二〇〇四年三月、今村は『清沢満之と哲学』(岩波書店)を刊行した。さらに引き続いて、『社会性の哲学』(岩波書店、二〇〇七年七月)および『親鸞と学的精神』(岩波書店、二〇〇九年一一月)を執筆していった。しかし、その間の二〇〇七年五月、胃がんで亡くなった。享年六五歳だった。続編二点は絶筆となった。

今村死去に先立つ二〇〇三年一月、私は柴田隆行との共同監修で『哲学・思想翻訳語事典』（論創社）を刊行し、今村に項目「暴力」を寄稿してもらっていた。その際しばらくぶりに今村と親しく会話したのだが、関心が「暴力」にあった為か、彼が親鸞を話題にすることはなかった。私から彼に石塚の旧稿「親鸞とフェティシズム」をどう思うか、尋ねることもなかった。まさか、当時の彼が親鸞と清沢にどっぷり浸っていたとは思いもしなかった。よって、親鸞思想――横超や往相還相――に対するお互いの思いを述べあうことは永久にかなわなくなった。だがせめて、今村の親鸞論に対する私の読後感だけは記しておきたくなったので、あれからずいぶん時を隔ててしまったが、今村への学的恩返しを兼ねて、ここにエッセーとして綴っておくことにする。

一　呪術の理解

以下の本論においては、基本的に今村絶筆の『親鸞と学的精神』から話題を拾い、必要に応じて前作『清沢満之と哲学』からも話題を拾う。まずは前著から引用する。

さらに重大な、すなわち危機的なことがある。鎌倉時代に登場した革新的思想家たち（法然、親鸞、道元など）の思想は、江戸以降の政治的宗教的体制が醸成した「宗門別解釈図式」によって「歪曲」され（浅く理解するという意味で）、その深い意味を削ぎとられて、いわば「再版顕密仏教」に逆戻りしたのではないかとすら疑われる。過去の現実の「顕密仏教」（八宗体制、南都北嶺と真言密教）は、その思想内容からみれば、鎮護国家仏教であり、仏教と土着信仰を融合させて、民衆の土俗信仰に迎合し、同時に民衆を古代ないし中世の政治的支配体制に組み込む機能を担った（「王法仏法相依相資」）。そこから「本覚思想」とか「垂迹」論とかが生まれたのだが、すでにその時代から「日本的」仏教は本来の釈尊学派の仏教とはずれている。そして現在、幕藩体制が残したマイナスの遺産が同じことを再生産している。鎌倉の祖師たちは、まさにこのような「似非」仏教を解体批判し、インド古来の仏教を復権させようとしていたのではなかったか。ところが明治に入り、この課題は実際には真剣にひき受けられないままに、今に至るのではないのか。換言すれば、歪曲され変形されてしまった祖師たち——ここではとくに親鸞——の思想をいかに取り戻して、仏教の現代的再生を企てることができるのだろうか。このように問いは厳然として提起されている。[☆01]

問題の核心は「民衆の土俗信仰」と「インド古来の仏教」の関係である。今村は、親鸞に共感するに際して、台密・東密などのツールである呪術を否定的にみる。私にすれば、今村が認識する呪術、それはカッコつきの「呪術」にすぎない。あるいは日本的呪術にすぎない。本来、呪術は技術の双生児である。ともに、自然を制御し動かす方法なのである。今村の二〇〇四年著作『清沢満之と哲学』には、こう書かれている。

> 仏教の本来の狙いは呪術から「仏陀の教え」（正法）を峻別し、呪術から教えを切断し、呪術から解放された教えになることであったとおもわれる。そこに釈尊の本来の狙い（思想の旋回）があったのではないか。ここに、日本において仏教を呪術から解放しようとした法然と親鸞の重要な意義がある。他の仏教諸派は、むしろ呪術の積極的実践をもとめた（加持祈祷は呪術である）。[☆02]

また、同書には、「仏陀の学（Bouddho-logic）」と題して、こう記されている。

> 清沢が近代仏教史のなかで開拓したのは、仏教「神学」（西欧のキリスト教神学からの比喩でいえば）である。すなわち仏陀の学、仏性の学（仏陀の概念＝ロゴス）である。[☆03]

今村は、「西欧キリスト教神学からの比喩」とことわったうえで、「仏陀の学」「仏陀の概念＝ロゴス」という表現を採用した。それは二重の問題を生む。①仏陀自身に信仰者と哲学者の二面性があるのか、仏陀を討究する側に信仰と思想の二面性があるのか、という問題。②西欧キリスト教自体がヘブライズム（信仰）とヘレニズム（哲学思想）の習合（シンクレティズム）である点を考慮しているのか。

そのような問題に無自覚である今村だから、彼の呪術理解にも大きな問題が生まれている。たとえば、フレイザー『金枝篇―呪術と宗教の研究』（神成利男訳・石塚正英監修、全一〇巻、国書刊行会、二〇〇四年から現在八巻まで刊行済）

を読むと、呪術（magic）はそのようなものではない。フレイザー『金枝篇』から適宜引用する。現代の文化人類学をつぶさに探究してきた今村に向かって、本来は釈迦に説法のはずなのだが、彼がフレイザーに通じていないことは確かである。

> 純粋な形で共感呪術が行われる所では、自然界における一つの出来事は、霊的あるいは人的作為の介入がまったくなくても、必然的に一定不変の形をもって他の出来事を伴うと想定されている。かくして呪術の基本的概念は近代科学のそれと同一である。すなわちその全体系の基礎をなすものは、自然の秩序と均一性についての潜在的ではあるが現実的で確固とした信念である。[☆04]

もう一度問題の核心、今村が対比的に記す「民衆の土俗信仰」と「インド古来の仏教」の関係について論じる。私の考えを述べれば、前者から後者が抽出されたのであって、両者はけっして対立や断絶などはしていない。その意味合いを、結果として本稿の前編にあたることとなった一九九三年拙稿「親鸞の弥陀と越後の鬼神」からの長大な引用で説明する。

『歎異抄』（第九条）には、喜怒哀楽の満ち満ちている人間世界を指して、「久遠劫よりいままで流転せる苦悩の旧里はすてがたく」、「なごりおしくおもへども」と記されている。これはけっして否定的に述べられたのではなく、まこと親鸞には、生死流転の渦中にある「沙婆」がいとおしいのである、尊いのである。だがそのいとおしさは、穢土と浄土との両極間の交互を前提とする弥陀信仰においてはじめて生ずるものなのである。恐怖も歓喜も、おしなべてこちら（行者）からの「はからい」ではなく、ただ「おのずから」のことなのである。恐れがあればそのままに、歓喜が湧けばそのままに、穢土に執着し浄土に心を寄せる。いずれにせよ、往相還相の交互運動においては、穢土と浄土の結合が断たれることはありえない。それはちょうど、人間と自然の結合が断たれようはずがないことと相応するのである。

親鸞は、偶像を否定する。神仏は不可視なのだから、けっして像には表現しえない。大日如来であれ阿弥陀如来であれ、仏像はおしなべて否定される。況や耽美的な極楽での生活など、愚禿親鸞には弥陀信仰とはまったく無縁の代物であった。信仰におけるかれの出発点は、越後の農耕生活に存した。拝む対象が少彦名であれ薬師であれこだわりなく、原初的生活の糧を日々獲得するのに力を貸してくれる神がみが海と野と山に住まう越後こそ、親鸞とその妻恵信尼にとっていとおしき穢土なのである。喜怒哀楽の穢土を生きぬいてこそ、それがそのまま浄土を生きることになる。或いは、消滅が完成なのである。越後のごとき野生・粗野の地における生のまっとうこそ、浄土の実現なのである。悪人正機はまさに頸城の民に当てはまる。

そのような信仰がもし親鸞哲学の根本を表現したものであるとするならば、フォイエルバッハの説く原初的信仰、ド゠ブロスの定義したフェティシズムは、まったく以って親鸞哲学に相応しいものである。フォイエルバッハもド゠ブロスも、一切の偶像・形像を否定する。それは、彼らの信念ということでなく、彼らの注目する原初的生活者の態度ということである。より正確に述べれば、フェティシズムの世界に生きる先史人や野生人は、比喩とか象徴とかの手法を未だまったく知らないでいるのである。彼らが神と定めた個物・生物は、端的に神そのものなのであって、人と神とのあいだに仲介やメタファーは存在しえない。親鸞の弥陀は、まさに神そのものなのである。では、なぜ、親鸞は越後のフェティシストとのあいだで信仰上の共通項を見いだせなかったのか。それは、彼が、言魂を信仰することによって、畢竟、抽象神崇拝に徹していったためである。[☆05]

親鸞は鎌倉初期に京都から越後の頸城野に流され、一人の農民となって田畑を耕す生活者になった。中世の庶衆は、その日を生き抜くためには生きものをも殺す。人と喧嘩もする。親鸞にすれば、それほどにあさましい身であればこそ大悲の願心が感じられるのだった。殺生を生業とする猟師や漁師、田畑にへばりつく農民、漂白の商い人、卑賤の輩、安寿と厨子王丸の悲話に出てくる人買いのような悪党、博徒、そして犯罪人、そのような人の世の最下層へ、親鸞は沈淪していった。その親鸞は、喜怒哀楽の穢土に執着する勧進聖となって越後の各地を回って歩いたのだった。

私にすれば、親鸞の弥陀信仰は抽象神崇拝の一種だが、そのよって立つ場は「久遠劫よりいままで流転せる苦悩の旧里」である。それはすなわち穢土である。古代中世にあって悪人である頸城（現在の上越地方）の民は穢土でいっさいの偶像を拒否して本物の神＝フェティシュ（Fetisch）を崇拝する。「フェティシズムの世界に生きる先史人や野生人は、比喩とか象徴とかの手法を未だまったく知らない」。親鸞のいう「往相還相」はフェティシズムにおける正と反の交互運動に相応している。

私が理解するド＝ブロス的フェティシズムやフォイエルバッハ的自然信仰論では、理性を持たない存在、たとえば動物は、神＝フェティシュに選定されることで物在（Ding）から人格（Person）へ、さらには神格的崇拝対象（フェティシュ）に転じる。現代人からみれば、物在が擬人化を経由して擬神化されていくように思える。その発想は、たとえば人間性・人間理性に依拠して動物を判断するカントには暴論以外の何ものでもありえない。さらにこのフェティシュは、崇拝に値しなくなり投げ捨てられると再転倒し、物在となる。フェティシズムはそういった価値転倒の交互運動によって特徴づけられる。転倒と称しても垂直でなく水平に転がる。親鸞の用語で換言すれば、穢土と浄土の交互運動である。一九九一年著作のあとがきで「わが心はいま、なぜか、スピノザと親鸞とにむかっている」と記した根拠はここにあったのである。

二　親鸞思想は〔学〕か？

今村が着目したテーマに「語りえないものを語ること」がある。「学的な意味での智慧は学的に語ることができる。しかし智慧をもちうる精神のありかた、つまり無限内『存在』自体は学的にであれ非学的にであれ、語ることはできない。…仏教は独自の『哲学的』言説と比喩的言説を駆使して、語りえないことを語ろうとしてきた長い歴史をもつといってよい」[☆06]。この言い回しにおいて、今村は自身の仏教研究・親鸞研究・清沢研究のすべてを表わしている気がする。

今村は、親鸞思想を「学的」「学的精神」と表現する。また、「親鸞のテキスト、とくに主著『教行信証』を「読む」とき、ひとがとるべき学的態度は、しばしば不在の論証を再構成しながら読むのでなくてはならない」とする[☆07]。あるいはまた、「親鸞の学的体系は、この化身土を法哲学的部門として置くとき、ようやく学的体系に値する体系として完成するのである。なぜなら、仏教の縁起の理法は、基本的には、現代語法でいえば「自然哲学」であり、その応用展開は「人間学」（社会的歴史的世界の哲学）であって、両者を統合するときに体系は完了する」とする。[☆08] さらには、こうも言う。「親鸞のおかげで、仏教思想は社会思想としての可能性をもつことができるようになる」[☆09]。

学的に関心ある人が親鸞思想を読むときの態度であれば、それを「学的」「学的精神」つまりlogosとみなしてかまわない。私はまさに「学的」に対応している。けれども、親鸞の思考パターンについて、私は「学的親鸞」というような理解をしていない。「弥陀信仰の親鸞」という括り—faith, creed, belief—で対応している。あるいは「念仏の親鸞」という括り—legomenon—で対応している。なぜなら、親鸞は思索者でなく信仰者だからである。今村は、さらに根本的にこういう。

〔引用一〕仏教はひとつの学的体系（学道）であるといっても言い過ぎではない。[☆10]

〔引用二〕清沢が一生をかけた思索と模索の努力は、法然と親鸞の歩いた道を近代において再現・再演し、なぜ六字（南無阿弥陀仏）の念仏に帰着するのかの道筋を哲学的用具をもって明らかにし、仏教の始祖たちの思考の隠された歩みを、理論と実践のなかで、現代において甦らせたのである。[☆11]

今村の主張に照らせば、清沢の活動は信仰者法然と親鸞のたんなる「再現・再演」ではありえず、哲学者清沢のオリジナルである。法然と親鸞とは中世、いや古代の観念を背負って念仏を唱えていたのに対して、清沢は、近代の観念を背負って念仏を模索したのであって、再現でも再演でもない。私の指摘する意味でならば、今村が清沢を指して「理性の努力をもって考え抜き、歩み抜いた」[☆12]とするのは妥当である。今村は、学生時代の清沢が「実に達者な英語で」書いた「二篇のスピノザ論と一編のカント論」を高く評価しているが、これも近代思想家としての清沢を示している。ただし、ここでも先ほど指摘した問題のバリエーションを考えねばならない。すなわち、①清沢自身に信仰者と哲学者の二面性があるのか、清沢を討究する側に信仰と思想の二面性があるのか、という問題が浮かんでくる。

それから、親鸞の『教行信証』について今村はよく「テキスト」と称しているが、親鸞死後の門徒たちにはテキストであってもかまわない。しかし、親鸞自身にとって、彼が書いたものは独白以上のものではない。私の理解は、以下のようである。「親鸞において、言葉は内に向かって発するもので、念仏は仏陀への帰依についての、謂わば自己確認でしかなく、文字もそのようであった。『教行信証』はその証である。しかし信徒は、言葉と文字とを外に向かって発し、言葉（念仏）を信徒間のコミュニケーションの道具とした[☆13]」。『教行信証』は誰に読ませるものでもない、独白の文字である。西洋的であろうが東洋的であろうが、およそ学的に記されようはずがない。今村を含め、読み手がそういった「学的態度」を持つことはそれなりに意味があるかもしれない。しかし、親鸞その人は学的な態度で弥陀に臨んではいないし、〔哲学＝頭脳＝知る行為〕でもって阿弥陀＝無限に南無＝帰依しているわけではない。〔存在（ὄν）＝身体＝生きる行為〕でもってそうしているのである。そこは今村と私の微妙な違いである。

　昔アルキメデスがとても苦心して苦心して、ようやく風呂場で王様の冠の金の含有量を決定する方法を見つけだした刹那、「ユーリカ！（ついに、ついにわかったぞ！）」と叫びつつ、素っ裸のまま外へ駆け出していったという。このときの彼の言葉「ユーリカ」は、誰かに何かを伝えたいための言葉でなく、自己確認・自己定立の極みに発せられた感動の言葉である。それ自身にはとりたてて意味はないものの、それまでの沈黙の営みをすべて象徴してあまりある言葉となっている。『教行信証』は、ある意味で弥陀についての「ユーリカ」発声なのかもしれない。それを学＝論理であるとするのはよろしくない。

　この議論の参考となる哲学者、出隆（いで）がいる。ヘーゲル哲学を専攻する彼は、『哲学以前』（一九二二年）でこう記している。「『信ずる』というのは、目や耳などの知覚とは全く異なる感覚すなわち宗教的心情で知ることであり、とらえることである[☆14]」。親鸞は出のいう意味における「宗教的心情で知る」人だった。今村のいう意味における「知る」は精神・理性・理念に基づく。私は、そのような体系を信仰に当てはめたくはない。信仰には、身体・感性・感念が相応しい。そのうち「感念（Sinn）」は私の造語である。理念（Idee）が理性知に係るとすれば、感念は身体知に係る。頭脳でなく身体がさとる（覚る、悟る）のである。今村は、インド古来の思想に共感を寄せるものの、それは近代からの眼差しなのである。近代理解のための古代である。古代を近代によって乗り越えられる下層に置きたいのである。私は違う。私の場合は、古代の要素を失ったら近代は存在しない。古代は近代の下支えとなって現存している。呪術はその筆頭である。今村は、良くも悪くも近代主義的な哲学者なのだ。だから、穢土と浄土の往還廻向論をもってすれば理解が容易な「阿弥陀浄土」の説明に苦慮している。「阿弥陀浄土は、現世の周辺あるいは『内なる外』にあるところの非現世的純粋共同体であり、修行の場所である」☆15。このように回りくどい学的説明でなく、往相還相の説明で十分解説が可能のはずだが。

それから、今村は親鸞思想を語るについて、「古代インド的仏教」☆16、「古代インド人思考」☆17を重視している。その際、「古代インドのブラーフマニズム（後のヒンズー教）」という書き方でこれを「有神論」であるとして否定的に評価している。☆18だが、今村のこの評価はヴェーダ思想との対比において改めて議論せねばならない。この問題についての説明は、最新刊の拙著『歴史知のオントロギー』（社会評論社、二〇二一年）から引用する。

> ヴェーダ思想においては、自然崇拝ないしそれに起因する神々への崇拝は顕在しつつ、ユダヤ・キリスト教的な超越神・唯一神へと結実しない宗教として深まりを見せていった。のちにヒンドゥーの神々がさまざまに林立してくるが、それはみな、ユダヤ思想に特徴的な宗教神というよりもインドならではの〔叡智神〕である。汎身体的な叡智が、天地開闢の自然から、感性豊かな神々のみならず知性豊かな神々をもつくるのである。その意味で、インド思想は稀有というか、孤高の存在といえよう。☆19
>
> 本文中のフレーズ〔汎身体的な叡智〕とは、インド思想が汎神論でないことを明示する表現でもある。汎神論（pantheism）という術語は、一八世紀ヨーロッパにおけるその語の成立事情からいってキリスト教思想圏に関係し、厳密には非キリスト教世界に妥当しない。唯一神が森羅万象に遍在するから汎神(論)なのである。八百万の神々が散在する地域は多神の世界であるが汎神は存在しない。インダスは自然神の多神世界である。そこで人間（a）は、身体（b）

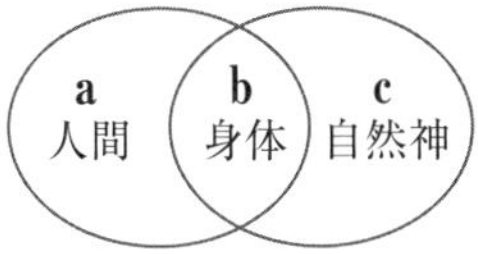

a 人間
b 身体
c 自然神

を介して自然神（c）ないし森羅万象に連なり、いずこにも身体が遍在している（右の概念区分図参照）。自然に懐かれている。その関係性を指して私は〔汎身体〕〔汎身体論（panphysicalism）〕と称するのである。〔汎身論〕と略記したなら恐らく〔汎神論〕の誤記・誤読・聞き違い扱いされるので、あえて〔汎身体論〕としているのである。今村のいう「インド古来の仏教」にもこの〔汎身体論〕が流れ込んでいる。ただし、親鸞における軸足が穢土でなく浄土にあったのと同様、釈迦においても軸足は、ブッダ生誕の地ルンビニ（Lumibini）の地名に残る地母神＝汎身体神におかれている。

三　臓腑的信

ここまで読み進めてきて、ようやく今村は私のような不合理主義者に理解しやすい議論を用意してくれた。長大だが一気に引用する。〔道理的信〕と〔臓腑的信〕の対比的考察である。

本願念仏または南無阿弥陀仏は、ひとつの結論命題である。どのようにしてひとはその命題に到達したか（親鸞風にいえば、いかにして遇いがたき教えに遇ったのか）を論証するのが、理性的＝道理的言説による論証である。理想的には、道理による確信と臓腑的確信が一致するのである。一致の瞬間、それが覚醒（不退の位、正定聚）である。従って、この観点から振り返るなら、「信」という概念には二つのタイプがありうる。

（イ）理性的確信としての「信」。言説（ロゴス）的論証によって開示され、言説の型式をとる真実を知的に確信するのである。「なるほどこの道は、万人が知的に納得できる唯一の真実であり、それを確信することによって、自分はもとより他人をも説得できる行道に安んじて迷うことなく専心することができる」という「信」が確立する（阿弥陀＝無限の知的認識）。

知性と道理は回り道である。しかし、この迂回を省略するひとは、必ずや迷路に踏み迷うだろう。なぜなら、万人が納得する道理を確信できないから、彼はあれこれと右顧左眄（うこさべん）し、諸行往生でいいのだと錯覚して、しばしばたいていは、鬼神その他の外道の祭儀に安心を求めるだろう。そして本地垂迹などという神話をつくりだして、民衆教化の名の下に自分をも民衆をも一層愚昧にしていく。道理を排斥するものは、無明の暗闇をひたすら濃密にするだけである。

（ロ）臓腑的「信」。腑に落ちる臓腑的信は、知的＝道理的信とは性質を違える。それはいわば「沈黙の」信であり、論証的（ロゴス）言説を「超えて」いる。理性的な言説は、臓腑的信という覚醒の直前まで人を導く。知性は覚醒の「門の前、入り口」まで人を連れていくが、「門に入る」ことは知性的ではなく、臓腑的である。入‐門の仕方は、人さまざまである。臓腑的信は、「語りえない」、したがって不可思議であり、「無義をもって義とす」（『歎異抄』）である。臓腑的信は阿弥陀＝無限を個体において直接に現前させる（「南無――」）。[☆20]

今村は、南無阿弥陀仏という結論命題に達するのに、（イ）理性的確信と（ロ）臓腑的信の一致が理想であると考える。論理的な思考の人間にとって腑に落ちる結論は、思考において論理的でない人間には腑に落ちないことがあり得る。また、あるとき論理的な思考の人間であった者は、あるときは論理的でなくなる。そのような現象は日常的に起こりうる。よって、一致が理想なのでなく、双方を両極におく楕円的交互運動の動きを維持することが、言ってみれば理想的なのである。私は「理想」とか「理念」とか、ようするに理性＝頭脳に係る用語は好きでない。「日常」とか「感覚」とか、ようするに感性＝身体に係る用語が肌に合う。なので、一致は理想でなく日常ということになる。今村自身も、一致というより相互支援的な使い方をしている。

臓腑的信は、考えることのできないことを考え、信じがたいこと（不可‐思議）を信じることである。それがオカルトでないのは、道理による論証的支えがあるからである。仏教は、インドの論師たちと同様に、また日本の法然や親鸞と同様に、学的組織として絶えず時代に応じて再組織されなくてはならない。その学的努力によってのみ、道理的信と臓腑的信が逆説的にも接続するのである。学を放棄するなら、仏教はサンマの頭の信心と変わりないものに転落するだろう。[☆21]

「道理的信と臓腑的信が逆説的にも接続する」とは、よくまとめてくれたものだ。今村はこう言っている。「道理の知（理性）も臓腑の知（綜合的直観）も、行為（「行」）である。浄土の概念は、空間概念でなく、むしろ過程概念であり、人間界（衆生世間）と自然界（器世間）の絶えざる『浄化（purification）』過程である」[☆22]。この「逆説的」「行為」こそ、私が捉える価値転倒の運動、すなわちフェティシズム（正立と倒立の交互的往復運動）なのである。ちなみに、「臓腑」という表現は身体的で好ましい。その価値転倒の事例を、拙著『価値転倒の思索者群像』（柘植書房新社、二〇二一年）から引用する。

神の子イエスが肉を備えることを「化体、インカルナティオ（incarnatio）」という。その肉をこんどは信徒が自身に備えるのが聖餐なのである。先史のオリエントにおいては、カーニヴァルは文字どおりに行われた。たぶん、人間の肉を神が食べ、神の肉を人間が食べ、それでワンセットの儀礼が執り行われていたのであろう。その風習はなかなか中断できない。生活条件としての儀礼は生存に深く関連しているので、そのような生活様式が存続しているかぎり、中断できないのである。まして、それが聖なる儀礼とあれば中断するいわれもない。こうして、神の肉体を食べる儀礼はイエスの共同体（communitas）にまで存続したのである。

キリスト教徒とは何か？　それは、ブッダの遺骨＝舎利を崇拝する仏教徒と同様、聖者の遺骨を崇拝する原初的信仰者のことなのである。キリスト教徒は姿なき神イエスを崇拝する者という観念は、古代世界ではむろん中世カトリック世界でも実に不自然なものであった。とくに下層社会ではながくキリスト教が浸透する以前の神がみが信仰されていたし、キリスト教に改宗してからでも、それに土着の民間信仰をうまく適応させていた。遺骨信仰はその代表例である。[☆23]

四　悪・悪人

本節を、いきなり今村からの長大な引用で始める。

〔引用一〕「自我」――この俗世に生きる個人の自我は欲望に満ちており、五濁のなかにある。苦悩の源泉は現世とそのなかにある自我である。「悪人」の源泉はこの「自我」である。現世内存在としての個人は「自我」である。

「自己」――この悪人としての自我から切断して生じるのが「自己」である。「自己」は無限の「呼びかけ」に「応答」することが可能な（応答をよくなしうる）ものである。[24]

〔引用二〕世俗的自我と覚醒せる自己とを峻別する…[25]

〔引用三〕無我は、現世内自我を転変させつつも、現世に内在する。それは現世をいわば内に「越える」境地において「ある」ところの「自己」へと生成したものである。無我は、我が消滅することではなくて、むしろ反対に無限内存在として再生するもの、その意味での「真実の自己」である、と解釈できる。[26]

〔引用四〕親鸞の思想に内在していえば、彼の「人間」論（人間とはつねに世俗内人間のこと）は絶対悪をもつほかに存在しえない生命体であり、要するに絶対的悪人である。いっさいの人間は世俗で生きる。しかも世俗道徳を肉体化しながら生きるかぎりで、例外なく、絶対的悪人である。「例外なく」とは、社会階層の上下にかかわりなく、という意味である。王侯貴族も絶対的悪人であり、中間の金持ちも絶対的悪人であり、下層の民衆も絶対的悪人である。万人はこの世俗では必ず悪人であり、それ以外の存在の仕方はありえない。[27]

〔引用五〕しかし人間のあり方から見て、世俗道徳がこの世に実在することは、それだけでもすでにひとつの光明である。光明とは、一種の「文明」の光であり、暴力と野蛮が支配する状態からみれば大きい前進である。[28]

今村に依頼して執筆してもらった項目「暴力」は、出来上がってみれば、【原語の意味】で覆い尽くされていた。【翻訳語の意味】にはほとんど書き込みがなかった。それでは困るのでリライトをお願いして、ようやく出来上がった。それによると、「翻訳語の暴力については日本では確定している。それは基本的に物理的な激しい力の意味につきる。たとえば「暴力を使うのはよくない」とか「暴力による革命」という表現は、基本的に物理的な暴力を意味する」[29]。『学的』での使用例は、あきらかに【翻訳語の意味】にあたる。しかし今村は【言語の意味】においては、ジョルジュ・ソレル『暴力論』（一九〇八年）を参考に、暴力をforce（支配の暴力、拳の暴力）とviolence（人間解放の暴力、霊的な暴力）とに分ける。[☆30] なるほど、項目「暴力」の執筆を依頼した当事者として、私は今村に言い訳はできない。しかし、現在は状況が違う。現象としての「暴力」と存在としてのそれを明確に区別する必要性が増しているからである。事情は以下のようである。

「平和」を「静」と仮定した場合、「平和」は永遠の本質とか根本精神といった不動や不変を意味するのでなく、たゆまぬ「動」における瞬間的緊張や均衡といった位相にある「静」である。私の理解では、現実世界の動態（抗争状態）のただ中に実現される静態（均衡状態）が「平和」である。ただし、抑止力＝軍事力を前提とした勢力均衡（Balance of power）とは根本的に違う。〔文化という非暴力（non-power, non-violence）〕による〔戦争という暴力（power, violence）〕の無力化を通じて獲得される平和状態である。〔戦争と権力政治に対する文化による抵抗（Counter-cultural resistance against war and power politics）〕を通じて獲得される平和状態である。ここに言う〔文化による抵抗〕こそ〔存在としての暴力〕なのである。そのエッセンスは、アミルカル・カブラルのギニアビサウ解放思想に読まれる。それを根拠の一つにして私が捉える〔存在としての暴力〕論を以下に引用する。

> 一九六〇年代、植民地解放運動が盛り上がったアフリカにおいて、宗主国の〔不当な暴力〕を拒否し、アフリカ革命を旗印に〔正当な抗力〕を掲げた人物に、ギニアビサウ解放指導者アミルカル・カブラル（Amilcar Cabral. 1924-73）がいます。彼は、ユーロ・アメリカン・スタンダードとしての近代を早くから拒絶していました。彼は、宗主国ポルトガルからギニアビサウの独立を勝ち取るに際して、指導理念として「文化による抵抗」を掲げました。一九五九年八月三日、首都ビサウのピジギチドック港湾労働者が待遇改善の平和的なデモやストを行いましたが、ポルトガル官憲は武力弾圧でこれに応えました。「ピジギチの虐殺」です。以後、カブラルは抵抗の武装を開始しますが、基軸は武器よりも文化でした。
>
> カブラルにとって文化は、アフリカ人民のアイデンティティーとディグニティーに深くかかわるのです。それは闘争によって生まれ、また闘争そのものを牽引していく。カブラルは諸民族の「文化の差異」に注目します。

その度合いが大きければ大きいほど、一民族が他民族を征服・支配しにくくなるというのです。したがってまた、その差異が大きいほど、抑圧者に対する被抑圧者の抵抗運動＝闘争は強力となります。欧米に対して軍事的に勝利する前提条件として文化的抵抗があったのです。[☆31]

五　横超

親鸞の横超思想については、親鸞『唯信鈔文意』（親鸞仏教センター訳、朝日新聞出版、二〇一八年）に簡潔な説明がある。直接関係する文章を以下に引用する。

> 「横超（の信心）」は、親鸞思想のなかでもとくに重要な概念です。「横」は、「よこさま（よこざま）」の意味だと親鸞は言いますが、「横」は通常、「道理に合わない、正しくないこと」「よこしまな」という意味で使われます。ところが親鸞は「他力」の概念を教えるときに、その「横」の字を当てて説明しています。「横超」とは「よこざまに超越する」ということですね。[☆32]

私は、この説明の中にある「道理に合わない」「よこしまな」に注目している。価値転倒の哲学・思想を追究している私にすれば、道理に合うか合わないか、それは基準を縦に置くか横に置くか、で可変的なのである。自力でなく他力をもってする親鸞思想において、「横超」はまさしく既成概念を超え出る態度であり行為である。私はその構えを個人概念に応用している。〔単人〕である。

〔単人（Individual）〕とは、決して個（個人）に区分けできず、〔alter ego ＝もう一人の私＝あなた〕を介して多数と一致する単位である。共同化されるのでなく「本来は個々人によって異なるはず」の文脈に沿う近代概念〔個人〕と、私の命名になる〔単人〕は明確に区別される。いわば、〔個人概念の横超〕である。あなたと私の関係は、相互の信頼とか理解とかを構築する先に生まれるのではない。自力で培うのではありえない。人として生まれたその瞬間から、時間的縦軸を問題にせず空間的横軸のただ中で〔私とあなた〕でもって一単位となっているのである。〔あなた〕に自然も含まれる。人は自然界を「よこざまに超える」のである。これを指して、私は〔個人概念の横超〕と称し、それを端的に表現する術語として〔単人〕を使用している。

ところで、今村は術語〔横超〕をどのような意味合いで使用しているであろうか。その一例を以下に引用する。

〔引用一〕覚醒とは親鸞の用語では「横超」である。横超は他力内存在であることとの絶対的認識であり、この認識は理性的であると同時に臓腑的である。横超は、理性的・学的認識を極限まで押し進めたところで反転が生まれ、その忽然的自己変貌の境地を前提的直観（西洋の古い言葉でいえば「知的直観」）によって直接的に把握することである。[☆33]

〔引用二〕曇鸞、善導、法然、親鸞の個々の文章を断片的に、孤立的に、文脈はずし的に、読むならば、ほとんど非論理的な文章にみえてくるだろうし、そうみえても当然である。なぜそうみえるのか。それは、元来、Das Logische（ロゴス的なもの、言語で表現できるもの）を覚醒＝横超は「超え出ている」のだが、その意味での「非＝ロゴス的なもの」（Das Nichtlogische）をロゴス的に、言説をもって語ろうとするからである。[☆34]

近代西洋からの逆読みがまたまた登場してきた。「理性的」「学的」である。親鸞にそのような認識や理論は未知のものである。親鸞思想をベースに、それを今村的解釈として述べるのであれば問題はない。だが、あたかも親鸞自身の思想であるかのように語るのは禁物である。私には、どう解釈してもプラトンの垂直的イデア・ロゴスと親鸞の水平的弥陀とは一致しない。親鸞にとって、地上に生き存在すること、それこそが思考することのはずだから、「学的に思考する」ということの「学的」は「観念論的」でなく、せいぜい「存在論的」という意味であろう。「学的に思考する」とは「存在論的に思考する」ということなのだろう。そうでないと、つじつまが合わない。

　たまたまであるが、私の生地は親鸞流刑先の頸城野であって、母方の曾祖父母・祖父母・父母は親鸞ゆかりの本誓寺に眠っている。私自身もそうなるであろう。その意味でしかないが、私は自然畏敬者である。自然は、そこから出来した私を育む。死して自然（元素）に帰去する。マルキ・ド・サドが『食人国旅行記』などで言うように、人は元素に転変するのであって、魂はどうなろうとも肉体の素材はけっして無に帰することはない。[☆35] 魂とて、あらたに結合した元素たちが新たな自然存在（人間とは限らない）において生み出してくれる。インド思想の輪廻と関係なく、ときに再構成されて新しい生命の要素になりゆく。私自身、エゴ〔自我〕としては再生しないがアルターエゴ〔もう一人の私、他我としての自然〕として確実に存在する。自然存在として、私は過去・現在・未来に生かされるわけである。すばらしいことである。私は、その動的様態をさして、〔人〔one-self〕と自然〔another-self〕のbe動詞連合〕と称している。術語〔be動詞連合〕を簡潔に説明すると、こうなる。人として、過去・現在・未来を貫いて、ここにいる、自然と社会の只中にいる。人々は出発点としてそれを認め合うこと、つまり〔地上に生きる現存在〕の相互承認こそ、過去・現在・未来にわたるすべての端緒であり、すべての帰着である。存在としてのbe, being, sein, wesen、現存在の共生、人と人、人と自然とのつながり〔association〕、それが〔be動詞連合〕の意味である。[☆36] 先に記した〔単人〔Individual〕〕は、この〔be動詞連合〕と内容的に同じである。

六　アルカイックの人々

今村は「アルカイック」という術語を好んで使用する。この語を私は「アルカイック・スマイル」に用いる程度でしかない。この「アルカイック」を私は「先史」と理解している。また、その語を使用するケースは、たとえば、〔先史の精神〕は人類史を貫き〔文明の精神〕を下支えする、といった文脈においてである。

〔先史の精神〕においては、神が人をつくるのでなく、人が神をつくる。サンコニアトン断章に読まれるフェニキア神話には、その特徴が読まれる。それに対して、ユダヤ・キリスト教世界では、天地創造といって、神が森羅万象のすべてをつくって、人間もつくった。アダムをつくって、エヴァをつくる。アダムは土というか、泥というか、それからつくられる。エヴァは、アダムのあばら骨かなにかからつくられる。それはすべて神がやったことで、ようするに人間は神によってつくられたもの、つまり被造物なのである。それが先史の世界では真逆にひっくり返ってしまっている。人が神をつくる。あるいは天地開闢。こちらが先なのである。私の概念でいうアルカイックには、天地創造でなく天地開闢こそが相応しい。ユダヤ・キリスト教世界の天地創造神話は〔文明の精神〕に相応しく、プラトン哲学と相性がいい。そのような背景に通じているのであろうか、今村はインド生まれの仏教に関して、こう記している。

仏教における覚者は、無限を自覚する存在である。しかも有限な人間は、仏教では無限なる存在、あるいは無限を「さとる」（覚・証・悟）ことができたという意味で無限内存在になりうる。仏教の覚者（仏陀）は、有限な人間が無限の境地に住することができたと自覚する「元」人間である。ここに西洋的神学（ユダヤ＝キリスト教＝イスラム教）と仏教との根本的差異がある。[☆37]

「元」人間と称しているが、べつのところで今村は、人間（人格・本質）を中心に身体と大地を語る。その構えは近代的だが、大地も身体と同様に有機的身体である、とするところは、身体をも大地をもアルカイックな存在と見ている証拠である。

人間の身体は、人間ではないものと、人間と同じく自然世界の有機的一部としての大地と有機的に結合する。大地は我にとっては非有機的な身体であり、具体的現実（普遍的相関性）にとっては有機的身体である。[☆38]

ただし、今村と私とで、身体と自然との関係に大きな違いがある。近代主義の今村は大地を人間身体の延長（非有機的な身体）と見なしているが、先史が文明を支えると捉える私は人間身体を大地の延長と見なすのである。この議論に関しては拙稿「環境の凝固結晶としての人間身体」で存分に縷説してある。以下のように。

これまで、身体（身体観）の変化を考察する場合、身体は環境（社会・自然）に向かって、内部から外部へ拡張していくように理解してきた。「道具・機械も身体の一部」という発想がそれである。いうなれば「内発的身体」である。しかし、本研究では考察のベクトルを反転させ、環境から身体論を構築する。身体の変容は、身体が環境への拡張によって生じるのではなく、環境が人間身体に吸収され凝固・結晶することによって生じるのである。そのような人間身体を、本稿では「外発的身体」とも表現することにしたい。[☆39]

今村の説く「非有機的な身体」は、つとに、人間には本質とか人格とかがアプリオリに備わっているといったデカルト的人間論やマルクスの身体論として人口に膾炙してきた。それは近代主義的な傾向をもっており、〔先史の精神〕の転倒概念なのである。人間の身体と精神は、自然環境・社会環境・歴史環境などの凝固結晶なのである。今村のいう「アルカイックな人々」は、私に言わせれば、神態的・神語的ミュトスとしての環境の中に人間（精神・身体）を置いているのであって、文明人のような哲学的・ロゴス的な環境などには馴染みがないか、馴染みが薄いのである。

むすびに

今村の『清沢満之と哲学』を読んだ日本思想史研究者の子安宣邦は、今村死後に書いた「今村仁司と『清沢問題』」と題する論文で、今村の文章をさして次のように言っている。

> 『清沢満之の哲学』を読みながら私はただ「これは清沢なのか、今村なのか？」という疑問だけをもったのではない。頁を繰りながら私は、「これはヘーゲルなのか、今村なのか？」「レヴィナスなのか、今村なのか？」「ベンヤミンなのか、今村なのか？」といったたえざる疑いをもたざるをえなかった。[☆40]

なるほど、そう思われても仕方がない理由はある。今村の論文には引用注（引用箇所・出典）はあるが参考注（自身の当該論述の参考文献提示）がほとんど付けられていないのである。卒業論文の指導をしているときに言う注意「他者の意見と自分の意見を分けなさい」が、今村には必要なのである。だから子安から手厳しい批評を受けたのである。また、例の「暴力」原稿について私が口酸っぱく繰り返した要求「〔原語の意味〕と〔翻訳語の意味〕が区別できていない、書きたい事だけ書いたのでは事典になりません」が、今村には必要なのである。『哲学・思想翻訳語事典』の項目「暴力」をめくれば、[☆41]その指摘がついに履行されなかったことが即座に判明する。著作権保護の情報倫理がかまびすしい昨今、研究者・教育者の作法ができていない。けれども、私は今村の欠点としてはそのことを指摘するのみであって、次なる子安の解釈は妥当と思わない。

『清沢満之と哲学』という書名は、「清沢満之と今村哲学」を意味しているようだ。この両者を「と」で結ぶあり方は、今村における哲学的言説の展開上の問題をも示している。さきに指摘したように、「これは清沢なのか、今村なのか?」といった疑問が、この書を読む上で終始つきまとうのである。もし「これはすべて今村だ」というのなら、清沢の言説を前提にした、一種の解釈的言説としての展開のあり方をとるべきではないだろう。[42]

「これはすべて今村だ」などという読み込みは、子安の自由な読書感想文でのみ許されるものと、私は受け止める。二〇一六年三月一七日に求道会館（文京区本郷）で開催された第二回「清沢満之研究交流会」（清沢満之研究会）での一報告を、私は重視している。その第三報告（杉本耕一）の要旨にこうある。

Ⅲ　今村仁司の清沢満之論と「宗教哲学」の課題

杉本耕一（愛媛大学准教授）

　今村仁司の清沢満之論は、清沢研究に大きなインパクトを与えた業績であるにもかかわらず、「没後百周年」以降の清沢研究の展開のなかでも正面から取り上げられることが少なかった。

　そこで本発表では、「宗教」の事柄をどのように語るか、という問題に論点を集中させて今村の清沢論を再検討したい。特に注目したいのは、直接には述べられていないことまでも概念の論理的な展開によって論じ進めようとする「哲学」的な読解の方法、そして、「哲学」によって概念的に語ることができないものを語るために「比喩」的な語りを用いる「仏陀学」の立場についてである。

　今村に導かれつつ清沢の言葉の性格について考察し、その「宗教哲学」としての課題を明らかにすることで、異領域からの清沢研究の間の対話の可能性を準備することを目指す。[43]

　報告者の杉本耕一は、その直後、二〇一六年四月に急逝する。よって彼による今村著作のポジティブな検討の経緯を確認できなくなり、たいへん残念でならない。「学的」を巡っては今村批判が収まらない私ではあるが、その行為は彼への人間的信頼に支えられている。私が今村を研究者として信頼する契機を与えたのが、ほかならぬ今村自身であり、その契機こそ今村批判の出発点だからである。

ド゠ブロスの著作『フェティシュ諸神の崇拝』とそれをテキストにしたフェティシズム研究は、日本では古野清人（満鉄→九州大学）＋布村一夫（満鉄→熊本県立女子大学）→石塚正英、と連なった。そのうち、古野の教え子である山口昌男はド゠ブロス研究を受け継がなかった。フランスから原書を持ち帰った今村も、けっきょくはド゠ブロスをさして活用しなかった。私は、今村仁司の教え子だった若い研究仲間の杉本隆司に依頼して、二〇〇八年に法政大学出版局から『フェティシュ諸神の崇拝』を翻訳出版した。その杉本はみずからもド゠ブロスに関連する論文を執筆し、それで博士号を取得した。論文題目は『フェティシズムと近代フランス宗教思想に関する歴史的考察 ―ド・ブロス、コンスタン、コント―』（一橋大学、二〇〇八年二月）である。これでもって、ド゠ブロス著作をテキストの一つにして二本の学位論文が生まれたことになる。最初の著作は、私の『フェティシズムの思想圏―ド゠ブロス・フォイエルバッハ・マルクス』（世界書院、一九九一年）である。コロナ禍パンデミックが全世界に蔓延するなか、私はせっせと論文を書きため、二著にまとめて出版することになったが、その書名には、今村も好んで自著に付していた「オントロギー」―オン（存在）＋ロゴス（論理）―を選んだ。[☆44] むろん、新刊両著は、内容的に、〔人（one-self）と自然（another-self）のbe動詞連合〕を存在論において見出しているからである。けれども、私の今村へのレクイエムを表わしているともいえよう。「親鸞の弥陀と越後の鬼神」続編執筆の動機には、私のそのような研究生活史が絡んでいる。

注

01 今村仁司『親鸞と学的精神』岩波書店、二〇〇九年、一〇〜一一頁。
02 同上、六四〜六五頁。
03 同上、六頁。
04 フレイザー、石塚正英監修、神成利男訳『金枝篇―呪術と宗教の研究』第一巻、国書刊行会、二〇〇四年、一五八頁。
05 同書、二二三頁。以下に第五章「親鸞の弥陀と越後の鬼神」（二〇五〜二二五頁）の小見出しを添付しておく。
古頸城―信仰世界の展開
親鸞配流―越後の鬼神を実見
親鸞哲学とフェティシズム―自然観

ドローメノンとレゴメノン―行為と語り
06 今村仁司『清沢満之と哲学』岩波書店、二〇〇四年、三七七頁。
07 『親鸞と学的精神』二九～三〇頁。
08 同上、一五八～一五九頁。
09 同上、一五九頁。
10 『清沢満之と哲学』三一〇頁。
11 同上、二五頁。
12 同上、二五頁。
13 石塚正英『フェティシズムの信仰圏―神仏虐待のフォークロア』世界書院、一九九三年、二一五頁。
14 『出隆著作集』第一巻、勁草書房、一九六三年、一九一頁。
15 『親鸞と学的精神』、五二頁。
16 同上、七一頁。
17 同上、一三〇頁。
18 同上、二〇三頁。
19 石塚正英『歴史知のオントロギー』社会評論社、二〇二一年、六六～六七頁。
20 『親鸞と学的精神』、七二～七三頁。
21 同上、七四頁。
22 同上、七五～七六頁。
23 石塚正英『価値転倒の思索者群像―ビブロスのフィロンからギニアビサウのカブラルまで』柘植書房新社、二〇二一年、序論から。
24 『清沢満之と哲学』、九〇頁。
25 同上、九一頁。
26 同上、三六五頁。
27 『親鸞と学的精神』八五～八六頁。
28 同上、九九頁。
29 石塚正英・柴田隆行編『哲学・思想翻訳語事典』論創社、二〇〇三年、二五四頁。
30 同上、二五三頁。
31 石塚正英『学問の使命と知の行動圏域』社会評論社、二〇一九年、一五四頁。
32 親鸞『唯信鈔文意』、親鸞仏教センター訳、朝日新聞出版、二〇一八年、二一一頁。
33 『親鸞と学的精神』、一一七頁。
34 同上、一二〇頁。
35 マルキ・ド・サドは『食人旅行記』において、あるポルトガル人の語ったセリフとして、以下の記述を差しはさんでいる。「いいかね、きみ、おれたち人間を存在させるものが、おれたちの肉体を構成している元素の特殊な結びつきだということは、馬鹿でもない限り信じなければならない真理だよ。この元素を変化させれば、きみの魂も変化する。この元素を分離させせれば、すべては無に帰してしまう。したがって、魂はこの元素の中にあり、ただこの元素の結果にすぎず、決してこの元素と分離して存在し得るものではないのだ」。『澁澤龍彦翻訳全集8』河出書房新社、一九九七年、二七二頁。

　サド、あるいはサドの小説に登場する主人公たちは、肉体をいとおしむ。肉体に無限の価値をおく。彼、彼女らは、あるときは肉体を物理的にいじめて、これをよろこばせる。またあるときは言葉＝会話による限りない想像力でもって、肉体をよろこばせる。そうしておいて、神とか国家とか法律とかが勝手に悪と命名した行為にふけることで、魂をあるがままの自然に従わせる。心・精神は肉体・物質に優先するというキリスト教的発想は、サドには受け入れ不可能である。サドが拒否する人間とは精神肥大のそれ、つまりヨーロッパ的にデフォルメされた人間である。そして、サドが歓迎する人間とは肉体・自然のままのそれ、ないしは精神と物質とへの分裂をともなわない人間ということである。少なくとも、私はそのようにサド思想を解釈している。

36　石塚正英『フレイザー金枝篇のオントロギー』社会評論社、二〇二二年、第一四章、参照。

37　『清沢満之と哲学』、三〇六頁。

38　同上、三四四〜三四五頁。

39　石塚正英『身体知と感性知—アンサンブル』社会評論社、二〇一四年、二一一頁。私の「環境の凝固結晶としての人間身体」観は、アプリオリな、あるいは不変・普遍の人間本質を認めない。たえず形成過程にあり、またたえず転変過程にあるだけである。

40　子安宣邦「今村仁司と『清沢問題』」、東京経済大学経済学会『東京経大学会誌（経済学）』二五九号、二〇〇八年三月、六九頁。

41　石塚正英・柴田隆行編『哲学・思想翻訳語事典』、二五三〜二五四頁。

42　子安宣邦、前掲論文、六八頁。

43　親鸞仏教センターのホームページから
http://www.shinran-bc.higashihonganji.or.jp/report/report05_bn25.html

44　新刊拙著は以下の通り。『歴史知のオントロギー』『フレイザー金枝篇のオントロギー』、ともに社会評論社、二〇二一年、二〇二二年刊。なお、「オントロギー」を書名に冠する今村著作として、以下のものがある。『労働のオントロギー』勁草書房、一九八一年。『暴力のオントロギー』勁草書房、一九八二年。『儀礼のオントロギー』二〇〇七年。

第六章

プシュケーという幻想態

——蝶か息吹か魂魄か

はじめに

コミュニケーション手段としての言語・文字は、たんなる手段以上に興味深い文化的側面をもっている。その一例はギリシア語に見られる。古代地中海世界に、ギリシア語帝国主義（時代）という歴史があった。地中海各地の先住民族が育んできた母国語文化を、ギリシア人は自国の言語に翻訳するにあたって、結果としてではあれ、文化それ自体を略奪したのだった。例えば、リビア人の神ゼウスはギリシア人に奪われた。フェニキア人の人間中心の神話がギリシア人の神々中心の神話に換骨奪胎された。抽象的・ロゴス的なギリシア語に置換困難な具象的・ミュトス的な文字や概念は置き去りにされ、あるいは消滅の憂き目にあった。ギリシア語帝国主義とは、周辺諸文化のギリシア的一元化あるいはそれらの略奪・破壊を意味している。こうして、たとえばエジプトの動物神はその動物性を剥ぎ取られて抽象化され、あるいは幻想化された。

そのような現象を、私はギリシア語「プシュケー（Ψυχή. psyche）」において確認してみたい。この語はミュトス的には蝶とか蛾とかを指し示していた。あるいは呼吸、生命を意味していた。いずれも自然的・現象的な具体語である。それがやがて、精神、霊魂、心理、思想などを意味するように変貌していった。[☆01] それらはプシュケーの幻想化である。本章では、その変貌の過程を古代ギリシア（プラトン・アリストテレス）、近代ヨーロッパ（デカルト・スピノザ・フォイエルバッハ）、そして現代アフリカ（フレイザー・カブラル・リランガ）において、時系列に即して概観していく。

なお、私は「プシュケー（Ψυχή. psyche）」を「魂魄（こんぱく）」と訳しておく。この訳語は中国由来であり、「魂」は人の精神を支え、「魄」は身体を支えるとのことだが、いずれにせよ身体に無関係の「霊」「霊界」とは区別される。

一　プラトンとアリストテレス

プラトンは著作『パイドン（Φαίδων, *Phaedo*）』において、ソクラテスの口を借りるかたちで、「プシュケー」と「身体（σῶμα, soma）」[☆02]とに関してこう述べている。

そして、我々が生きている限りでは、思うに、こんな風にすれば我々は知ることのもっとも近くに到達するだろう。つまり、どうしても避けられない場合を除いては、できるだけ肉体と交わらず共有もせず、身体の本性に汚染されずに、身体から清浄な状態になって、神（Θεός）ご自身が我々を解放する時を待つのである。…」[☆03]

ソクラテス（プラトン）によると、肉体の本性は汚染されているので、人々は日常生活においてなるべく身体との接触を避けようと努力するべきである。そうしないとプシュケーは身体の汚染を受け取ってしまう。汚染されたままのプシュケーは、身体と分離したのちにも、その影響を被ってしまい、仏教的に表現すると、この世の時空を彷徨い、成仏できないことになる。

友よ、この身体的なものは重荷である、と考えなければならない。それは、重く、土の性質をおび、目にみえる。このような魂は、この重荷を持つために、酷い荷物を背負わされて、目に見える場所へと再び引きずり降ろされる。それは、目に見えないものとハデス［あの世―字義通りには、目に見えないもの］を恐れるからである。そのようなプシュケーは、よく言われるように、墓碑や墳墓の周りをうろつくのであり、墓碑や墳墓の周りにはプシュケーのなにか影のような幻が見られるのである。それは、浄められないままに身体から解き放たれ、だから目に見えるものを半ば引きずっているようなプシュケーが作りだす幻なのである。幻が人にみえるのは、このためである。[☆04]

人間のプシュケーは、もともとは清らかだったのだから、できるだけ清らかなままで神の救済を待つべきなのだ。このように考えるソクラテス（プラトン）は、プシュケーと身体との違いを、シミアスに説明するかたちで、以下のように明言している。

それなら、シミアス、プシュケーは人間のかたちの中に入る前にも、身体から離れて存在していたのであり、知力を持っていたのだ。[☆05]

かようにソクラテス（プラトン）にあっては、プシュケーはもともと人間＝身体と関係せずとも存在できていたのである。しかし、「人間のかたちの中に」入って日常生活をおくる以上、身体との接触は避けられず、その限りでプシュケーの汚染は必然といえる。よって、身体には死が相応しいものといえる。身体のみに関係する死は、プシュケーが汚染を払いのける最上の出来事となる。ただ、その前にプシュケーを清らかな状態に洗練させておかないと困った事態に陥るのである。

そのための手段として、プラトンは、プシュケーは知識を食料として摂取するべきと考え、こう語っている。『プロタゴラス　ソフィストたち』の中の一問答である。「ソクラテス、プシュケーの食物は何ですか？　きっと、知識はプシュケーの食物です（μαθήμασιν δήπου, ἦν δ᾽ἐγώ）」[☆06]。

ヒッポクラテスへのこの助言は意味深長である。プラトンは、イデア、つまり観念＝精神＝プシュケーをものごとの真実とし、実在＝物質＝身体をものごとの模像とした。ところで、プシュケー（魂魄）と似た言葉にプネウマ（πνεῦμα, spirit、霊）がある。プシュケーが身体とセットになっているとすれば、プネウマは身体と分離している。プネウマは超然としていて、それだけで清らかに存在できるのだが、プシュケーは知識を食べなくては汚れてしまうのである。私は、その違いを重視する。プネウマは純粋態だが、プシュケーは幻想態なのである。

次にアリストテレスの事例を考察する。彼は、プシュケーを身体から独立して存在すると考えてはいない。プシュケーと身体を一つのものとして捉えている。また、人間以外の動植物など生命体にもプシュケーが存在するとしている。

〔引用一〕自然的物体には生命をもっているものと、

もっていないものとがある。「生命」と私たちが言うのは、「自己自身による栄養摂取と成長と衰退」のことである。したがって、生命にあずかるすべての自然的物体は実体であり、実体はこのような意味で、いわば合成体であろう。

さて、この自然的物体は物体であるとともに、このような条件をそなえたもの、つまり、生命をもつものであるわけだから、プシュケーは物体ではないということになるだろう。[☆07]

〔引用二〕だから、明らかに、心は身体から切り離すことはできず、あるいは、心が本性上分割可能であるとしても、心のある部分は切り離すことができない。[☆08]

実にアリストテレスらしい。彼はプシュケーそれ自体を分割することはできないが、身体の処々に行きわたると考える。また植物にもプシュケーは存在するとしている。[☆09]その捉え方は一七世紀後半、スピノザにおいて汎神論となって本格的に議論されることとなる。だが、その前代の一七世紀前半、プシュケーはデカルトによってプラトン的な揺り戻しをうける。

二　デカルト

デカルトは「我思惟する故に我あり（ego cogito, ergo sum）」というフレーズで有名である。本章のキーワード「プシュケー」に関係するところといえば、「思惟する」精神であろう。関係個所を『哲学原理』から引用してみる。

思惟とは、我々が意識しつつ我々のうちに生ずる一切のもので、その意識が我々のうちにあるかぎりのものを意味する。従って、知り・意志し・表象することのみならず、感覚することもここでは思惟することと同じことである。というのは、もし私が「我見るもしくは歩く、故に我あり」と言い、これを身体の行う視作用や歩行についてのことと解するならば、結論は必ずしも絶対的に確実ではない。なぜならばしばしば夢で起るように、私が眼も開かず場所も移さないにも拘らず、そしておそらくは仮りに私が身体を有たないとしても、私は見たり歩いたりしていると、信ずることがあり得るからである。

しかしながら、もしも見たり歩いたりする感覚、もしくは意識に関することと解するならば、その場合には精神に関することであるし、精神だけが見たり歩いたりすることを感覚する、即ち思惟するのであるから、結論は全く確実なのである。[☆10]

夢を感覚、意識に括り、夢見る主体を精神とする論理は、デカルト一流の考察である。とはいえ、この論理展開は、眠っている人の耳や鼻から身体外に飛び出しては戻ってくるアニミズムの外魂、浮遊魂に類似している。デカルトの考える夢現象が身体を介さない精神活動であるのに対して、アニミズムのそれは歩く夢（精神活動）でなく夢世界で歩くという身体活動と連動している点が、両者を分けている。夢の位置づけでみると、アニミズムにおいては夢と現実の区別が稀薄である。アニミズムの世界では、精神が単独で歩くのでなく身体に依存しつつ、身体と連携しつつ魂が歩くのである。

少し寄り道になるが、日本の民話から参考事例を以下に紹介する。水沢謙一『蝶になったたましい―昔話と遊離信仰』（野島出版、一九七九年）である。水沢は、主として新潟県で蒐集した昔話の中に見られる遊魂信仰に興味を懐き、関連する昔話を長年にわたって追跡採集した。日本に伝わる古くからの霊魂観をさまざまに、色濃く刻印している民話である。たとえば、眠っている人の魂が虫（ハチ、アブ、ハエ、チョウ、ブト、アリ、クモ等）の姿でもって鼻や口、耳から抜け出て、身体の外へ浮遊していき、しばらくしてもどってくるという「夢のハチ」系統の昔話が中心である。以下に一例を引用する。

とんと一つあったそうな。村のわかいしょが二人して、雪がけえて、春先のあったかいじぶんに、山へハルキ（仕事：引用者）にいったそうな。ひるやすみになって、一人のわかいしょは、「おら、ねぶとうなった。」というて、ねぶったそうな。そうすると、ねぶった男の、はなのひだりの穴から、小さいハチが、ブーンととびたっていったそうな。もう一人の、ねぶらないわかいしょが、「おや、おかしなことがあるもんだ。なんだろ。」そうおもうて、見ていたそうな。そうしたら、そのハチが、そばにあるスギナの上にチョイととまったそうな。ねぶらない男が、そこへいって、小さい木の枝で、そのハチをたたいたそうな。そうしたら、ハチはたまげて、いそいでもどってきて、こんだ、ねぶっている男の、はなのみぎにはいったそうな。そうしたらば、ねぶっていた男が目をさまして、「あれ、おれ、おっかないゆめを見た。山の高い木の上にあがって、大木でころされようとしたゆめを見た。」というたそうな。ひとのたましいが、ハチになって、あそびに出たそうな。いちごさかえもうした。[☆11]

この昔話に出てくる「たましい」は、身体と深く関係している。夢を見つつ身体の外に浮遊した「たましい」は、スギナで休んだが、そのうちに何ものかによって叩かれた。その筋書きにおいて、この夢見人が「山の高い木の上」と感じたのはスギナだが、ここまではすべて夢である。ところが、その後に隣の目覚人が「小さい枝で、そのハチをたたいた」場面は夢ではない。夢と現実が微妙に交叉している。デカルトが「しばしば夢で起るように、私が眼も開かず場所も移さないにも拘らず、そしておそらくは仮りに私が身体を有たないとしても、私は見たり歩いたりしていると、信ずることがあり得る」としている箇所は、その限りですべて夢の世界である。対して、昔話は夢見人と目覚人の共演によって成立している。プラトンにすれば夢はすべて精神世界の出来事である。夢見るのはプシュケーでなくプネウマであると言ってもよい。デカルトの場合もそうである。対して、アリストテレスにすれば、夢は身体と切り離せないので、少なくともプシュケーの働きということになる。その対比について、アリストテレスの側にたつもう一人の思想家を以下において検討する。それはスピノザである。

三　デカルトを批評するスピノザ

スピノザ『デカルトの哲学原理（*Principos de filosofia de Descartes*）』は、建前上はデカルト思想の紹介を目的にしているようであるが、内実はスピノザのデカルト批評とみてよい。その一例として、プシュケーにまつわる次の記述が読まれる。

六、思惟がそれのうちに直接内在する実体は精神（*mens*）と呼ばれる。

私はここで魂魄（こんぱく）（*anima*）と言わずに精神と言う。なぜなら魂魄という名称は二義的であって、しばしば物体的なものを表現するからである。
七、延長の、並びに延長を前提とする偶有性（accidentia）――例えば形状、位置、場所的運動等――の、直接の主体である実体は物体（*corpus*）と呼ばれる。
しかし精神及び物体と呼ばれるものが同一実体であるか、それとも二つの異なった実体であるかは後に探究されるであろう。[☆12]

この文章はスピノザの考え＝思想であろう。たとえば、「偶有性（accidentia）」の直接の主体を「実体（substantia）」としているが、この二語は対語関係になるものである。また、後者は「実体・本質・存続」などの意味をもち、その実体が、「肉」とか「人格」とかの意味をも含む「物体（corpus）」ということになると、「偶有性」「実体」「物体」のトライアングルには何かしら彼独自の汎神論がただよっている。それとともに、以下の文章にもスピノザ独自の考えが示唆されている。「等しい空間を占める物体、例えば黄金と空気とは、等量の物質、即ち等量の物体的実体を含む」[☆13]。読んで字のごとく、神や精神でなく物体をも実体とみるスピノザの解釈が興味深い。プラトンではイデアのみが「実体（ウーシア、羅 :substantia, 古希：οὐσία; ousia）」なのだから、スピノザの独自性として、精神（mens）と魂魄（anima）とはなんらかの意図や目的をもって区切られている気がする。「たとえ固さ、重さ、その他の感覚的性質が或る物体から分離されるとしても、その物体の本性は全く損なわれずに残存するであろう[☆14]」とか、「神の遍在が延長或は物体に関しないことは、それが天使や人間の霊魂（anima）に関しないと同様である[☆15]」のフレーズにも、その意図や目的は潜んでいるだろう。スピノザは、『神学・政治論（*Tractatus Theologico-Politicus*）』の中でこう主張している。

〔引用一〕自然の力とはもちろん神の力や能力に他ならないが、そのような神の力とは神の本質以外の何ものでもない。…このように、自然のうちには（注）自然の一般法則に逆らうようなことは何も起こらない。
（注）ここで自然というのは物質とそのさまざまな状態を指

すのではなく、物質以外にも無数のものごとを含んでいる。

〔引用二〕神は人間の本性だけに当てはまる法則に応じて自然を導くのではなく、自然の一般法則に応じて自然を導く。したがって神は人類だけでなく、自然全体を念頭に置いている。☆16

以上の二著作の引用文を参考にすると、スピノザ思想にはたんに汎神論がただよっているだけではない。私にすれば、後にド゠ブロスが命名して輪郭がはっきりしてくる物神論の萌芽が垣間見える。さらには、フォイエルバッハの他我論までも透けて見える。

ただし、スピノザとしてはようするに、神の領域には「精神（mens）」が、人間の領域には「魂魄（anima）」が関係していると言いたいだけなのだろう。けれども、ここでアニマをプシュケーと一致させてみると、プシュケーはいよいよもって幻想的な場所に置かれることとなる。フレイザー『金枝篇』のモチーフになぞらえるならば、天界と地界の中間に浮く金枝（ヤドリギ）の位置にある。だが、その前に、一九世紀ドイツの哲学者ルートヴィヒ・フォイエルバッハの〔もう一人の私（alter-ego）〕論におけるプシュケーを検討する。

四　フォイエルバッハの〔アルター・エゴ〕

幻想的なプシュケーを描いて見せたスピノザの議論を、一九世紀になってから唯物論的に深化させた思想家に、ヘーゲル左派の一人、フォイエルバッハ（一八〇四～七二年）がいる。彼は魂魄と身体という組み合わせでなく、神々と人間、精神と身体・肉体という組み合わせを好んだ。そして、その組み合わせをキリスト教においては対立的に、自然崇拝においては共感的に配置した。まずは、先ギリシア的農耕氏族社会からギリシア的都市共同体への転換期に登場したホメロスを事例に、『神統記（*Theogonie nach den Quellen des Classischen, Hebraischen und Christlichen Alterthums*, 1857）』の中で以下のような主張をなした。

ホメロスは「唯物論者」である。ホメロスは肉体から区別されるような精神、肉体に依存していない精神について何事も知らない。すなわちホメロスは、たんに、肉体の中にある精神、身体の諸器官中あるいはそれらとともにある悟性、心情、意志について知っているにすぎない。[17]

フォイエルバッハはあきらかに物質を精神に優先させている。ホメロスの時代、すなわち紀元前八世紀前後は、いわゆる集住（synoikismos）の時代であって、ギリシア世界が先史（氏族）社会から文明（都市）社会に転換していく過渡期だった。ミュトス的神話時代からロゴス的歴史時代への諸文化の転換期でもあった。ミュトス社会では、ハトならハトという生物・物質がその具象的存在のままで神の座にあったが、ロゴス社会では、ハトという生物・物質はそのエッセンスたる平和・純真という理念的存在として神の座についた。けれども、先史・文明の端境期に生を受けたホメロスは、「肉体から区別されるような精神、肉体に依存していない精神について何事も知らない」のだった。基準は人間、あるいはその精神でなくその肉体・身体だった。フォイエルバッハは自然神をSache（事象）とし、文明神をBild（形像）とし、前者を後者に先行させた。物質（mater）は精神（logos）に先行する、という文化論を力説したわけである。[18] そのような状況のギリシア的過渡期の印象を、フォイエルバッハはプラトンを引き合いに出して次のように記している。

プラトンは『国家』第二巻第二〇章および第二一章において次のように言っている。「ウソは神々に憎まれるのみならず、人間にも憎まれる。しかしウソが神々に憎まれるのはたんにウソが人間に憎まれるからにすぎない。こうして人間は神々の尺度であり神々の原像なのである」。[19]

かように物質を優先させるフォイエルバッハの発想をさらに押し進めると、フリードリヒ・ニーチェ（一八四四〜一九〇〇）の理論に向かう。彼は『善悪の彼岸』などで「我思う」を徹底的に批判するのであるが、批判という形式は消極的な議論にならざるをえない。そうではなく、積極的な切り出し方が望ましい。それは以下の引用に示される。

肉体への信仰は魂への信仰よりも基礎的なものである。後者は、肉体の非科学的な観察に潜むアポリアから発生したものである。（なにかが肉体を離れるというのだ。夢が

真理であるとする信仰――）[20]
また、時代は前後するが、マルキ・ド・サド（一七四〇～一八一四）は『食人旅行記』において、あるポルトガル人の語ったセリフとして、以下の記述を差しはさんでいる。この発想も物質身体論の極致にある。

ああ！　もしこの崇高な魂がおれたちの死後も生き残るべきものであり、非物質的な実体から出来ているものだとするならば、この魂が、おれたちの器官とともに成長するということがあり得るだろうか。おれたちの人生の晩年に、退化するということがあり得るだろうか。おれたちの肉体が少しも苦しんでいなければ、魂もまた逞しく健康ではないか。おれたちの健康が変調を来すと、魂も陰気になり、衰弱するではないか。これを要するに、つねに肉体の変化に左右される魂は、精神的なるものに属しているとは認めがたいのだ。いいかね、きみ、おれたち人間を存在させるものが、おれたちの肉体を構成している元素の特殊な結びつきだということは、馬鹿でもない限り信じなければならない真理だよ。この元素を変化させれば、きみの魂も変化する。この元素を分離させれば、すべては無に帰してしまう。したがって、魂はこの元素の中にあり、ただこの元素の結果にすぎず、決してこの元素と分離して存在し得るものではないのだ。魂と肉体との関係は、ちょうど焔と燃焼する物質との関係のようなものだ。これら二つのものは、いずれも一方なしには存在し得ない。焔は、焔を養う元素なしには存在し得ない。逆に元素は、焔なしには燃焼し得ない。[21]

サド、あるいはサドの小説に登場する主人公たちは、肉体をいとおしむ。肉体に無限の価値をおく。彼、彼女らは、あるときは肉体を物理的にいじめて、これをよろこばせる。またあるときは言葉＝会話による限りない想像力でもって、肉体をよろこばせる。そうしておいて、神とか国家とか法律とかが勝手に悪と命名した行為にふけることで、魂魄をあるがままの自然に従わせる。心・精神は肉体・物質に優先するというキリスト教的発想は、サドには受け入れ不可能である。サドが拒否する人間とは精神肥大のそれ、つまりヨーロッパ的にデフォルメされた人間である。そして、サドが歓迎する人間とは肉体・自然のままのそれ、ないしは精神と物質とへの分裂をともなわない人間ということである。少なくとも、私はそのようにサド思想を解釈している。

五　フレイザーのバルドルとリランガのシェターニ

私が長年取り組んでいる仕事に、ジェームズ・フレイザー『金枝篇』研究がある。フレイザーは「王殺し」にまつわる説話・民俗をたくさん蒐集し解説している。その第七巻「バルドル」に、神聖な王または祭司は「天と地の間」にあって初めて生命を維持できるというものがある。そして、その相互関係を如実に物語る事例として、初潮時の女性は不浄であると観念する諸民族の下での女性の隔離が取り上げられる。アフリカ、オーストラリアやパプアニューギニア、南北アメリカ、インド・東南アジア、さらには地中海やヨーロッパ諸地方にも類例が拾われている。「これらの掟の一般的な効果は、いわば天と地の間に（between heaven and earth）彼女を宙吊りにしておくことである[☆22]」。

そのように切り出した天と地の間の物語を、フレイザーは北欧神話の「バルドル」に結び付ける。「その生命が天上にあるのでも地上にあるのでもなくて、ある意味でいわばその二つの間にあるとみられる神は、北欧のバルドルであった[☆23]」。叙事詩エッダに記されているバルドル神話の詳細なストーリーは省くが、本書『金枝篇』に深くかかわるモチーフを上げると、それはヤドリギである。ヤドリギを身体に受けて死ぬバルドルとヤドリギ自体との関係を、フレイザーは次のように説明する。「不死身のバルドルは、多かれ少なかれヤドリギを宿したオークの擬人化なのである[☆24]」。

さて、ここで浮上する問題は、「擬人化（personification）」である。北欧神話の神々は、みなかつては自然神あるいは自然そのものだったが、やがて擬人化作用を受けて神格を得たのだろうか。フレイザーは、そのあたりを問題にしていないが、行論から推測することはできる。そのキーワードは「外魂（eternal soul）」である。これは身体の外に出て浮遊する魂魄である。すでに日本昔話を引いて例示した。この一時的に浮遊する魂魄こそ、ギリシア的プシュケーという幻想態の民間信仰バージョンなのである。プシュケーという幻想態はここに現実態を得たのである。

現実態といえば、もう一つ、重要な事例を私は現代アフリカ社会に二例つかんでいる。一つは、一九六〇年代にギニアビサウでポルトガルからの解放運動を指導したアミルカル・カブラル（一九二四〜七三年）の以下の発言に示される。

〔引用一〕その昔、世界の文明の中心だった古代ギリシアには、「ピトニーザ」と呼ばれた、山に住む巫女がいた。人々は、彼らに戦争や人の運命についてお伺いを立てた。また、呪術師に供えものもした――なぜなら呪術師の中には神が宿っていたからだ。我が国のコビアナの〔イラン〕と同じなのだ、同志諸君。…（以下、古代エジプトの呪術師、インドのアピス牛神などの類例を説明している―引用者）…文化的抵抗を進め得るためには、我々はこれをよく理解せねばならない。

〔引用二〕明日の我々の文化では、稲妻が神の怒りの現れであるとか、雷鳴は天の声が話しているとか、〔イラン〕の怒りであるとかいうことを信じたりする者が誰もいないようなものでなければならない。[☆25]

カブラルは、中にはいまだ石器を使用している先住民族に対して、そのままの生活習慣を維持させて戦闘に動員した。諸物のフェティシュ神の威力でポルトガル兵の機関銃と対峙したのである。戦利品はパワーアップしたフェティシュ神となった。カブラルは、ヨーロッパ人とて昔は同じ生活をしていた、と説く。その一つがギニアのフェティシュ神〔イラン〕だ。「文化的抵抗を進め得るためには、我々はこれをよく理解せねばならない」とした。カブラルの力量はずば抜けていた。よって一九七三年ポルトガル当局に暗殺された。

そのカブラルが暗殺されたのち、こんどはタンザニアのダルエスサラームに一人の画家が登場した。エドワルド・サイディ・ティンガティンガ（一九三七〜七二）のポップアートに共鳴するジョージ・リランガ（一九四三〜二〇〇五）である。彼は、メゾネットという硬板にエナメルペンキで動物などを描くティンガティンガ・アートの運動に、一九七〇年代から参加し、それを乗り越えていった。「ニュンバ・ヤ・サナア」（芸術の家）の代表作家として、西洋美術の多様な技法を取り込んだ作品を創作した。リランガの友人であり現代アフリカ美術研究者である白石顕二によって、私は彼の作品を知った。彼の解説「アフリカの現代美術への視角」に詳しいが、[☆26]白石のパートナーである山本富美子の導きで、二〇一九年七月に、多摩美術大学美術館の企画展「エターナル・アフリカ＊森と都市と革命――アミルカル・カブラルの革命思想とジョージ・リランガの芸術――」展にて、記念講演「カブラル・文化による抵抗――エターナル・アフリカ記念――」を担当した[☆27]。

興味深い題材は〔シェターニ〕と称する「半ば人間、半ば妖怪」である（写真参照、実物は拙宅書斎におかれ、アウラを放っている）。私はこれを「夢幻児シェターニ」と名づけている。リランガの絵画に登場するキャラクター〔シェターニ〕はおもに手は二本指、足は三本指だ。稀に五本指もあるが、それでもシェターニは人間でなく、いわば森の精霊たちなのだ。リランガは、あるとき白石にこう語った。「これら私の絵画に登場する存在とは半ば人間、半ば妖怪（スワヒリ語でシェターニ）のようなものである。シェターニが私の夜の夢の中に現れてくる。つまり、すべて夜にイメージが湧き、それを昼間描いている[☆28]」。なるほどシェターニは人間世界の生き物ではないが、さりとて異界の生き物でもない。その中間に位置している。リランガのこの「半ば人間」シェターニにこそ、古代ギリシア哲学者たちが捉えどころのないものとしてあれこれ思索していた「プシュケー」の現実態が生きているのである。先史・古代の観念としてのプシュケーについて、しかも不可視の観念について、グレコローマン的文明人は、あるときは哲学的に概念規定し、またあるときは美学的に造形化してきた。けれども、そうした概念や造形は、とどのつまり現代欧米的理性や宗教性をもって解釈しているだけである。その結果、プシュケーに備わる原初的な価値両義性――二つで一つの心性――は一刀両断されてしまった。ところが、リランガの描く〔シェターニ〕やカブラルの説く〔イラン〕には、強弱の度合いは可変的であるものの、原初的な価値両義性がにじみ出ている。

むすびに

ヒト（Homo sapiens）は知性（sapiens）でもって道具（faber）をつくったのでなく、道具＝社会的自然をつくることで知性を獲得し、その過程でヒトは人間となった。道具＝社会的自然は、本来は人間のアルターエゴ（alter-ego もう一人の私）として間主観的に存在したが、やがて転倒が起こって人間の生存手段に貶められた。だが、いまや道具＝社会的自然は情報通信技術（ICT）や人工知能（AI）を備えて人間のパートナーに返り咲く。けれどもそれは人間＝身体の拡張としてあるのではない。ベクトルが逆である。人間＝身体を介して自然＝環境が道具に吸収され凝固・結晶することによって生じるのである。身体の変容は、身体が道具を用いて環境へ拡張することによって生じるのではなく、環境が道具を通じて人間身体に吸収され凝固・結晶することによって生じるのである。かように、〔道具＝社会的自然〕は〔人間＝身体〕のアルターエゴなのである。こうして〔脳＝知性〕は〔身体＝感性〕に支えられる。あるいはまた、或るときの「ホモ・ファベル（Homo faber、道具を使う人）」は、或るときには「ホモ・ルーデンス（Homo ludens、遊ぶ人）」であり、また或る時には「ホモ・ベルム（Homo bellum、戦う人）」である。いずれをも否定することはできない、転倒を介しての相互連携である。

ギリシア語のプシュケーは、物質世界と観念世界の中間にあって、幻想的なゾーンに浮遊する。物質世界の出生であるが、どちらの世界にもとどまらない。別の表現をすると、天地開闢（あめつちおのずとひらける）の先史的な〔アナルキア〕つまり〔無という秩序〕の世界、あるいは〔アトピア〕つまり〔無という場〕の世界に出自を有する。私としては、まずもってフォイエルバッハのいう「唯物論が神々の母」を前提とし[☆29]、その結果としての〔バルドル・ヤドリギ世界〕、〔シェターニ・イラン世界〕をプシュケーに関連づける。つまり、どちらの世界からも支配されず、蝶にも蛾にも、息吹にも魂魄にも変幻する〔アナルキア〕〔アトピア〕を認めるのである。幻想的なゾーンが有する二面性の確認である。そのうえで、私はこう宣言する。精神は身体を質料としこれに依存する形相である、とのアリストテレス学説を一方では認めつつ、他方では、現実に対するプラトン的イデアのヴァーチャルな力に人間の本質と限りない可能性を見いだす。

注

01
プシュケー（Ψυχή, psyche）の意味を、とりあえず手元の『古代ギリシア語・ドイツ語辞典』で確認すると、以下のようである。Atem（呼吸、息）,Leben（生命）, Seele（魂）, Schattenbild（影像）,Bewußtsein（意識）,Gemüt（心情）, Herz（心）, Mut（気持）, Verlangen（欲求）, Trieb（衝動）, Appetit（食欲）, Schatz（宝庫）。*Langenscheidts Taschenwörterbuch, Altergriechsch*, 1986, S. 456.

なお、詩人でフランス文学者の多田智満子は、プシュケーの原意を探って、著作『魂の形について』（白水社、一九九六年、六七〜六八頁）で以下のように述べている。

彼（プラトン：引用者）は霊魂を実体ではあっても不可視・無形と断定した点で、古い自然哲学の伝統から切れているのだ。私がとりあげている蝶や鳥なども魂の形象的比喩にすぎないのではないかと抗議されるかもしれないけれども、事は微妙にちがうのである。私が主題としたいのは、単なる比喩や見立てではなく、古人が魂をそのようなものと実感したところのものであり、文学的ではなく神話的なもの——つまり、人間根源的意識（ユングのいわゆる集合無意識）が所有する原型的イメージから生み出された魂の表象なのである。

魂であれ何であれ形を備えない存在はない、というフェティシズムを理解していない多田の、苦しい説明である。フェティシズムにおいては、例えば形としての鳥は魂と混然一体（フェティシュ）である。また、アニミズムにおいては、鳥の魂はアニマとしてときに形から一時的に遊離するものの形と混然一体の存在である。他者の魂を象徴するというものでもない。

02
「身体（σῶμα, soma）」と類似した語に「肉体（σάρξ sarx）」がある。後者サルクスはそのままではプシュケーと対立している。しかし、その中にプシュケーが入り込むと合体してソーマとなる。キリスト教の場合、パウロにおいてこの変化が現れる。彼は、エルサレムからダマスコに向かう途上でイエス・キリストの霊が自己の心中で輝くのを感知する。そのとき以来、「私にとって生きるとはキリストであり」、彼の心中にはキリストが住まうこととなる。その過程でパウロのからだは「サルクス（肉体）」から「ソーマ（身体）」に転じたのである。「フィリピの信徒への手紙」一の二一。

03
Plato, with an English Translation, *Euthyphro Apology Crito Phaedo Phaedrus*, London, 1943. 67-A, p.231-233. ギリシ

ア語原文については、英語対訳（奇数頁）付きの以下を参照。プラトン、岩田靖夫訳『パイドン』岩波文庫、二〇〇四年（初一九九八年）、三六頁。

04 Plato, *ibid.*, 81-C-D, p.283-284. 岩田訳、八一頁。

05 Plato, *ibid.*, 76-C, p.267. 岩田訳、六六頁。

06 Plato's *Protagoras*, 313c. An open-access, collaborative translation. http://openprotagoras.wikidot.com/page:313, 藤沢令夫訳、岩波文庫、一九八八年、二二〜二三頁。ランゲンシャイト『古代ギリシア語・ドイツ語小辞典』によると、「知識」の原語"μάθημα"には以下の意味がある。Lernen（学び）、Erkenntnis（知識）、Erfahrung（経験）、Lehre（教訓）、Unterricht（教育）、Wissenschaft（学問）、Kunst（文芸）など。*Langenscheidts Taschenwörterbuch*, S.279.

07 Aristotle, *De Anima*, with Translation, Introduction and Notes, by R. D. Hicks, Cambridg University Press 1907, p.49.(412a) 本書は英語・ギリシア語対訳であり、奇数頁に英語、偶数頁にギリシア語が記されている。桑子敏雄訳『アリストテレス 心とは何か』講談社文庫、一九九九年、七〇頁。なお、桑子は「霊魂」を「心」と訳している。その改訳を、私は全面的には支持しないが、訳文は以下に挙げる既訳と較べると、ずいぶん読みやすくなっていると感じる。山本光雄訳「霊魂論」、山本光雄・副島民雄訳『アリストテレス全集6』岩波書店。一九七六（初一九六八）年。

08 Aristotle, *De Anima*, p.53(413a). 桑子訳、七四頁。

09 Aristotle, *De Anima*, p.47. (411b). 桑子訳、六六頁、参照。

10 *Œuvres de Descartes*, tome VIII, Principia Philosophæ, Paris, 1905, p.7-8. デカルト、桂寿一訳『哲学原理』岩波文庫版、二〇〇四年（初一九六四年）、訳書、四〇頁。

11 水沢謙一『蝶になったたましい―昔話と遊離信仰』野島出版、一九七九年、二一〜三頁。

12 Spinoza, *Tratado de la reforma del entendimiento, Principos de filosofía de Descartes*, Pensamientos metafísicos, Madrid, 1988, p.146. スピノザ『デカルトの哲学原理』畠中尚志訳、岩波文庫、二〇〇四（初一九五九）年、三五頁。

13 Spinoza, *ibid.*, p.184. 畠中訳、九五頁。

14 Spinoza, *ibid.*, p.183. 畠中訳、九一頁。

15 Spinoza, *ibid.*, p.184. 畠中訳、九三頁。なお、スピノザは一六七四年九月ボクセルへの書簡で霊魂の類を消極的に表現している。参考までに引用する。「それ（幽霊或いは霊魂―引用者）は小児ですか愚者ですか、それとも狂人ですか。私がこう申すのは、そうしたものについてこれまで私の耳に入ったことは、分別ある人というよりはむしろ愚者を思わせます。せいぜいよく言っても、小児のいたずらか、愚者のひまつぶしのように見えます」。畠中尚志訳『スピノザ往復書簡集』岩波文庫、二〇〇五（初一九五八）年、二四二頁。「幽霊或いは霊魂」を英語版で確認すると"soul"でなく"ghosts or spirits"となっている。*Spinoza Complete Works*, with tr. by Samuel Shirley, Indianapolis / Cambridge, 2002, p.894.

16　Spinoza, *Theologisch-politischer Traktat*, Dritte Auflage, Leipzig, 1908, S.113, 120. 吉田量彦訳『神学・政治論』（上）、光文社、二〇一四年、二六二～二六三、二七五頁。

17　Ludwig Feuerbach, *Gesammelte Werke*, hg. v. W. Schuffenhauer, Akademie-Verkag, Berlin, 1969.Bd.7. S.36.

18　石塚正英『フォイエルバッハの社会哲学―他我論を基軸に』社会評論社、二〇二〇年、特に第三章「Sache（事象）とBild（形像）との関係」参照。

19　Feuerbach, *ibid.*, S. 284. プラトン自身の文章を引用する。「こうして、ほんとうの偽りというものは、ただ神々からだけでなく人間たちからも、憎まれるものだ」（ソクラテス―引用者）「そう思います」（アデイマントス―引用者）。プラトン、藤沢令夫訳『国家（上）』岩波文庫、二〇〇四（初一九七九）年、一六九頁（第二巻二一）。念のため、英語訳を併記しておく。

"The true lie is hated not only by the gods, but also by men?" "Yes." tr. by Jowett, M.A, *The Republic of Plato*, Oxford, 1925, p.66.

20　フリードリヒ・ニーチェ、三島憲一訳「遺された断想 Nachgelassene Schriften（一八八五年秋～八七年秋）」『ニーチェ全集』第二期第九巻、白水社、一九八四年、一五三頁。以下にドイツ語原文を記しておく。

"Der Glaube an den Leib ist fundamentaler als der Glaube an die Seele: letzterer ist entstanden aus den Aporien der unwissenschaftlichen Betrachtung des Leibes (etwas, das ihn verläßt. Glaube an die Wahrheit des Traumes —):"

Nietzsche-Werke, Kritische Gesamtausgabe, herausgegeben von Giorgio Colli und Mazzino Montiari, Walter de Gruyter, Berlin/New York (1968 -), Abteilung,

http://www.nietzschesource.org/#eKGWB/NF-1885,2

21　『澁澤龍彦翻訳全集8』河出書房新社、一九九七年、二七一～二七二頁。この引用文については、前章の注35にも部分的に紹介し解説している。

22 James George Frazer, *The Golden Bough, A Study in Magic and Religion*, part7, vol1, p.97.

23 Frazer, *ibid.*, p.101.

24 Frazer, *ibid.*, p.94.

25 カブラル「文化による抵抗」、アミルカル＝カブラル編訳『アミルカル＝カブラル 抵抗と創造』柘植書房、一九九三年、九一頁、九六頁。

26 『SANAA YA AFRICA! The Inspired Contemporary Art of Africa』、「サナーヤ アフリカ！ 現代アフリカ美術に宿るもの」カタログ、多摩美術大学美術館、二〇〇〇年、四～六頁、参照。

27 記念講演「カブラル・文化による抵抗―エターナル・アフリカ記念―」は録音され文章化され、以下の拙著に収録されている。『価値転倒の思索者群像―ビブロスのフィロンからギニアビサウのカブラルまで』柘植書房新社、二〇二二年、第一六章。

28 白石顕二「アフリカ・フォイとリランガ」、白石顕二・山本富美子編『アフリカ・フォイ―リランガの宇宙』講談社、一九九三年、四頁。

29 フォイエルバッハの文章通りに記すと以下のようである。

「唯物論が神々の根拠および根原なのである（Der Materialismus ist der Grund und Ursprung der Götter.)」。

Feuerbach, *ibid.*, S.92.

Ⅱ. 身体知・感性知による科学文明批評

第七章
〔講演〕

マルクス『資本論』のフェティシズム無理解

【講義関連情報】
講演企画者　マルクス生誕二〇〇年記念シンポジウム「カール・マルクス、その現代的意義を問う」実行委員会（事務局・社会評論社）
講演会場　専修大学（神田校舎）七号館
講演開催日　二〇一八年一〇月二一日一三～一七時
講演名　マルクスのフェティシズム論
＊録音した講演記録から、その一部を抄録した。文章化にあたり、内容を吟味し、参考資料の注記や記述の補足を行っている。とくに、「五　やすいゆたかの慧眼―やすい著作からの引用」は事後の補足になる。また、冗長な説明は省き、文章を話し言葉で表記せず、論文としてまとめた。

一　フェティシズム理解

フェティシズムに関して、私は拙著『母権・神話・儀礼―ドローメノン【神態的所作】』（社会評論社、二〇一五年）で次の議論を行なっている。

一八世紀フランスの比較民族学者シャルル・ド＝ブロスと一九世紀ドイツの哲学者フォイエルバッハに発する私のフェティシズム論によれば、儀礼を通じて自然物（Ding）から人間や神々（Wesen）が生成する、その現象と状態をフェティシズムという。本来は自然的存在（モノ）でしかなかったものが社会的存在（人間や神々）になる、この事態を指して、フェティシズムというのである。ところが、余人は、本来は人間であったもの（社

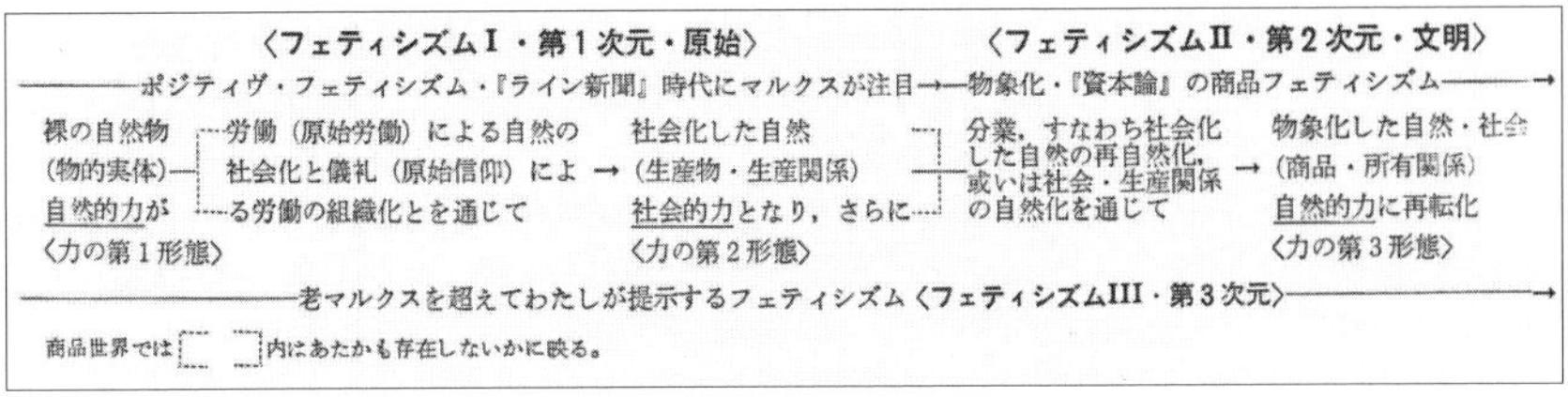

〈フェティシズムⅠ・第1次元・原始〉　〈フェティシズムⅡ・第2次元・文明〉
――ポジティヴ・フェティシズム・『ライン新聞』時代にマルクスが注目→―物象化・『資本論』の商品フェティシズム――→
裸の自然物（物的実体）―自然的力が〈力の第1形態〉
…労働（原始労働）による自然の社会化と儀礼（原始信仰）による労働の組織化とを通じて →
社会化した自然（生産物・生産関係）社会的力となり，さらに…
分業，すなわち社会化した自然の再自然化，或いは社会・生産関係の自然化を通じて →
物象化した自然・社会（商品・所有関係）自然的力に再転化〈力の第3形態〉
――老マルクスを超えてわたしが提示するフェティシズム〈フェティシズムIII・第3次元〉――→
商品世界では［　　］内にあたかも存在しないかに映る。

会的存在）がモノ（自然的存在）になる、人間以下のモノになる、これを指してフェティシズムといってきた。しかし、その括りは誤っている。人間は、人間になる前は自然的存在だった。それがいったん社会的存在になり（フェティシズム1）、いまいちど自然的存在に転化する（フェティシズム2）。この後者を私は、概念の混乱を避けるためフェティシズムといわず、場合によってイドラトリというようにしてきた[☆01]。

儀礼とは、人間（自然的存在＝動物）が人間的存在になるための必須条件なのである。自然的存在（モノ）を神的存在にすることにより、人間（モノないし動物）は人間（神的存在をつくりだす存在）となった。これをさしてフェティシズムという。これまで宗教学や哲学、経済学や心理学などで通説だった解釈、物神崇拝は人間が人間以下のモノにひれ伏す幼稚な観念、という解釈は間違っている。事態はむしろ逆である。物神崇拝は、人間が人間になるために必須の条件なのである。通説で説かれる物神崇拝は儀礼の第二類型に関連する。その前に儀礼の第一類型に関連する物神崇拝が存在している。この二つは、歴史的にみるならば時間的に前後しているが、存在論的には第一が第二の必要条件になっている。野生人＝非文明人は第一の儀礼にのみ関連するとも考えられるが、現代人＝文明人は第二の中に第一が隠れるようにして二種の儀礼を日々通過している[☆02]。

以上の記述をマルクスのフェティシズム論に関係させてみたい。その材料として、拙著『フェティシズムの思想圏』[☆03]を紹介する。上記『母権・神話・儀礼』と似たような文脈で始まる。

まず、〔裸の自然物＝自然的自然〕が物的実体としてアプリオリに存在する。その物的力を〔力の第一形態〕とする。その自然的自然＝物的実体は、労働による〔自然の社会化〕と儀礼（自然信仰）による〔労働の組織化〕とを通じて生産物・生産関係という〔社会化した自然〕となる。その社会的力を〔力の第二形態〕とする。その社会化した自然＝生産物・生産関係は、分業すなわち社会化した自然の再自然化あるいは社会・生産関係の自然化を通じて〔物象化した社会的自然〕つまり商品・所有関係に再転化する。その物象的力を〔力の第三形態〕とする。ここで、〔力の第一形態〕から〔力の第二形態〕への転化（転化Ⅰ）をフェティシズムⅠとし、〔力の第二形態〕から〔力の第三形態〕への転化（転化Ⅱ）をフェティシズムⅡとし、〔力の第一形態〕から〔力の第三形態〕への転化総体（転化Ⅲ）をフェティシズムⅢとする。以上の諸形態のうち、転化Ⅰがそれ以降の諸転化を派生せず単独で全面展開した社会は原始共同体だけなので、またこの社会的現象は原始信仰＝フェティシュ信仰として現出したので、私は社会的力とその運動のことをあえてフェティシズムと呼ぶことにしている。

二　マルクスのフェティシズム無理解

さて、ここからが本題である。マルクスが『資本論』で述べた「商品のフェティシズム的性格」は、誤ったフェティシズム理解に基づいている。彼によると、労働生産物は、生産物それ自体に価値があるのでなく、それに付着した抽象的人間労働に価値がある、とした。そのうえで、もともとは無価値の生産物に対して、人間労働を介して価値が付着した生産物をもともと価値あるものとみなすのがフェティシズムだというのである。

フェティシズムの観点からすると、その立論には大きな陥穽が存在する。ある生産物が商品となるには、その生産物に価値が「ガラート（Gallerte）」[☆04]―すなわち膠質・ゼラチン質―の状態で付着する必要があるのである。Gallerteは「凝固物」とも訳すが、要するに本体＝生産物とは区別される。それにくっついているもの、「付着物」である。それは、フェティシズムでなくアニミズムに特有のつきもの現象、憑依である。フェティシズムにおいては、あるものがそれ自体でフェティシュに転化する。アニミズムにおいては、あるものはそのままで、それにアニマが付着したり離脱したりする。あるいは、フェティシズムにおいてはDing（モノ）がSache（コト）に転化するのであって、Dingを欠いてSacheはあり得ない。アニミズムのようにDingにSacheが付着するのではない。

ド＝ブロス的立場から説明すると、①物的実体は生産物

（社会的力）に転化し、②生産物（社会的力）は商品（社会的力の再自然化）に転化するのである。『資本論』のマルクスは②を問題にしていたのだが、肝心のフェティシズム理解にゆがみがあったので、彼のいう「商品のフェティシズム的性格」は妥当でない。ド＝ブロスを参考にしてマルクスを訂正すると、次のように言える。自然物は人間労働を介して生産物（フェティシュ①）になる。それが再自然化（物象化）して商品（フェティシュ②すなわち疎外態たるイドル）になる。後者から「商品のフェティシズム的性格」は導かれる。『フェティシズムの思想圏』著者の私にすれば、マルクスの言う「商品のフェティシズム的性格」は、「商品のイドラトリ的性格」である。

三　労働価値説の現実有効性喪失

マルクス『資本論』のフェティシズム無理解は、「商品のフェティシズム的性格」を「商品のイドラトリ的性格」と読み替えれば解消される。けれども、二一世紀のこんにち急展開するロボット工学、コンピュータ・サイエンスを考慮すると、マルクスの打ち立てた労働価値説それ自体からして、現実有効性を喪失している。結論を提示すると、価値を産むのは人間労働だけでなく、ＡＩ搭載ロボットも人間業（わざ）で達成困難な価値生産に参加しているということである。

通説ではその発想は認められない。ロボットとて生産手段の一部である労働手段にすぎず、それは一般の機械と同じく、過去における労働者の労働力が投入されており、人間労働による価値が付加されているだけである。たとえ無人工場でロボットのみが生産にかかわっていようとも、生産物に付加される価値はロボットが産みだしたのでなく、ロボットを産みだした人間労働が産みだしたものである。だから、通説を踏襲する限り、ＡＩ搭載ロボットが価値生産に参加しているということにはならないのである。

ところで昨今は、沖縄のジュゴンなど希少生物の生息地を保護する目的をもって、自然の権利訴訟が起こされてきた。二〇〇八年一月、サンフランシスコの連邦地方裁判所は、沖縄ジュゴンを原告の一員にした五年に及ぶ「自然の権利」訴訟で原告勝利の判決を下した。[☆05] その事態は、自然もまた権利主体である、という考えをもとにしている。生態系を一つの生命とみなす立場からすれば、自然にも生きる権利はある。自然が滅べば、その一部である人間も滅ぶ。自然を生かすことはすなわち人間を生かすことになる。そのようなロジックで自然への権利付与が現実味を帯びたのである。

そうであるならば、加工された自然であるロボットもまた権利主体である、という考えを打ち出しても、さほど突飛ではない。いまやロボット工学、コンピュータ・サイエンスは人類社会を根底から支えている。その成果であるAI搭載ロボットを生かすことはすなわち人間を生かすことになる。その発想から得られる結論は、価値を産むのは人間労働だけでなく、AI搭載ロボットも価値生産に参加している、ということである。

その際私は、ジュゴンやロボットを擬人化して「人格」を付与せよ、と主張しているわけではない。ジュゴンはジュゴンのまま、ロボットはロボットのままで労働主体だ、権利主体だ、と主張しているのである。その理由を、以下の行論で説明したい。

四　環境の凝固結晶たる人間身体

一九八〇年代から長年に及んで私の研究仲間であるやすいゆたかは、自身がウェブ上で運営する「ウェブマガジン・プロメテウス」を活用してオリジナル概念「包括的ヒューマニズム」を力説する。いわく、

> 私の主張する『包括的なヒューマニズム』は人間の範囲を個々人の身体から拡張して、社会的諸事物や環境的自然、さらには組織体にまで広げて捉える必要があるという新しい人間観の提起になっているわけです。（中略）
>
> 人間が主体性を取り戻そうとしたら、ただ無力化した身体的諸個人の立場からだけ、機械や製品や組織や体制に抗議ばかりしていても埒が明かないわけです。機械や製品や組織や体制は、実は外化された自己であり、人間の延長なのですから、それらを人間の外に立ちはだかる他者として疎外された姿でだけとらえるのではなく、それらも含めて人間の内部として捉え返す人間観の転換が必要だというのが、私の『人間観の転換―マルクス物神性論批判』だったわけですね。それは現代ヒューマニズムを批判的に超克した新しいヒューマニズム「包括的ヒューマニズム」の産声だったのです。[☆06]

やすいの説明になる「包括的ヒューマニズム」は、人間身体が物質的環境に向かう拡張の論理である。その論理展開の過程に、AI搭載ロボットも価値生産に参加している、という結論は容易に導かれる。ただし、彼の発想ではかると、AI搭載ロボットは人間の延長である。ロボットもまた人間だ、という括りである。それは、ロボットの擬人化を意味する。

しかし、私は、それと真逆のベクトルをもった議論を構築している。「環境の凝固結晶たる人間身体」である。以下に、拙著『身体知と感性知―アンサンブル』から必要個所を引用する。

> 身体の変容は、身体が環境的自然へ拡張することによって生じるのではなく、環境的自然が人間身体へ凝固・結晶することによって生じるのである。ベクトルは逆である。人間から人間の変容を説明するのでなく、環境的自然から人間の変容を説明することが理に適っているのである。また、道具（生産）は人間身体の自然界への拡張手段としてあるのでなく、道具はヒトの自然的存在から社会的存在への転回手段としてあった。いったん人間身体（社会的存在）が成立（結晶）すると、こんどは人間身体が環境的自然に向かって拡張していった。はしがきで述べた「道具・機械も身体の一部といった発想」である。だが、それは釈迦（自然的環境）の掌で動き回る孫悟空（人間身体）の振幅と同じだった。①環境→身体、および②環境←身体の双方向において、主導は①だということである。[☆07]
>
> 二一世紀に至り、道具はデジタル・システムとなった。それにあわせて、凝固体＝身体は、道具的身体から機械的身体へ、機械的身体から電子的身体へ再結晶してきたのである。かつて、神は自分の姿に似せて人間を創った。現在、人間は自分の姿に似せてロボットを造っている。けれども、よく観察してみると、ロボットが完全なものに近づくほどに、人間身体はロボット的に変容していく。つまり、ロボットは人間身体を文化的身体から機械的身体、そして電子デジタル的身体へと変容させていくのである。[☆08]

長い引用となったが、ようするに、ジュゴンやロボットは、人間にとって共生する相手、〔もう一人の私〕ということである。その概念をラテン語で〔他我 alter-ego〕と称する。この概念はアリストテレス（『ニコマコス倫理学』）などギリシア思想に端を発するが、長らく〔他我〕に自然は含まれなかった。人間にとって自然は、擬人化することなく自然のままで〔もう一人の私 another-self〕であるという概念は、一九世紀ドイツの哲学者フォイエッルバッハの他我〔alter-ego〕思想において鮮明になった。他我論（alter-ego）をアリストテレスに発するギリシア的議論から非キリスト教世界を説明するツールに換骨奪胎させたフォイエルバッハは、隣人の中に環境的自然を加えたのである。[☆09] そうであれば、ロボット生産で生まれた労働価値を超える価値を当のロボットが産みだしたなら、その超過分（剰余労働）の一部はロボットの所得となる。当のロボットは所得税を納入し、その税収は、もはや主要な労働にタッチしなくなった人間のためのベイシックインカムにあてがわれるのである。

私にすれば、環境は、やすいの議論のように人間が拡張する領分としてあるのではない。道具や機械は、拡張された人間身体の中に含まれるのではない。そうではなく、環境とは、人間と共生して連携する〔もう一人の私〕なのである。その点で、私とやすいの議論は、ベクトルの向きが正反対である。けれども、やすいの〔包括的ヒューマニズム〕と私の〔他我相関〕は車の両輪のようである。

やすいの議論をふくめ、これまでのヒューマニズムにおいては、身体について、コア（「人間なるもの」「人格」）を含むものと観念し、そこに主客関係のフィクション——主＝人格、客＝身体——を描いてきた。けれども、身体は環境の一部であることを、あるいは、身体は環境と人格との交点に存在することを否定できない。その際、環境＝身体が主であって、人格＝身体は客なのだが、観念の世界では主客が反転するのである。その現象を、私はフェティシズムという術語で議論してきた。マルクスの労働価値説、価値の源泉は人間労働にある、との学説は、〔もう一人の私〕であるロボットなど機械も労働し価値を産みだす、というやすいと私の議論によって訂正を迫られたわけである。

なお、このような人間観の転換を、やすいゆたかは一九八〇年代からの著述活動で繰り返し公表してきた。以下に参考資料として、関係著作から必要個所を引用しておく。

五　やすいゆたかの慧眼
――やすい著作からの引用

1　やすい・石塚対談「フェティシズム論の可能性」、『フェティシズム論のブティック』論創社、一九九八年、から。

やすい　マルクスのフェティシズム論は、事物が人間の社会関係を取り結ぶという事に対して倒錯だと言うんだから、社会的な事物を人間として捉えては倒錯だ、という擬人的倒錯論にもなっているんです。

商品や貨幣は人間関係を取り結んで人間社会を支配してしまっているという意味で、擬神というより擬人にあたるわけです。でも、それに対して人間は有り難がって、跪拝するしかないので、物神崇拝としたのです。

この論理は一見、自明に見えて自明じゃないんです。だって経済関係というのは人間が物をつくったり、交換したりする関係だから、物が社会関係のなかで重要な役割を果たすのは、否定できないわけなんです。だから物が社会関係を取り結ぶと見なすのはおかしいというマルクスの議論は、おかしいのではないかと思ったんです。

石塚　非常におもしろい指摘ですよね。今まで、人間でもないものが人間扱いされるというよりは、ほんとは人間なのに人間が物扱いされるということでいろいろ問題にしてきたわけです。マルクスの場合は、本来人間でもないものが人間を支配してきて、逆に人間は物を神様にしているという、とにかく物が物以上に高まっていることについての批判ですよね。だけれどもやすいさんは、物の社会関係が現にある以上は否定できないし、する必要もないと言う。[☆10]

やすい　ぼくの『人間観の転換―マルクス物神性論批判』（青弓社、一九八六年）の一つのポイントなんですが、マルクスは価値を「抽象的人間労働のガレルテ（膠質物）である」と捉えていて、それが物に付着すると、それで物がフェティシュとして商品化されて、社会的関係を結ぶと理解しているわけです。『資本論』全体の論理展開の中で検討しますと、この表現をぼくはそのまま比喩ではない、マルクスは本気でそう考えているたと受け止めて、それなら「つきもの信仰」じゃないかと思ったわけです。つきもの信仰は、霊の段階に達してますからフェティシズムを脱却していますが、非常に興味あるフェティシズム周辺の信仰ですね。そういうようにマルクスを読むのはひがんだ読み方ですかね。

石塚　マルクスはド゠ブロスのフェティシズム論を読んだにしては、最悪のところまで行ったってところですね。かなり自分の型にはまって、フェティシズムのなんたるかをかなりもう、その場面では無視しています。商品世界では商品は発端からフェティシュとしてつくられるんです。それそのものがフェティシュなんであって、付着するものじゃない。付着物を丹念に取り払えば人間生活に豊かさだけをもたらすもの、というようにはならないんです。

やすい　だから、労働というのは具体的有用労働と抽象的人間労働の二つの性格に分けられるのだけれど、それはあくまでも生産物を生み出したものとして、使用価値面に凝結したものが具体的有用労働で、事物の価値面に凝結したのが抽象的人間労働であるわけです。ですから価値はあくまで事物の性格だと捉えたほうが、まだフェティシズム論としては正しいんだということですね。それが『資本論』研究は百年以上やられているんですか、「ガレルテ」の解釈が全然なっていないですね。向坂逸郎さんは「膠質物」と訳されたのですが、それ以外は「凝結物」とか「凝固物」とかで。[☆11]

[2]

やすいゆたか「AIやロボットは価値増殖する可変資本か?」(「ウェブマガジン・プロテウス」二〇二〇年二月四日)から。

マルクスは製品をつくったのは機械ではなく、人間だと言いたいのですから、ヒューマニストですね。それで機械は生産手段に過ぎません。しかし現実はどうでしょう。機械制大工場では労働者は機械の部品に過ぎない事が多いですね。それで揉めていても埒はあきません。元々、マルクスは一八四四年の『経済学・哲学手稿』では機械も含めて人間化した自然を人間的自然あるいは人間の非有機的身体と呼んでいました。

それが『資本論』では資本家的生産様式を資本家によ

る賃労働者の搾取体制としての人間関係に還元したために、社会的諸事物や環境的自然を包括した人間観は後景に退いたのです。むしろ人間と事物を峻別し、その混同をフェティシズムとして倒錯とみなすことで、搾取構造を鮮明にしようとしたのです。

価値移転論として処理しなくても、生産手段の価値減耗分だけ生産手段の価値が製品に加えられたと捉えてもよいわけです。その役割を果たしたのは生産手段です。その場合、生産手段は人間の生産活動を行っているのですから、人間の他者ではなく、人間の非有機的身体として行っているのです。(中略)

つまりマルクスは絶対に認めないだろうと思いますが、機械が労働者に代わって労働した結果、それだけ労働量が増えたのだから、その分は機械が労働したとみなせるのではないかと私は思うのです。(中略)

ところがマルクスは強められた労働といいながら、強めた機械を人間の外部に置いたまま、人と物との対置に拘っているのです。若きマルクスの包括的な人間観から後退しているのだ。それはマルクス『資本論』の弱いところです。経済関係を階級関係に還元してしまうという方法論的な欠陥が災いしているのです。(中略)

特別剰余価値の生産はその改良された機械の普及するまで、生産性の差で優位を保てる間という限定があります。この論理を今日の脱労働社会化のAIや汎用ロボットに適用できるでしょうか? 一概には言えませんが、生産手段が価値を生み、増殖することもありうることを確認しておく事は大いに意義があります。[☆12]

注

01　石塚正英『母権・神話・儀礼―ドローメノン【神態的所作】』社会評論社、二〇一五年、一七一～一七二頁。

02　同上、一七九～一八〇頁。

03　石塚正英『フェティシズムの思想圏―ド＝ブロス・フォイエルバッハ・マルクス』世界書院、一九九一年、二〇六～二〇八頁。本文の一二三頁に示した図は、同書の二〇六頁からの転載である。

04　Vgl. Marx-Engels-Werke Bd.23, S. 52.

05　沖縄タイムス「米ジュゴン訴訟とは…？　これまでの経緯」二〇一八年四月一八日付記事、https://www.okinawatimes.co.jp/articles/-/239200 参照。

06　「ウェブマガジン・プロメテウス」（https://mzprometheus.wordpress.com/2018/04/14/3hnh/）二〇一八年四月三日。

07　石塚正英『身体知と感性知―アンサンブル』社会評論社、二〇一五年、二二八頁。

08　同上、二二九頁。

09　石塚正英『フォイエルバッハの社会哲学―他我論を基軸に』社会評論社、二〇一九年、参照。

10　石塚正英＋やすいゆたか『フェティシズム論のブティック』論創社、一九九八年、五一頁。

11　同上、六〇～六一頁。

12　「ウェブマガジン・プロメテウス」（https://mzprometheus.wordpress.com/）、二〇二〇年二月四日。

第八章

物象化論を包み込むフェティシズム史学

一　廣松渉のマルクス無理解

今でも私はありありと覚えている。廣松渉著『物象化論の構図』（岩波書店、一九八三年）を発売後しばらくして読んでみて、これはやはりマルクスの示した物象化概念から決定的に離反している、と再確認したことを。そしてしばらくして、当時共同編集人をしていた季刊雑誌『クリティーク』第八号（特集「論争・物象化論」青弓社、一九八七年七月）に論文「唯物史観と原始労働―エンゲルス・クーノー・デュルケムの差異」を掲載した。それはわがフェティシズム研究の一階梯を画するものだが、同時に、廣松渉のマルクス無理解を明確に批判したものでもあった。それはとくに、末尾の文章「五、物象化論を包み込むフェティシズム史学」（二二七～二二八頁）に端的に示されている。

ただ、この論文をのちに『フェティシズムの思想圏―ド゠ブロス・フォイエルバッハ・マルクス』（世界書院、一九九一年）に再録するについて、当該の末尾を、私は割愛した。その理由は、廣松という個人、ないし彼独自の「物象化」の考察でなく、マルクス独自の「物象化」概念の考察に比重を移したからである。しかし、そのせいで、私の廣松批判は研究者の間でややぼやけてしまった。それにひきかえ、とくに一九九四年の廣松没後、彼の影響下で一九七〇年前後、わがマルクス研究を推し進めた日々の新鮮な印象を綴るようになっていった。それは私の偽らぬ思いではあるが、廣松渉のマルクス無理解を批判した位置取りもけっして忘れてはならないと思っている。その意味をこめて、一九八七年論文末尾「五、物象化論を包み込むフェティシズム史学」を以下に復刻しておくこととする。なお、以下に記されている「第一命題」とは物象化の生じていない原始共同体にかかわるものである。

「唯物史観と原始労働―エンゲルス・クーノー・デュルケムの差異」第五節「物象化論を包み込むフェティシズム史学」から

とはいえ私は、デュルケミアンを宣言するつもりはない。マルクスの辺境を歩むと心に決めて以来、私はブランキ、バクーニン、プルードン、ヴァイトリング等の側に立って、これでもかという程に、マルクス・クリティークを敢行している。また最近になっては、「サン・シモン社会組織思想の展開―交互的運動を軸に」というテーマの研究発表（中村秀一、一九八六・一〇・一二、社会思想史学会にて）を聴いて以来、現代に生きるサン＝シモンによる壮マルクス批判という構想をも抱いている。だが、そのような学的営為の根底には、〔サン＝シモンに肩を借りるマルクス〕〔モーガンに知恵を借りるマルクス〕という像が常に存在している。他の思想を一切廃してマルクス主義者を宣言する気など毛頭ないが、マルクスを正しく捉えずしては未来を切り拓けないと確信している。かような学的態度のわたしであるからこそなのかも知れないが、唯物史観の立場から導かれる法則、物質的生産（労働）の物象化現象を前提とした社会法則でもって原始共同体は絶対に説明してはならない（第一命題のヴァリエーション）と、声を大にして叫びたい。この警告を承認してはじめて、唯物史観を唱える者はおのが首尾一貫性を回復する。以上が、本稿で述べたいことの結論である。

だが私は、ここで蛇足を述べねばならない。というのも、唯物史観にとってかくも重大な要の概念となっている〝物象化〟現象について、最近、これ以上の無理解はないと思われる見解を述べた人物がいるので、その点に言及する必要があるからである。ここにいう〔物象化〕に無理解な人物とは、廣松渉である。彼は、自著『生態史観と唯物史観』（ユニテ、一九八六年）にまつわる田辺繁治との対話「生態史観は人類史を再編できるか」（『現代思想』一九八六年一二月号）の中で、原始に触れて次のように述べている。「――これは唯物論者廣松がついに本音を言ったといって笑われるかもしれませんが（笑）――やはり物質的な生産活動の場面でのあり方、そういう場面での生態系の人間文化特有のあり方が、親族構造の変化ということを言う場合にも、かなり基底的なファクターとして働いていると言えるんじゃないでしょうか。」（一八九頁、ルビは原文）これに対する田辺の意見はこうだ。「たしかに社会組織や表象さえも、生産活動に基盤をおき、物質的な基礎をもつという唯物史観の議論は重要だと思います。ただそこで気になることがひとつあります。近代の社会では単婚家族が当り前で、男が生産労働の中心で、といった常識みたいなものがあるわけです。そういう近代の視点から、移行という歴史的変化を、もしただ単に経済的な合理性だけで論理づけていくとしたら、非常に危険だと思うんですね。」（同上）この二つの主張中、もちろん田辺の方が唯物（ユイブツ）史観を弁護している。廣松は、原始については唯物（タダモノ）論者・クーノー主義者だ。次に、原始と儀礼とに関し、もっと致命的なことばを廣松は述べてしまった。「自然的な力から社会的な力へ、ということが第一点。儀式を司どる人間が他のメンバーに対して特別な社会力を帯びるようになるというのが第二点。自然的特性を前提としたこういう物象化現象も起こる。」（二〇二〜二〇三頁）自然的な力（物）→社会的な力（物）を、つまりある一つの物が別の形の物（物的なもの）として現象することをさして、どうして〝物象化〟といってしまうのだろう。社会的な力→自然的な力であるからこそ物化、物象化ということになるものを。自然的力→社会的力を何か意味あるものとして述べたいなら、むしろ〝社象化〟という新造語を用いて概念規定せねばならない。

とにかく廣松は、原始共同体について、商品を端緒とする物象化現象の説明はしていない。これは正しい（第一命題とそのヴァリエーションに即している）。なれど、自然的な力が儀式を通じて社会的な力を帯びて物象化現象を生むなどという摩訶不思議を人類社会に持ち込んでみたり、クーノー（第四命題）のように、物質的生産の物象化現象でなく、物質的生産一般に歴史的発展の契機を見い出そうとしたりしている。もし、そのような内容が廣松物象化論の核心の一部を構成しているのなら、この際かような理論は駒場の博物館に入れるがよい。それにかえて、物象化現象の真の背景を説明しきれる、交互運動としてのフェティシズム理論、フェティシズム史学を樹立したらよい。物象化論を補って原始―未来を一元に貫いて説明しうるこの史観（第三命題とそのヴァリエーション）を樹立するがよい。

蛇足はこれでおしまい。はや私は、次なるテーマ「唯物史観と未来労働―トフラー・ウォーラステイン批判を兼ねて」の執筆準備に入っている。

（一九八六・一二・二三脱稿、一九八七・三・二九補訂）

この原稿を載せた『クリティーク』第八号は、「論争・物象化論」特集であり、目玉の記事として「［座談会］物象化論の批判力」（廣松渉・浅見克彦・小倉利丸）があった。それに続いて、いわゆる〔廣松シューレ〕の論考が数編並んだ。ところで、私の原稿は、その特集に含まれず、ずっと後の［評論］のコーナーに置かれた。私自身が共同編集人だったからというのは理由にならない。浅見も小倉も共同編集人だからである。そのような経緯はあるものの、私としては、拙稿を廣松物象化論特集号に併載できたことで満足だった。やがて、一九九一年に『フェティシズムの思想圏』を刊行するに際し、私は個人名の記載は控えたものの、私自身の物象化論をいっそうはっきりと示した。その際に、同書（二〇六～二〇九頁）に挿入し、また本書前章の冒頭にも用いた図を、説明とともに、以下にあらためて添付する（注省略）。

二　私自身の物象化論

ところで、前章末で記したように、この章だけは純粋な書きおろしでなく、一九八七年に発表した「唯物史観と原始労働―エンゲルス・クーノー・デュルケムの差異」の発展的書き直し、いわば増補である。この増補作業をするにあたって、私は上掲拙稿に寄せられた研究者諸氏の批評をも参考にしている。その貴重なご意見中、石塚は「物象化」を理解するに当たって、これを狭義の次元でしか考えていないという指摘があった。「物象化」を認識―存在論の根本にかかわる普遍性において把えるならば、樹木に精霊を感じるのも、唯一神信仰も、拝金主義も、それぞれ次元を異にする物象化であって、問題は、そのなかでの次元の相異性の如何にかかわってくるであろうと思われる、との指摘である。こうした意見が寄せられたということは、一九八七年の論文では、私独自のフェティシズム論が未だしっかりと、説得力をもって記述されていなかったことを意味する。フェティシズムの概念規定をきちっと整理しておくべきだったのである。そこで、「物象化」とのかかわりで私の言うフェティシズムを理解し易くするため、視覚にうったえることのできる一つの図式をつくってみた（図参照）。これを参考にしてフェティシズムと物象化の関係をみると、まず、物象化に普遍性はない。そもそも物象化

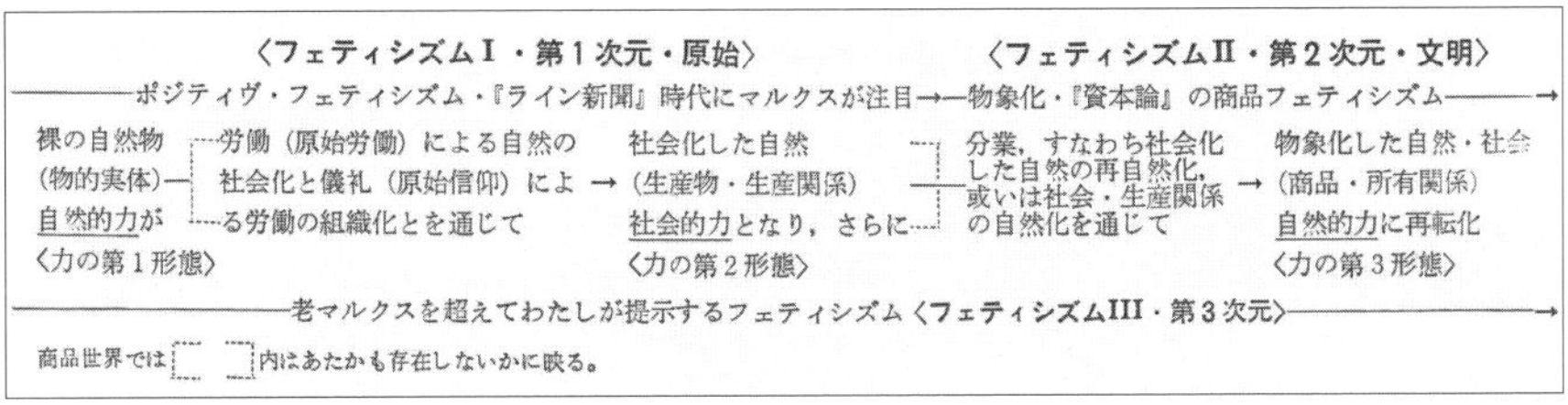

〈フェティシズムⅠ・第1次元・原始〉　〈フェティシズムⅡ・第2次元・文明〉

――ポジティヴ・フェティシズム・『ライン新聞』時代にマルクスが注目→―物象化・『資本論』の商品フェティシズム――→

裸の自然物（物的実体）―自然的力が〈力の第1形態〉――労働（原始労働）による自然の社会化と儀礼（原始信仰）による労働の組織化とを通じて→社会化した自然（生産物・生産関係）社会的力となり，さらに――分業，すなわち社会化した自然の再自然化，或いは社会・生産関係の自然化を通じて→物象化した自然・社会（商品・所有関係）自然的力に再転化〈力の第3形態〉

――老マルクスを超えてわたしが提示するフェティシズム〈フェティシズムIII・第3次元〉――→

商品世界では［　］内はあたかも存在しないかに映る。

は――理論上に限定するが――①自然の社会化（第一次元）、②社会化された自然の再自然化（第二次元）の順をふむ。したがって、理論上、物象化はこの第一、第二の両契機によって制約されている。具体的には、裸の自然物↓生産物（これが第一次元での変態）、および生産物↓商品（これが第二次元での変態）の両者によって制約されている。それに対し、第一の契機のみによって存在する自然の社会化、自然的力（力の第一形態）から社会的力（力の第二形態）への転化、すなわちフェティシズム現象（フェティシズムⅠ）の方は、人類社会に普遍的に生じる。ただし、この転化（第一次元）が他をともなわず単独で全面展開した社会は原始共同体だけなので、またこの社会的現象が原始信仰＝フェティシュ信仰として現出したので、私は、社会的力とその運動のことを敢えてフェティシズムと呼ぶことにしているのである。〝物象化は原始にも生じる〟という表現は、ことの真相を曖昧にする。物象化が、第一に商品世界＝文明社会に、分業の社会に――極言すれば近代に――特徴的であるという発想に立たない限り、上の表現は出てこない。そうであるなら、文明から原始を説明することを拒否する私には、原始を「物象化」で説明することはできないのである。そうしてはならないのである。〈力の第三形態〉としての自然的力は、まず以って〈力の第一形態〉から〈力の第二形態〉への変態を経ているものである。この変態をフェティシズムと言わずに「物象化」と言うのであれば、〝物象化は文明にも生じる〟と言い換えねばならない。「物象化」の生じる固有の世界は原始だと主張せねばならない。だが、『ドイツ・イデオロギー』で物象化論が定められたのであるとすれば、このような言い換えはマルクス・エンゲルス誤読と批判されること必定である。自然的な力（物）↓社会的な力（物）を、つまり或る一つの物が別のかたちの物（物的なもの）として現象することを指して、どうして「物象化」などと表現し得よう。社会的な力（諸個人の自由な活動の総和）↓

自然的な力であるからこそ物化・物象化ということになるのである。

人類は、動物から人類に転じた時以来、こんにちに至るまで、フェティシズムの世界に生きている。己れの産み出した力を社会的力としていったん手放し、これと向かい合い、これに依存する。そのような社会的力は、これを産み出した人々に優越し、彼らの諸力を組織する。しかし人々は、やがてその向かい合った力以上の力を培うようになり、いままで向かい合ってきた力を見棄てる。見棄てられたくなかったなら、いままで向かい合ってきたその力は、これを支える人々の要求に見合うよう自己変革して和解しなければならない。その際、この自己変革とは、実際のところ、新たな情況に対応できるよう人々が編成し直した社会的諸関係のこと、関係の変革のことなのである。このようにしてフェティシズム世界は、交互的運動によって発展するのである。そのような全き世界を、私はフェティシズムⅢ、フェティシズムの〈第三次元〉とする。老マルクスは、もし最晩年における彼の原始研究をさらに進展させ得ればフェティシズムⅢに逢着したであろうと、私によってフレキシブルに推理される。このフェティシズム論にあって、物象化論は、それがフェティシズムの第二次元に然るべき位置を占めているのをみてもわかるように、それ自体が否定されることはない。本章でフェティシズム史学・フェティシズム史観と称している独自な世界観・社会観は、以上のような内容を含んでいるのである。これは唯物史観―正確にはマルクスが生涯に亘って構築し、ついに未完に終わった史観―に立脚した、当然の帰結であると思っている。そればかりかフェティシズム史観は、原始と文明とを一貫する人間精神、聖なる人間の懐くゲッツェンディーンストを発想したフォイエルバッハ思想の、忠実な後継である。原始から文明を説明することで〝一貫〟を当初から意識的にすえている点で、フェティシズム史観はマルクスによりもフォイエルバッハに近い。ド゠ブロスに発し、ルソー、サン゠シモン、コント、サン゠シモン派、ヘーゲルと様々なヴァリエーションを産みながら一九世紀に至ったフェティシズム観・フェティシズム思想は、同世紀中にコントとフォイエルバッハ、それにマルクスとによって一つの体系的な理論にまで仕上げられた。そして二〇世紀に入り、あたかもこの三者を統合するかのようにしてデュルケムのフェティシズム論・トーテミズム論が出現したのだが、私のフェティシズム史観は、ド゠ブロスからデュルケムまでのこの思想圏域を、その中心から歩み出し、その圏境から一歩突き出たところに位しているものと自負している。

三　廣松渉の初期社会主義批判によせて

『クリティーク』第八号発刊の前年、一九八六年一〇月、社会思想史学会第一〇回大会が「初期社会主義の再検討」というシンポジウムを組んで國學院大學で開催された。その当時積極的な会員だった私は、プレ・シンポジウムにあたるインフォーマル・セッションを「初期社会主義の復権」と題して企画した。その討論会に参加した廣松渉は、マルクス以前の思想家たちを低く評価する発言をなした。当時から〝サン゠シモンに肩を借りるマルクス〟〝モーガンに知恵を借りるマルクス〟という像を抱いていた私には聞き逃してならない内容だった。翌年の年報編集に活用するためテープ録音した私は、そのデータを三五年後の現在も所持している。この際、故人となった廣松には許可をえられないものの、公的な場の録音でもあり、年報『社会思想史研究』第一一号（一九八七年）に一部を公表していることでもあるから、私の責任で廣松発言の当該箇所を文字化してみた。以下に添付する。

社会思想史学会第一〇回大会
（國學院大學、一九八六年一〇月一〇～一二日）
インフォーマル・セッション（一〇日）の録音テープから
記録者　石塚正英

【廣松 渉】

…プロテスタント系の中の異端派の運動から社会主義的な思想というか運動が出てきているというケースがいろいろありますね。イギリスにしたってドイツにしたって。石塚さんがおやりになっているから触れますけれども、石塚さんはドイツにおける義人同盟とか光の友とかやっているんですけれども、彼らは社会主義者と言っていますが、たいていは真のキリスト教を実現するんだというイデオロギー、本人が持っている場合、あるいはマヌーバーの場合とありますが、そうでしょ。ここではマルクスの話をしちゃいけないかもしれませんが、当時の先進国であったフランスの連中からみれば、ヘーゲル左派の宗教批判なんて、まだそんなことやってるのか、ですよ。あんなものは適当に扱っていかなくちゃならない、現実の運動の中では、ということでしょう。ヴァイトリングなんてあんなに理論的に遅れていて、ということになっちゃう。そういったイデオロギーと癒着していた場面から、マルクスはまったく断ち切られたところから始めたわけです。宗教とはアヘンである、ということを言うまでもなく。それまでの意義を認めてはいて、しかしそれじゃだめですよ、ということで始めたはずですよ。そこをどう受け止めて議論していくかでないといけません。歴史的にみてキリスト教はかつて社会主義と関係がありました、とか、宗教との関係を抜きにして社会主義は論じられませんとか。そんなわかりきったことを言っても、いくらくだらない学会だといっても（笑い）、意味はありません。過激な発言を、そろそろやめますけれどもね。

それにしてもですね、もうちょっと具体的に考えてやっていかないと。マルクス主義以前の連中の社会主義はね、僕の偏見かもしれないけれども、割と体制の既成的なイデオロギー、宗教であり、啓蒙主義的なところで議論している。いろいろとはみだしつつはある。しかし、本人は無神論でなくても、自由だ平等だ、と建前ではそう言っていた。だから、初期社会主義にもいいところがあった、マルクスは取り残していた、ということによって、実際は近代ブルジョア・イデオロギーあるいは古い宗教的なイデオロギーへ引っ張っているところに我々はコミットして賛成している。そういう価値評価というか姿勢が非常にあるんではないか。いま社会主義の本質的な意義を追究していく場合、自分自身のイデオロギーはいったいどうなんであろうかと、いうことの反省がもうちょっと必要なのではないでしょうか。

【石川三義】

宗教の問題についてですが。マルクスが宗教はアヘンだといった、だから宗教についてやっている意味がない、ということですが。やはりマルクスの社会主義、マルクスの思想になくて初期社会主義の中にマルクスの切り捨てたものがある、それは何か、ということが研究者の中ではやられているわけです。宗教とかモラルとかいうのはやはり大きな問題、位置を占めると思います。それは同時に現在の先進諸国、日本でもヨーロッパでも、学校の校内暴力、家庭内暴力など、様々なところで生じてきていると思います。

資本主義の経済的メカニズムが家庭や学校の中に入っている。そこからも分析できますが、やはり、宗教とかモラルの問題をもう一度、何であるか検討する必要があると思います。マルクスになくて欠けているもので検討されるべきものとして宗教はあるでしょう。社会主義の中に探っていくという姿勢はあるんではないかと感じるわけです。

【廣松 渉】

けっして私はマルクス絶対というつもりはないんです。社会主義思想といわれるものが、現状批判というか、とにかくこのままじゃいけないんだということでいろいろアンチテーゼを出した。ある人は共同体、ある人は家庭の廃止、独り歩きしている権力の問題をどうするのか、など。ただ、そう言っているだけでは解決しない。どうやったら実現できるのか。その具体的なことを考えていかないと。モアなんかから始まるのは、本人はユートピアとは考えず実現できると考えていたかもしれません。しかし客観的に分析してみて実現性がない。そうなると、結局はユートピアに過ぎない。そういわれても仕方がないですね。あれはどういうイデオロギーだったのか、それはどう実現できる展望があったのか。それを分析していく必要があるわけです。

マルクスには、先行するコミュニズムに近い時期が一時あったと思います。ですけれども、ゴータ綱領批判、資本論なんかを通してくると、そう簡単にコミュニズムというわけにないかないということになったわけです。資本論の中の具体的所有の再建というのをどう位置づけるかというのはむつかしい問題ではありますが。少なくとも原始共産体から出発した否定の否定でないことだけは確かで、ゴータ綱領批判での第二段階、それは一種の共同体だと思いますがね。しかしマルクスも残念ながらその具体的なイメージは描いていない。そういう場面で、例えば初期社会主義者が言ったことが参考になるのではないか、という着眼をお持ちの方々がいらっしゃるのは、僕はわかるんだけれども、モチーフはそうかもしれないけれども、佐藤先生もおっしゃられたように、どうもその延長では何も出てきそうにない。先ほど、研究者自身のイデオロギーをメタ・レベルで考える必要があると言いましたけれども、初期社会主義者のイデオロギーそのものをもイデオロギー批判的に分析していく、そういう姿勢も必要なんではないでしょうかね、社会思想史的アプローチでいうと。

…これも私の予断と偏見、三〇年代生まれの旧人類と言われそうですが（笑い）、初期社会主義の延長から何か出てくるかというと、そんな積極的なものはわからない気がします。ではそんなものは勉強しないでいいかというと、けっしてそんなつもりはない。僕はどうしてもマルクスを手掛かりにしてそこから先にと思うのですが、当時の社会主義思想から反動思想から、いろいろとちゃんと勉強してマルクスの体系を理解する姿勢は必要だと思います。しかし、どうもこの頃、マルクスはダメだから周辺を探ってみる式の、マルクスだけじゃないというようなことになっている。きょうはもうちょっと具体的な話が出てくるのかと思ったんですけれども、これは明後日の本番で出てくるかもしれないですね（笑い）。どうも具体的なことがでてこない。そうすると世代的な予断と偏見が再確認され、寂しい気がしますね。

＊

最後に、私が廣松渉とダイレクトに、文字通り口角泡を飛ばして激論したときの一コマを記す。一九九三年一一月七日、彼と共通の知人の結婚式に参列したあと、数人連れだって喫茶店に行った。その中に彼はいた。当日の日記に、こう書かれている。「酒のいきおいでだいぶこちらも好き勝手なことを言ったが、やつもひどいことを言っていた」。翌日の日記にはこう記されている。「きのうの廣松発言をメモしておく」。メモには私的な内容が並ぶので列記はしないが、激論の一つに前日の結婚式における彼の夫唱婦随スピーチがあった。「新婦には、新郎のためにもよい家庭を築き、内助の功を発揮されますよう」。驚いた私は、東大の大学院廣松ゼミにおける当時の教え子にあたる方からこう聞いて、さらに驚いた。「廣松さんはあんなふうでふつうだ。もっとすごいこともいう。『女がどうして哲学をやるというのか、女に哲学ができるのか』といった内容」。そのような印象の廣松と、四時間は激論を交わしたのだが、むろん、物象化をめぐっても激しくやった。その廣松は、それから半年後の一九九四年五月に亡くなった。

（二〇二〇年一一月二〇日脱稿、二一日補訂）

第九章

〔講演資料〕

アミルカル・カブラルと3A

――アート・アウラ・アフリカ

【講演関連情報】

講演企画　多摩美術大学美術館白石顕二アフリカコレクション：エターナル・アフリカ＊森と都市と革命―アミルカル・カブラルの革命思想とジョージ・リランガの芸術―（会期二〇一九年七月二七日～一〇月一四日）

講演会場　多摩美術大学美術館（東京都多摩市落合一丁目三三番一号）

講演開催日　二〇一九年七月二七日

講演資料掲載誌　図録『多摩美術大学美術館白石顕二アフリカコレクション：エターナル・アフリカ＊森と都市と革命―アミルカル・カブラルの革命思想とジョージ・リランガの芸術―』多摩美術大学美術館、二〇一九年七月二七日発行

はじめに

『アフリカルチャー最前線』（柘植書房新社、二〇〇六年）著者の白石顕二は、かつて『アフリカ直射思考』（洋泉社、一九八五年）の序文で次のように記していた。

改めて強調するまでもなく、広大無辺のアフリカ大陸は、多様な自然的、社会的条件のもとで、豊かな文化を生みだしてきた。人類の発祥地であり、人類の文化を始源においてはぐくんだ大地である。口承文学、神話、宇宙論、彫刻、音楽、舞踊など、およそ人間存在にとって本源的な文化的要素は、すべてアフリカに見ることができる。そして、今日まで、そうした文化的遺産は人々の精神のなかに息づいてきている。さまざまに形を変えて

はいるが、アフリカ文化の独特な時空間がひとつのアウラ（気）として、息づいていることは確かだろう。したがって、都市における新たな文化創造の諸様相のなかでもこうしたアウラ（気）が再生されていくことになる。[☆01]

最初、この文章を読んだとき、私はまだ【アフリカルチャー】という語を知らなかった。けれども、アフリカを人類文化の始原とみる考えは白石と共有していた。そうであるから、一九八〇年代を通じて、私は白石に導かれてカブラル研究に没入していったのだ。ただ、私の場合は、芸術よりも民俗儀礼に軸足を置くこととなった。

イギリスの社会人類学者ジェームズ・フレイザーの代表作『金枝篇』（一九三六年）に詳しく論じてあるように、人は呪術（magic）をもちいて自然を動かした。[☆02] かつて呪術が果たした役割は、現在では科学がそれにとってかわっている。科学もまた、人間に好都合なように自然を支配する。ただし、呪術は人間と自然との相互作用・合意（おもいやり）を特徴とするのに対して、科学は人間による自然支配・奪取（問答無用！）という一方向性を特徴としている。その限りで科学の弊害は顕著になっている。これからは科学についても人間と自然との相互作用・合意を取り付ける必要があるのだ。その際、もっとも意味のある先例はアフリカ社会とその文芸、ようするに【アフリカルチャー】なのである。また、その先例を未来に投げかけた人物がアミルカル・カブラルなのである。その概要を以下に記してみたい。

一　カブラルとアート

カブラルは「文化による抵抗」において、次の主張を披露した。

雄牛を神と信じる者は、踊りの時に雄牛を壇上へ置く。そしてその踊り自体においては、雄牛は神として現される。しかし、神は森に隠れていると信ずる者の踊りには、森への尊敬が見られるに違いないし、その唄はそれに関する特別な旋律と言葉を持っている。これは世界各地で見られ、そこには自然との所与の結びつきに対して、それぞれの具体的な経済状況があるのだ。…我々の踊りをヨーロッパ、都市等の踊りと比べたら、全然似ていないことが分かる。それらの踊りは超現代的なものであるから。しかしフォルクローレ、すなわち東ヨーロッパやアジアの諸国民の芸術や風俗習慣と比べたならば、我々のものと大変よく似た踊りに幾つか出会うのだ、同志諸君。[☆03]

「芸術や風俗習慣」に関するカブラルの理解に接すると、私はルートヴィヒ・ヴァン・ベートーヴェンに思いがいく。ベートーヴェン作曲のシンフォニー第5番「運命」第1楽章第1小節はこう始まる――「ウッ！ ダダダ・ダーン、ダダダ・ダーン」。冒頭に8分休符（𝄾、ウッ）の置かれたこの始まり方は実に劇的である。「ダダダ・ダーン」はなるほど陶酔的あるいは迫真的な音であったとしても、あの第5シンフォニー的音脈からはずしてしまえば、雑音でしかない。「ダダダ・ダーン」は、それのみでは、近代においては雑音的な無秩序を意味する。雑音（不快な音）は近代の産物である。音の世界が楽音へと洗練されるにしたがい、残余の音は雑音として貶められたのである。雑音は雑音になる以前は、楽音（快適な音）と未分化の【野音】（快不快を包み込んだ自然の音）だった。[☆04]

日本でいえば先史縄文時代、八百万の神々と人々が共演する儀礼に介在する自然の音＝野音は、人間性の根元に関係していた。弥生人のつくった銅鐸は作為＝文明の音でなく、自然＝野生の音を奏でた。自然界の諸々の音、それは文字通り快不快を包み込んだ自然の音であった。古代ギリシアにあっても、エピダウロスの古代劇場やアテネのディオニューソス劇場など諸処に建設された野外劇場には、小鳥のさえずり、風に揺れる木の葉のざわめき、などさまざまな音に包まれて意味を有していた先史時代の野音が響いた。しかし、音は、やがて文明時代に入ると、一方では宗教的に洗練されて聖なる音、清い音に純化し、他方では芸術的に洗練されて愉快な音、楽しい音に純化していった。その二種類に純化されざる音は、雑多な音、不快な音に貶められたのである。

そのように、近代にかけて聖音・楽音と雑音に分解されてきた音の世界をふたたび連合させたのが、あの「ウッ！ ダダダ・ダーン」なのである。先史地中海域で雄牛であるディオニューソス神を称える信女の踊り（ドローメノン）と語り（レゴメノン）は文字通り【野音】とともにあった。その始原を現代に引き継いでいるのは【アフリカルチャー】である。

二　カブラルとアウラ

白石顕二は『アフリカ直射思考』（洋泉社、一九八五年）で次のように語った。

> 口承文学、神話、宇宙論、彫刻、音楽、舞踊など、およそ人間存在にとって本源的な文化的要素は、すべてアフリカにみることができる。そして、今日まで、そうした文化的遺産は人々の精神のなかに息づいてきている。さまざまに、形を変えてはいるが、アフリカ文化の独特な時空間がひとつのアウラ（気）として、息づいていることは確かだろう。
>
> 　したがって、都市における新たな文化創造の諸様相のなかでもこうしたアウラ（気）が再生されていくことになる。アフリカの都市はマクロ的にみれば、巨大な農村の海に浮かぶ島のようなものであり、海たる農村の滋養でもって生きている。したがって、文化的表現もまた、源泉は同じである。ひとたび、アフリカ的宇宙の源泉を通過しない限り、大衆の心をとらえる文化的表現を創造することは難しい。☆05

　ここに記された術語「アウラ」は、とりわけヴァルター・ベンヤミンが力説した。「複製技術時代の芸術作品」（一九三九年）の著者ベンヤミンは、その中で写真や映画の複製技術に言及し、それらによって作られた作品にはもとのオリジナルに備わっていた「アウラ」が減少ないし消滅している、と主張した。ここにいう「アウラ」とは、ベンヤミンの言うところでは「どんなに近距離にあっても近づくことのできないユニークな現象☆06」となる。これを私なりに解釈すると、先史の儀礼的世界に関連し、自然神の身体から発散される「気」のようなものである。それは神と人とが互酬の原理に即して生活しているかぎりでもっとも強烈に発散される。発散は本物からしか生じない。文明世界に登場する神の代理や象徴、偶像からはでてこない。

　神の偶像を作るのは文明期に特徴的なことである。先史の人々――ギリシアではペラスゴイ人――は自然のままの神ないし自然から切り取った神としての像（かたち）は知っているが、神の代理、象徴、洗練としての人格的な像は知らない。

神との対話＝儀礼においてアウラを感じるのは、眼前の相手が本物の神であるときだけである。神はけっして複製品ではない。唯一・単数に限定された存在だ。そのような神を、先史の人々は自然の断片で自らの手でこしらえるか、自然の中から選定した。

ところで、ベンヤミンの立場から飛翔して議論を進めると、ある神像が鑑賞の対象でなく礼拝の対象である場合、たとえそれが複製品であってももはや複製とは観念されず、「いま」「ここに」しかない本物となったのであり、そうであるからアウラの発散源であると観念される。ゆえに、アウラを発する神がみは絶えず人々の儀礼によってその場で一つだけ造りだされるともいえるのである。そのとき、アウラを発するのは造り出された神のみならず、これをこしらえている人からも出ていると、私は考える。カブラルはそのことを直観的に知っており、白石はそのことを【アフリカルチャー】と表現し、本書第六章で語ってあるジョージ・リランガはそのことをタンザニアで自ら創立した「芸術の家」を拠点に実践したのである。

三　カブラルとアフリカ

一九世紀前半にドイツで活躍したヘーゲル左派の思想家マックス・シュティルナーは、『唯一者とその所有』（一八四四年）で、ドイツ思想圏の枠には収まりきらない内容・要素を表明した。それは、イスラム思想圏の影響を内部処理した後のヨーロッパに、一六世紀からもたらされたアフリカ・アメリカ文化（非ヨーロッパ的思考）の影響によると思われる。ヘーゲル哲学（ドイツ観念論の系譜）をヨーロッパ思想圏の生え抜きとすれば、ヘーゲル左派はアフリカ・アメリカ文化を自らの思想圏に反映させていた。

シュティルナーの認識に従えば、「世界史の形成は本来全くコーカサス種族に属するものであって、その世界史はこれまで、二つのコーカサス時代を経てきたように思われる。その第一期において、我々は自らの生まれながらの黒人性〔Negerhaftigkeit〕を相手に辛苦格闘しなければならなかった。そしてこれについで第二期には、モンゴル性〔Mongolenhaftigkeit〕（中国性）が続くのだが、これも同様にやがておどろくべき結末をとげずにはいないだろう。黒人性は古代をあらわす。つまり事物（鶏のついばみ、鳥の飛翔、くしゃみ、雷鳴稲妻、聖なる樹々のざわめき、等々）への従属の時代である」[☆07]。

シュティルナーに垣間見えるような非ヨーロッパ的思考を特徴づける要素は以下の二つであろうと、私は考える。①非超越的で還元不可能な物質性、②物質（mater）の唯一性および儀礼を介した反復性。古代＝〔呪術性・アニミズム（魂）〕、これをシュティルナーは「黒人性」と称している。それと、新しい時代＝〔キリスト教的聖性・人間性〕とをもろともに否定した後、シュティルナーにおいて将来的に浮き上がってくる原理は〔物質性（mater, materialism）〕である。真善美・聖信徳愛、ようするに文明論的〔本質〕観念を否定するならば、残るは、存在論的「黒人性」の再興である[☆08]。

そのことを、まったく別の文脈で唱えたアフリカ人がいる。カブラルである。彼が目指した〔精神の再アフリカ化〕に注目したい。白石は言う。「アフリカ人としての自覚、アフリカ人としての自己の再発見に大きな影響を与えたのが、ネグリチュード、パン・アフリカニズム、ジョルジュ・アマードらのブラジル北部の文化運動だったという[☆09]。」アフリカ文化は、一度はヨーロッパ文化によって原始的と卑下され破壊されさえした。しかしカブラルはギニア・ビサウ民衆に対し、そのようなヨーロッパ文化を呑み込んで〔精神の再アフリカ化〕をはかるよう求め、民衆はそれを実践した。こうしてヨーロッパ文化はアフリカ文化に包摂され、さらには多文化共生という特徴をもつ全体的にして連合的な文化によって包摂されることになったのである。全体的といっても、それは単一統合や一極集中を意味しない。ヨーロッパ文化もアフリカ文化も、ともに固有性の中に普遍的なものを体現し、多元的な特徴をもつ連合的文化の一部分となるのである。

ヨーロッパ中心的な文化史＝世界史は、いまやアジア・アフリカ・ラテンアメリカ諸大陸の諸民族・諸文化によって深く耕されることとなり、その先にあらためて連合的な文化史＝世界史が再構築されることになる。多元的文化史においてあらためて、欧米的近代の行き詰まりを打開する諸課題が求められることになるであろう。

おわりに

すでに本書第六章で述べたことだが、リランガの絵画に登場するキャラクターはみな、多くは三本指だ。五本指の人間でなく、いわば森の精霊たちなのだ。リランガは、あるとき白石にこう語った。

これら私の絵画に登場する存在とは半ば人間、半ば妖怪〔スワヒリ語でシェターニ〕のようなものである。シェターニが私の夜の夢の中に現れてくる。つまり、すべて夜にイメージが湧き、それを昼間描いている。☆10

リランガのこの【〔半ば〕絵画】にこそ、〔アフリカルチャー〕〔ネグリチュード〕〔精神の再アフリカ化〕は文化表象の時空を獲得できていると、私は思う。

注

01 白石顕二『アフリカルチャー最前線』柘植書房新社、二〇〇六年、三頁。

02 フレイザーの『金枝篇』で説かれている呪術については、本書の第一～第四章に詳しい。

03 アミルカル＝カブラル協会〔石塚ほか〕編訳『アミルカル＝カブラル 抵抗と創造』柘植書房新社、一九九三年、八六頁。

04 石塚正英『身体知と感性知―アンサンブル』社会評論社、二〇一四年、一五九頁以降、参照。

05 石塚正英編著『アミルカル・カブラル―アフリカ革命のアウラ』柘植書房新社、二〇一九年、一三六頁。

06 佐々木基一編集解説『複製技術時代の芸術』晶文社、一九七〇年、一六頁。

07 シュティルナー、片岡啓治訳『唯一者とその所有』現代思潮社、第一分冊、一九六七年、八八頁。Max Stirner, *Der Einzige und sein Eigentum*, Reclam, 1972. s.71-72.

08 石塚正英『ヘーゲル左派という時代思潮』社会評論社、二〇一九年、一一三頁以降、参照。

09 石塚正英『アミルカル・カブラル』、三九頁。

10 白石顕二「アフリカ・フォイとリランガ」、白石顕二・山本富美子編『アフリカ・フォイ―リランガの宇宙』講談社、一九九三年、四頁。

第十章
〔講義〕

技術者倫理の二類型

【講義関連情報】
開講機関　東京電機大学理工学部
講義名　二〇一九年度後期講座「技術者倫理」
全体テーマ　技術者倫理
第一講テーマ　技術者倫理の二類型
講義日　二〇一九年九月一七日第四限（一〇〇分）
テキスト　石塚正英編著『技術者倫理を考える』朝倉書店、二〇一四年。参考プリント。
＊録音データの文章化にあたり参考資料の注記や記述の補足を行っている。

一　想定外という言い訳

みなさん、きょうはまだテキストをお持ちでない人が多いだろうから、「技術者倫理を考える」の序文を、モニターを見ていただいて、説明したいと思います。ちょっと読んでみます。――ハイテク時代が到来して久しい今日、我々はコンピュータをはじめとして、構造や内容の分からない数々の高性能機器や建築物に囲まれながら、簡単なリモコン操作でもってそれらを利用している。そうした手軽な日常生活にひそむ重大な問題の一つに、もし人が操作を誤ったらとか、もし異変が生じたらといった場合の不測の事態への対応策がある。――

これは、一般的な意味で技術者が考えなければいけない倫理問題です。さぁ、みなさん、いま台風一五号の襲来でとんでもない不測の事態が起きているでしょう。まだ収まらないです。今回は千葉県の四分の三ぐらいが一斉に停電して、いま現在も九万か一〇万戸と報道されているけど、詳しいところは分からないよね。電気が回復してもまた切れたりしています。電柱から家への電線や家の中の配線がズタズタだったりだから、電気を通すとショートして火事になる。本当に家が二次被害のように燃えたりしていいます。こういう台風や地震のときはローテク・ハイテクがごちゃ混ぜになって起きてくる突発的な問題で、文字通り不測の事態です。千葉県の人たちには甚大な被害ですけれど、ちょっと離れている東京とか、私は埼玉県さいたま市に住んでいますが、そこいらでは全然何ともない。

そうすると、何でもない人たちには不測の事態ではないから気になりませんが、他山の石といって、要するに今は直接の被害はないけれど今後の備えにしたほうがいいという事態です。いま自分には何もなくても、あす自分の身に降りかかるかもしれないから、参考としてよく実態を調べて、自分たちもいつでも対応を取れるようにするということが必要です。それは一般の生活者の話ですが、東京電力などのエンジニアはどうするか。今回決定的なのは高圧鉄塔が倒木などの複合的なアクシデントで倒れ、ものすごく広範囲に停電したことです。

たとえばここ埼玉県鳩山町の理工学部に電気を持ってくる配線だけが切れたのであれば、うちの大学が停電するだけなので、つなげばすぐ復旧する。ところが、東京電力の高圧送電線がダダダッと広範囲に倒れたのです。いやぁ、台風だものね。風速五七メートル、これはまずい。空前のあり得ないような突風だから不測の事態だ。でも仕方ないという問題ではないです。なぜかと言うと、風速五七メートルは千葉県では空前でも、高知県の室戸岬かどこかで既に経験済みです。外国にまで目を転ずれば、アメリカとかそんなのが当たり前のところもあるのです。

したがって風速六〇メートルくらいで吹かれても倒れないような鉄塔の強度をつくっておかないといけないという意味では、自然災害ではなくて人災ともいえる。直接の原因は台風だから自然災害です。でも、過去の事例に照らして備えておかなかったという意味では人災です。千葉県の人たちはカンカンになって怒っている。きょうもまだ真っ暗で、電気がないために養殖業者の魚やエビはみんな死んでしまった。

それからたとえば、施設のドアなど電気で開くようになっているところは全部開かないです。台風の後ここ一週間前はすごく暑い日だったのですが、電動の窓もシャッターも開かない。どうにもならない。もちろんスマホや携帯の充電は全部できなくなってしまい、連絡も取れずニュースも見ることができない。さあみなさん、これを指して「不測の事態」と言って済まされるでしょうか。いまハイテク時代が到来して久しいというだけではなくて、一般的に電気の時代というか、電気ですべて賄おうと考えている社会では、電源が断たれて電気が使えなくなるということは、想定内の事態です。電源が奪われたなら決定的です。考えておかなければいけない。

二　ローハイ複合的技術論

私は理工学部でも情報系の教員ですが、隣接の電子・電気系の学生たちと一緒に、いまから七年ぐらい前の二〇一一年から三年間、新潟県上越市の中山間部で水車発電の実験をしました。この企画を立てて実行に移したばかりの頃、二〇一一年三月一一日に東日本大震災が起きて、福島県の原発（原子力発電所）の電源がすっ飛んでしまったのです。原発は原子炉を冷やしておかないとコントロール不可能になって、メルトダウンと言って燃料が溶けてしまうのです。溶けたらところかまわず、放射性物質、放射線が出ていくので、その事態をくい止めるため、絶えず冷やしておかなければいけない。けれど、冷却に必要な電気が得られなくなってしまった。

きのうのニュースで知りましたが、政府は汚染物質・汚染水を福島沿岸の近海に流そうという案を、また出しています。今朝のニュースを見ましたら、韓国政府は大反対しています。そんなことをしたら東アジア近海は汚染されるからです。日本としては、要するにもう貯蔵施設が満杯で、福島県辺りはどうにもならないのが現状なのです。

けれど、遠からずそうなることは日本政府には重々分かっていたことです。でも、一〇〇パーセント事故は起きないと、政府はずっと四〇年間日本国民に言い続けてきたわけです。でも、常識的に一〇〇パーセント安全とか大丈夫なんてことはないよね。東電は一六メートル、二〇メートルの津波が襲ってくるのを想定していなかったというのです。想定できないなんて、そんなこと言っても駄目ですよ。だって江戸時代までの資料を見ると、三陸海岸にはしょっちゅう来ています。例えば、岩手県宮古市重茂姉吉地区の石碑は、海抜約六〇メートルの山腹にあり、これより下に家を建てるなという警告文が刻まれているんですよ。一九三三年の地震でものすごい津波があったときに立てた。みんな死んでしまったから、そこの下に住むなと言うのに、次々とそこに工場や住宅、道路ができてみんな住んでしまった。だから天災ではなくて人災だとも言えます。

もう一つ。福島原発事故について、東京電力は一所懸命言い訳しています。津波つまり天災によって電源が奪われてしまったのだと。だから仕方なかったと言うのだけれど、調査が進んでくると、津波の前に地震で電源が奪われた可能性があります。すでに地震で壊れてしまった。地震で壊れたら人災です。だって原子炉が入っている建屋は何があっても壊れないと言っていたのですが、壊れたからです。マグニチュード九というものすごい地震ですけれど、でも想定はできていた。江戸時代から明治時代に起きた地震で計算すれば、想定できておかしくありません。いま私が言いたいのは、天災としての地震や台風ではなくて、人災としてのそれは技術者が防げるということです。それを考えなければいけないです。技術者倫理の必要性はここにあるのです。

では、次の段落を読んでみましょう。――自動車の開発を例にしてみる。これは低価格で加速力のあるものほど消費者、利用者、今風に言えばユーザーにとって最適なものとなるだろうが、走っているうちにエンジンが過熱して発火するようでは困る。そのほか、排気ガスが道路周辺住民の健康を害するようでは困る。公害を引き起こす可能性を持った技術を製品化するということは、技術者倫理を無視した行為である。これまで大学の研究と教育においては、往々技術革新を求めて利便性のみを追求する方向に偏りがちだった。しかし、優れた技術に要求されるのは、上記の四つである。――

「上記」というところをいま省略して読み飛ばしたのですが、一つは利便性です。買って役に立つ。二つ目は安全性です。爆発したら困る。三つ目は経済性です。あんまり高いと買えない。四つ目はみなさんに私が講義をしていく倫理性です。この四つ目を無視した製品は、社会にとって害悪になる場合もあるということです。これが私の講義の最も大事な要点です。

いま千葉県の停電と二〇一一年三月の福島原発の話をし

ましたけれども、福島県とか千葉県とか、どれも自分に関係ない他地域だから、そういう意味で少し時が経過するとみんな忘れるのです。普通のユーザーは普段忙しいからいろいろな出来事がある。幸せがあったりすればいつまでも覚えていたいが、嫌なことは忘れたい、忘れてもしかたないかもしれない。けれど、開発する技術者は事故を忘れたら駄目です。そこがこの講義の重要なところです。

クルマがいくら便利でも、それが人をひき殺すようでは駄目でしょう。ひき殺す原因はいくつかあります。すぐ分かるのは、スピード違反で人を跳ねたりする。でも、それだけではないです。排気ガスをまき散らすでしょう。ガソリンを燃焼させますから、二酸化炭素や窒素化合物、その他人体に有害な粒子状物質をまき散らす。そうすると、道路沿線の住民は知らず知らずにその排気ガスや有毒ガスで人体をむしばまれるわけです。まだあります。微生物のことです。道路をクルマで一メートルぐらい走ると、数え切れない微生物を踏みつぶしている。「いや、先生、アスファルトとかコンクリートだもの、別につぶさないんじゃない?」と言うのは、最も恐ろしい発言です。クルマを走らせるために道路を舗装する。その結果、そこに生物が棲めなくなる。最初から殺している。あなたの後ろに道はできる、ではなくて、あなたの後ろに微生物の死体が累々と重なるのです。

クルマについて挙げればまだいろいろあります。技術的な問題との関係でもあるし、心の問題であおり運転もあるし、いろいろある。そういったものを解決する、あるいはそういったことが起きないようにする。そういう意味でクルマの技術革新が必要だということです。自動運転車になれば事故が減ると言う人はいる。いいことですよね。いいことですけれども、人の心は、機械がより安全に人間を守ってくれるようになると、人間自身が駄目になってしまう。判断能力がなくなる。

たとえばナビゲーションを考えてみましょう。クルマに乗って富士山の麓まで行きたいと思って、ここ鳩山からでもいいけど、セットするわけだ。そうすると、ナビゲーションが案内してくれます。そのとおり走っていれば、行き着くでしょう。ただ、もっと近道を自分で知っている場合は横道というか、バイパス的なところを通っていったほうがいい場合もある。それから、ナビゲーションは絶えず書き換えられていればいいけど、最近できた道のことを知らないし、いろいろなことがあって、運転する人はけっこう思考錯誤する。

でも、何もしなくても、とにかくナビゲーションに任せておけば行き着きますよ。そうすると、方向音痴というか、道音痴になる。道のことを考えなくなる。もうクルマを主体的に運転しないので、どの道をどう行ったらいいかなんて考えない。いつもナビどおりに運転しているだけから、ただ乗っているだけだから。その傾向は自動運転車になっていくといっそう強くなるでしょう。「でも先生、クルマを運転しないんだから別にいいじゃん、のんびりしていれば、酒でも飲んでりゃいいんでしょう」と言うけども、それもおかしい。クルマとは何か、と考えた場合、自分で運転するのが当たり前だったのです。ＡＩにまかせるのであれば、それはたぶんロボットだと思う。自動運転車はロボットじゃないかな。

ロボットの条件というか定義は、①自分で動く、駆動系。②検知・計測などのデータに関係するセンサー。それから③ＡＩなどの知能・制御系。この三つぐらいあったらロボットでしょう。自動運転車はクルマでなくてロボットです。結局、私たちはロボットに自分の心身、体と精神をみんな任せることになる。乗っているユーザーはそれでいいかもしれないけれど、つくる側はそれによって人間の心とか人間の配慮、注意力がどうなるかという計算をしなくてはなりません。クルマを自動化していくにはそういった倫理的な問題があるということです。

三　技術者教育認定制度

その次に進みましょう。テキストの三ページを読みます。

――こうした科学技術上の倫理に関連する問題は、新技術が社会に導入されるたびに問題となってきた。こうした場合に問題視されるのは、たいていは管理運営責任であって、技術者個々人の倫理を問うという形にはなってこなかった。しかし、そうした状況は今後変えねばならない。技術者個々の社会的責任についての認識は、日本よりもアメリカにおいて高い。アメリカには大学の工学部工学研究科などで適切な技術者教育を行うことを目的として、工学技術教育認定委員会（ＡＢＥＴ）という技術者資格認定機関が設置されている。ＡＢＥＴがカリキュラムを評価する基準として強調するのが、技術者の社会的な責任に対する意識と理解である。

この技術者教育認定制度はすでに国際的広がりを持ってきており、日本でも日本技術者教育認定機構（ＪＡＢＥＥ）がＮＧＯとして、一九九九年に設立された。ここでも技術者の倫理的責任についての教育が積極的、組織的に行われようとしている。――

私が電機大学でこの講義をすることになったのは、日本のＪＡＢＥＥによる要請です。二〇年近く前ですけれど、東京電機大学理工学部の建築・土木系の学科がＪＡＢＥＥの審査を受けることになった。それに合格すれば、当該の大学、学部、学科は技術者教育がしっかりしていると認定してくれるのです。それでいまは認定されています。

さて、次にはテキスト『技術者倫理を考える』の編集方針から読んでみます。――ところで、一九二八年に制定された「土木学会の土木技術者の信条と実践と要綱」第一条には、以下の倫理規定が記されている。「土木技術者は、国運の進展並びに人類の福祉増進に貢献しなければならない」。この規定にある国運は、いまでは安全で快適な市民生活ないし人と自然の共生という語句に置き換えるのが妥当であろうし、そうすることでこの規定は、二一世紀に再生するであろう。――

国運という表現は、今ではふさわしくありません。一九二八年だから、これから戦争が始まる時期です。一九二六年が昭和元年なので昭和三年です。その次の年、一九二九年にアメリカから世界大恐慌が起きます。さらに二年後の一九三一年に、日本はついに中国侵略を始めます。満州事変と言っているけれど侵略行為で、中国の一部を一五年間、一九四五年まで支配し続けます。そのころであれば、国運いう言葉がいいのかもしれない。でも、戦争をしてまで国の運命をよくするのは、いまではおかしいと思います。なので、そこを変えて、安全で快適な市民生活とか、人と自然の共生、このようにすれば、非常に素晴らしい倫理規定に生まれ変わると思います。

私はみなさんに技術者倫理の解説をするときに、そんなことをしたら日本の経済が駄目になるとか、国が駄目になるとかでなく、そんなことをしたら市民の生活が壊れるとか、そんなことをしたら使っている人たちに危険が及ぶという話をします。ユーザーにとって有益・安全で経済的・倫理的なものをエンジニアがつくるわけだ。だから、エンジニアがどういうふうに設計したらいいかというのは国運でなく、むしろ市民生活でしょう。

四　技術者倫理の二類型

さて、このテキストをつくったときはそれで済んだのですが、その後とんでもない事件が起きます。次のページ、付記と書いてあるところを開いてください。その文章の前にはこの本を最初に刊行した日付がありますが、二〇一二年一二月二〇日付で私が序文を書いたのです。それから数年してある事件が起きます。二〇一四年一月末。そこもちょっと読みましょう。——日本内外の科学研究の世界に一つの電撃的ニュースが飛び交った。万能細胞の新種、「STAP（スタップ）細胞発見」である。これは、マウスのリンパ球を弱酸性溶液に三〇分程度浸すだけで発生するとされた。また、リンパ球を細い管に通したりしてストレスを与えるだけでも発生するとされた。この報道に接した直後、私はツイッターに次の書き込みを行った。「iPSより簡単。新しい万能細胞、倫理面での過失率はますます高まる」（二〇一四年一月二九日）。——これはたぶんニュースで発表があった日だ。驚いてツイッターに書きました。

何のことかというと、いまは山中伸弥さんがノーベル賞までもらったiPS細胞と同様、一つの細胞が万能、何にでもなる幹細胞をつくったのです。それがSTAP細胞なのです。iPS細胞の方は、どうも発がん性があって、まだリスクが少しあります。けれど、たとえば腎臓が駄目になって腎機能を失った人に、自分自身の細胞を採って培養して腎臓をつくるわけです。自分の細胞からつくるからそれ自体は問題ないでしょう。例えば腎臓をつくるための細胞としては、その後に腎臓になるような細胞でなければいけないから、それを幹細胞というのです。それがiPS細胞として、いまどんどん活用されようとしている。それが発表されたのと同じころ、早稲田大学のチームがアメリカの研究者たちと一緒になって、ある技術を二〇一四年一月『Nature』に発表したのです。それがSTAP細胞です。細胞を細いガラス管に通してストレスを与えると、幹細胞になって出てくる。ものすごく画期的です。

その「発見」を発表した小保方晴子という研究者はマスコミなどで引っ張りだこになった。若くして有名人になってしまった。この「発見」を報じるニュース番組のキャスターも「お風呂に入っただけで幹細胞になるかな」とか「温めればいいのかな」と冗談まで発言したのですが、そのデータを基にいろいろな人が実験したけれど誰も成功しないのです。それで理化学研究所や早稲田大学など倫理審査をする側が「時間をあげるから、あなた、本当にスタップ細胞をつくってください」となったわけ。「私はもう二〇〇回もつくっています」とか言うのです。二〇〇回も成功しているのと。「じゃあ、とにかくつくってください」ということになって、半年ぐらいかかな、時間を与えたのです。でも、まったくできなかった。誰がやっても成功しないものは科学ではないでしょう。五人いて四人まで成功して、一人失敗したって科学ではないです。五人いたら五人とも成功するのが科学です。繰り返し実証されないものは科学ではないのです。なので、結局、これは却下されました。『Ｎａｔｕｒｅ』もその論文を取り下げて、誰も相手にしなくなったのです。

ところが、こういうものについて、一般の人々はすぐ飛びつくというか、興味本位に期待するんだな。それでいくつか問題が起きてきたのです。私がいま読み上げたところをさらに続けてみます。――新細胞発見は、技術者倫理を講義する者（石塚）から見ると、①万能細胞自体が持つ倫理的問題と、②研究者・技術者がクリアしなければならない倫理問題と、ダブルの教材となっている。しかし、のちに次々と明るみに出た、いわゆる「捏造・改竄」疑惑すなわち②レベルの報道渦中で、ダブルのうち、一層重要な①のチェック・確認は問題視されず報道からは締め出されていった。これは由々しき問題である。①は、ＳＴＡＰ細胞の存在が証明されれば解決するという性質のものではない。むしろ、そのことを含め、ＥＳ細胞・ｉＰＳ細胞とともに、一括して本格的に議論の俎上に載せられるべきテーマなのである。――

私が力を入れて読み上げたものの意味が分かった人はどのくらいいるかな。ｉＰＳ細胞のようにＳＴＡＰ細胞も成功すればよかったね、という問題ではないということです。小保方晴子さんが、捏造でも何でもなく、ちゃんとできたとなったら、②は解決します。研究者が配慮しなければいけない、でっち上げとか嘘なんてよくないでしょう。しかし、実験が成功すればするほど①が深刻になるのだよ。それを考えないと、私たちの技術によって私たちの人間性までが変わってしまうことになるのです。

たとえば、私は目が悪いです。今年の一一月に手術をすることになりました。その日はもちろん休講にせねばなりません。さて、私はそれで何を言いたいか。二〇一三年一二月に「クローズアップ現代」というNHKの番組を見て私が危惧したことを紹介します。加齢黄斑変性という目の難病があります。その治療としてiPS細胞から網膜の組織をつくり移植する技術の事例だったたか、九〇歳を過ぎた老人にiPS細胞の話をすると、こういう内容を言いました。「私はもう目がほとんど見えないから、その手術はすごくありがたいです。私はひ孫のかわいい声は聞こえるけど、顔が見えなくなって寂しいんですよ。見えるようにしてください」と、九〇歳過ぎのおじいちゃんが言ったのです。みなさん、これは隠れた要注意問題だ。理由はこうです。私はまだ七〇歳ですが、左目はかなり駄目です。医学が進んでいるから手術をすれば成功してほしいし、それは望むけれど、九〇歳くらいになると身体のほかのところも一様に駄目になるよ。場合によってはひ孫の顔を見られないのが普通だと思うよ。孫が生まれるのはその人が五〇から六〇歳ぐらいの頃だから、孫の顔が見えないと寂しいかもしれないけど、ひ孫の顔は見えなくともしかたないじゃないですか。つまり新技術はそれを欲している人の要求を肥大化させ、欲望に変えるのです。九〇歳過ぎても百歳になっても、身体を元気にさせることができればそれに越したことはない。一般的にはいい話だよね。しかし、そうすることによって、自分個人の寿命や身体能力を人一倍延命していくことが社会的にどういう問題があるかということ、これをもう一つ考えなければいけない。

いま、お父さん・お母さんの収入が少ないという経済格差でもって、大学に進学するのがままならない人が増えています。奨学金を借りなければならない、卒業したあとも奨学金の返済額が何百万もあって身動きが取れないという学生が一方にいるかと思うと、高級車を乗り回しているシティボーイ学生、ブランドで身を包んだ才色兼備学生たちもいるよね。これを経済格差と言います。

ところが、先端医療技術は、応用を間違うと身体格差を生みます。お父さん・お母さんから生まれた子の身体は、普通は一生そのままです。さまざまなハンディを抱えていても、それにへこたれず自明のことと観念しながら生きているわけです。中には短命な人もいるでしょう。それを自分の運命とか定めとか観念し納得して生きているんだ。生まれてすぐ亡くなってしまう赤ちゃんだっているし、親は辛くて哀しいけれど、仕方ないとあきらめる。けれど、難病克服の技術が導入されると、あきらめずらくなります。

別の話をすると、いまここにいるみなさんの中で、来年にでも月旅行に行こうと計画している人はいないでしょう。このあいだヤフーかなにかに株式会社ZOZOの身売りをした前澤友作さんなどは、月に一番に行くんだと言ってはいますがね。まだ四〇歳代ですごい経営者・資産家ですから、そう言える人は出てきてもおかしくはない。彼と仲のいいホリエモンさんも行くかもしれません。けれど、ここにいる人たちは月に行く、まして一番に行くなんてまず考えない。大金がないからです。いえ、お金がたくさんあっても手段がなければ無理です。まずは月に行く手段がなければ行きたくても行けない。だから、ここにいる人たちは誰も月に行こうとは思わない。けれど、これから一〇年後に月に行く技術が確立し、同時にお金がたまれば、みなさん月に行こうという希望が湧きます。

だから先端技術というのは、本来の開発目的とはべつに、人の希望というか、人の欲望を肥大化する効果を産みだすんです。金のない人は行けなくても仕方ないじゃないか。私は金があるから月に行く。金がない人はしょうがない。かつて「私は金があるから東南アジアで腎臓移植をしてくるよ」と言って、日本の金持ち層がフィリピンとかに行って、二五〇〇万〜三〇〇〇万円ぐらいで腎臓を付け替えてきた例がありました。

経済的に貧しい人たちは、その国の法律に触れない場合、腎臓は二個あるから一個売ってしまう。三〇万円ぐらいで売ってしまった。それを移植してもらう日本人は三〇〇〇万円ぐらい払っているんだよ。提供者・ドナーと需要者・レシピエントのあいだにいろいろな人が介在してビジネスが成立し、三〇〇〇万円がパーッと散っていくわけだ。お金の話は横に置くとして、とにかく日本では臓器移植は禁止されているので、お金のある人は東南アジアに行ってくるわけ。いい悪いはちょっと横に置いて。とにかく腎臓移植ができる技術があるからやるでしょう。なければそんなこと考えません。ちなみに、フィリピン政府は二〇〇八年四月に、外国人への腎臓移植を禁止しました。

私が言いたいのはそこですよ。iPS細胞が素晴らしい万能の細胞をつくって、駄目になった腎臓に代えて自分の細胞で新たな腎臓をつくるなど。とってもいい技術だ。ですけど、それができる人とできない人の間の身体格差を生んでいきます。二〇世紀後半、いろいろな意味で人間社会が民主的で共生的になってきたのに、二一世紀に入ってふたたび経済格差が顕著になってきました。そうした格差を背景にして、技術享受格差のクレバスというか、裂け目が広がっていく。そういう意味からいくと、富裕層から先に水や空気を買求める時代からさらに進んで、身体パーツを買求めるという、新たな格差社会を更新していく。社会の統合ではなくて、新しい技術が社会の新しい分裂を産み出すようになる。そういったことが①の話です。

再度強調します。②は、①と比べれば解決の容易な部類に属する。②は技術者倫理、研究者倫理、企業倫理のレベルにある。これに対して①は、近代文明論的・科学技術文明的倫理のレベルにある。深刻なのは、①の倫理問題なのです。万能細胞とその研究開発それ自体は倫理的に問題なし、とする立場を、再三再四疑ってかからなければならないのだ、というわけです。

素晴らしい技術だから、文科省も誰も疑う人はいません。いまの倫理審査委員会の面々でも、私の①のことを気遣う人はほとんどいません。みなさんの議論は②ばかりです。捏造・改竄とは、要するにごまかしのことです。それは昔からあるし、倫理問題ではなくて、どちらかと言うと法律問題です。法律違反をしているのです。けれど、真に倫理的な①の問題を考えなければいけないということであり、例のSTAP細胞事件が起きたあと、私はこの短文をテキストの序文に付け足したのです。

五　暗黙知の軽視

では、きょうの講義自体はそこまでにして、一見して倫理と関係ないような記事ですが、みなさん、この新聞を見てください。七月一四日、いまから二ケ月前に毎日新聞に掲載された記事です。「時代の風」というコラムに、長谷川眞理子という総合研究大学院の学長さんが寄せていて、非常に含蓄があります。みなさん、目からうろこだよ。横に小見出しがあって、「暗黙知の軽視」とあるでしょう。どういうことかと言うと、みなさんが暗黙のうちに分かっている、了解し合っている知。知とは、知識だったり知性だったり知恵だったりする。それを軽んじているということです。ちょっと読んでみます。ああ、そういうことかとすぐ分かるよ。――日本文化は、自然と人間を一体と捉え、自然と共存をはかることを当然としてきた、という主張はよく聞く。集落があり、その外に里山があり、さらにその先が奥山。奥山は野生の鳥獣のためにとっておく。自然は人間が征服する対象だとは見なさない。――

「征服する対象」としての自然、これはヨーロッパ的考えです。天と地の垂直的宗教観から見ても、ヨーロッパの人たちは、自然は征服するものだと思ってきました。森羅万象的宗教観から見て、アジアの人たちは自然と一緒に暮らすものだと、暗黙知として思ってきたんだ。次、読みましょう。――どこまでも欲望のままに収奪することはしない、そんな奥ゆかしい態度が日本の思想である、と言う。そうだとしたら、高度成長期になぜあんなにもあっさりと、里山も奥山も壊してゴルフ場などにしてしまったのか？　工場の廃液などが原因で起こった公害問題も、その他の環境汚染も、二酸化炭素の排出も、ことが重大になる前に、日本が自らの思想に基づいて歯止めをかけたことはなかったではないか。なぜか？――

長谷川さん、なかなかいいことを言うじゃないか。

いま私は言いましたね、ヨーロッパ人は自然を征服する、と。英語でいうｎａｔｕｒｅは資源のようなもの。自然を掘ったり、壊したりして利用する。牛も豚もみんな食料としてどんどん利用する。けれども、日本の人たちは、そこに魂というか、命を感じるので、鳥を殺すにしても供養をやるのです。「すみません。食べるためにあなたを殺しますが、申し訳ないです。きちんとあなたを食べて、私たちはそれで生かされている。あなたの命のおかげです」とか言って、供養するんだよね。いろいろなところに供養塔があります。上野の不忍池に弁天島があるでしょ。あそこの参道脇にいろんな供養塔があります。生き物を殺すことで成り立っている商売の人、ウナギ屋さんとかフグ料理屋さんとかが建てた供養碑、そういうのがあります。けれど、そんな心を忘れてしまったのではないかな、ということを長谷川さんはここで書いているわけ。狂牛病とか豚コレラとか、たとえ日本だけの問題でなくても、私たちはもう供養精神なんて忘れてしまっているのではないかな。

次を読みます。――おそらく、日本文化は自然と人間を一体ととらえ、自然と共存をはかるのが当然と考えるというのは、電気も工場もなかった昔、実際に日本人はそうやって暮らしていた、ということなのだろう。「お米を大切に」「お天道さまに顔向けができない」「一寸の虫にも五分の魂」などの言い回しは語り継がれてきた。しかし、誰も「自然と共存をはかれ」ということを思想として明示したことはなかった。が、日常がそのように営まれていたのである。そこへ自由市場の資本主義経済による開発の波が押し寄せた。そこには、開発すればお金がもうかるという明確な論理があり、その利点は金額という一次元尺度で明示されていた。それを前にして、暗黙の「自然との共存思想」は、ひとたまりもなくどこかへ飛び去ってしまったのだろう。――読むのはここまでにします。

そうなんですよ。いまの日本人は全然駄目ですよ。全然駄目。里山から降りてくる熊がいると殺してしまうもの。本当は猿とか熊とかのすみかだったところまでどんどん開発して、家を建てて、動物たちが生きることができなくなっているから降りてくるという面があるわけです。動物が生活していた場所にまで人間が入ってくる。そうすると動物は、おのずと思い出したかのように降りてきてしまうわけだ。そうするとドーンと撃ち殺すとか。ゴルフ場なんかは本来鷹が生息していたり、小動物や鳥たちがいっぱいいた。木を切り倒せば、モモンガもいなくなる。川のせせらぎを楽しんでいた水生動物もみんないなくなる。

なぜそうしたかというと、ゴルフ場をつくって、レジャーというか、バカンスというか、人間たちだけが遊んで楽しい思いをするんだ、ということです。一〇年以上前の話ですが、毎年一二月くらいになると、いろいろと表彰をするじゃないですか。かっこいい服を着ていた人たちはダンディ賞とかあるよな。その中の一つにスポーツマンシップ賞というのがあった。その年はゴルフの選手がもらったのだけれど。ゴルフ場でボギーとかバーディとかいろいろあるでしょう。その受賞者は、スイングして飛ばそうと思って玉を見たら、トンボが止まっていたのです。それでやめて、そのトンボをゴルフクラブでフッと追ってあげたんだ。危ないからどっかに飛んで行きなさい、と。これで一打になってしまった。そのあとやっと玉を打った。何という素晴らしい動物愛護の人だ、と思われて、フェアプレー賞をもらったのです。

私はそれをテレビで年末に聞いていて、寝転がってお酒を飲みながら「てやんでぇ、このやろう」と思ったね。何がフェアプレーだよ、と。その選手自身は悪いわけではないけれど、もともとそのゴルフ場は昔は野山、山野だったんだ。畑だったり田んぼだったりしたかもしれない。そこにはトンボとか蝶々とか、いっぱい飛んでいたのさ。そのねぐら、住処を全部奪っておいて、ゴルフをやって、たまたま思い出したようにトンボが来たのを助けてあげたって、「おいおい、何百万という昆虫を殺しておいて何を言っているんだ！」と思いました。

そういうことを考えると、長谷川さんの言う「暗黙知」を軽視する時代になったな、ということがよく分かる。なぜそこまでいったかというと、オール電化ですよ。千葉県の人たちもいまかなり困っている。家に入るときピッと押すと玄関ドアが開いてくれる。出かけ先で端末機器に声をかけるだけでお風呂の水を満たしてくれたりする。テレビのスイッチが入る。すべてやるのは、端末機器どころか、いまや身体が認証の手段になっている。触るどころか、見つめるだけで、思念するだけでスイッチオンとか、そういう認証でしょう。ところが、念じようが見つめようが、停電したら何も動かないです。今回の台風で停電し一週間以上困っている人たちがろうそくと暮らしている。「私の家はオール電化なんですよ。こんなにするべきじゃなかった」とインタビューで嘆いている。

さっき私はちょっと話しました。電大の学生たちと一緒に上越市の山間部で水車発電してみた、と。そういうものがあれば大手の電力会社が停電したって、雨さえ降っていれば川から水が流れてくるじゃないですか。それを受け取って発電機をグルグル回していれば、二四時間いつも電気はつくれます。一軒か二軒くらいの、ちょっとした消費量の電気しか起こせないけれど。

屋根の上で風車（かざぐるま）をクルクル回すんです。手ごろな大きさのポリタンクを縦に切り割いて、互い違いにこうやって付ける。接続箇所に心棒を付けてクルクル回るようにし、下に発電機を置いておくのです。けっこう電気が起きます。風がなくなると当然、起きません。だけど風が吹けば電気は起きるのだから。五、六年前、ここ鳩山校舎の屋上に付けて実験したことがある。実験するまでもないよね。みなさんもすぐ分かるでしょう。設置費用は大したことありません。そういったことを日常的にやっていればいいわけ。これをローテクと言います。けれど、風車とちがって水車はどこでもできるというわけではないでしょう。それは地域のローカルなものです。そういうことを地産地消でやっていく。私は「ローカル・エナジー」とか「ローカル・テクノロジー」と名付けています。来週説明しますけど。そういったことをやっていけば、このような事態は起きないんじゃないでしょうか。

次に二酸化炭素の問題を説明します。ここにアップした七月一三日付毎日新聞朝刊記事「論点」を見てください。地球温暖化対策をめぐる早稲田大学教授の有村俊秀さんと経団連環境安全委員会の手塚宏之さんの意見です。炭素のことをカーボンと言うでしょう。カーボンプライシングという考え方をちょっとご説明します。ここに意味が書いてあります。カーボンプライシングとは炭素の価格付け。排出した炭素をお金に換算する。簡単に言うと、私たちがクルマを運転したりして二酸化炭素を排出する。その量に応じてかける税金を炭素税と言います。どれだけ出したか分からないじゃないか、と疑問に思ったら、分かるんですよ。ガソリンを買ったときに徴税するの。

たとえばガソリン一リッター買ったとすると、どれだけの炭素が出るか計算できるでしょう。その金をガソリンスタンドで払うのです。いま一リッター一三〇円ぐらいかな。それに乗せて、一リッター一五〇円とかになるわけ。クルマを運転したらガソリンを一リッター当たりこれだけ出すのだから二〇円上乗せだ、と。何に使うかと言うと、大気をきれいにするための技術を開発して、空気清浄化に資する技術に投資する。そういう資金にするということなんです。

それがこの二人で意見が分かれるんだよ。若い有村俊秀さんは、政経学部だから社会系の先生だけど、この先生は、いま私が言ったことをいいことだと言うわけ。この人は、炭素税は二酸化税削減に有効だと言っています。対して、こちらの手塚宏之さんという人、肩書というか、所属を見ると経団連ですよ。企業をとりまとめている経済団体の連合の経団連。これに参加している企業の社長さんたちは儲けなければいけないので、産業をどんどん盛んにしたいわけです。炭素に税金なんかかけると、技術開発や経済発展の妨げになるよ。

将来を展望すれば、有村さんの意見が良好に聞こえるよね。けれど、現実を考慮すると手塚さんに賛成するのです。なので、原発もまた再稼働になってきている。原発は危ない、やめたほうがいいと言っても、「いや、やっぱり再稼働だ」と言って所信表明して立候補する人に投票したりするんですよ。福島原発事故の後になっても、自分たちの村に原子力発電所があるから村に税金が入ってきて潤うんだ、となる。税金というのは企業が払ってくれるわけです。東京電力なんか原発設置の自治体に多額の税金を納めてくれるわけ。福島や新潟でつくった電気の多くは東京とか大都市圏に送電して産業を活発化しているわけ。だから、そのほうがむしろ技術開発にはプラスだと言うのです。

いま私の言ったことは単純に技術がすべてを解決するという問題ではないこと、みなさんは分かるでしょう。百年もたてばリスクの少ない素晴らしいエネルギー技術に更新されるだろうけれど、いま現在千葉県や福島県の住民でとんでもなく困る人がいる以上は、早急に解決しなければいけない問題もあるわけです。そのことをこの新聞記事は、二人の論者の意見の違いを通じて特集しているわけです。

きょう私はいろいろな事例を取り上げてきたけれども、最後に私の体験から一例を話して終了とします。私たちは自然の風を受けて涼しいとか心地よいとか感じるけれど、場合によっては、自然の風を受けると花粉症になるとかで問題も発生するんです。私は薪能とか薪狂言を聞くのが好きです。劇場で能・狂言を聞くのではなくて、野山や神社などでね。

鳩山キャンパスの近くに高麗（こま）神社があります。何年か前にそこで同僚の教員たちと薪狂言を楽しみました。夕方から夜にかけて行われるのだから暗くなっていくわけ。そしたら、境内の林からヒューッ、ヒューッとモモンガかムササビが飛んで出てきたんです。その狂言とマッチして、素晴らしくよかった。そんなことは滅多に味わえないでしょう。モモンガか何かが飛んでいるのは、別にモモンガがその狂言に合わせてくれているわけではないけれど、薪能を自然の中で見るのだから一層素晴らしいじゃないですか。これは身体で感じる心地よさです。けれどＡＩって、そんな感性をもつでしょうかね。わかりませんね。これで講義を終了します。質問のある人は来てください。

技術者倫理を考える
持続可能な社会をめざして
石塚正英 編著
山家歩
黒木朋興
田上孝一
小沼史彦
上本昌昭
杉山精一
川島祐一 著
朝倉書店

第十一章
〔講義〕

複合科学的身体論へのいざない

【講義関連情報】
開講機関　東京電機大学大学院理工学研究科
講 義 名　二〇一九年度後期講座「ヒューマンインターフェイス」
全体テーマ　身体知・感性知
第一講テーマ　複合科学的身体論へのいざない
講 義 日　二〇一九年九月三〇日第二限（一〇〇分）
テキスト　石塚正英『複合科学的身体論』北樹出版、二〇〇四年。石塚作成プリント。
＊録音データの文章化にあたり参考資料の注記や内容の補足を行っている。

一　身体知と感性知

みなさん、こんにちは。後期の初日です。さて、みなさんに配布した資料には、講座名のヒューマンインターフェイスではなく、「身体知と感性知」と書いてあるよね。それはなぜなのかということから説明します。

知というのは、知識や知恵、知性、あるいはその素材になる情報とか、そういうもので、もっぱら脳に関係すると考えられてきましたでしょう。その脳 brain に対して、身体 body、あるいは身体知のほうはそれほど注目されてきませんでした。その次の感性知というのも関わりは薄いと思われてきました。知とか理性とかは、なによりも脳に関係するんですが、感性はどちらかというと身体のほうなんです。「あなたはいい感性しているね」というのはどちら

かといえば身体的な評価です。フィーリングと訳したらいいのか、センスと訳したらいいのか微妙ですが、フィーリングにしてもセンスにしても、身体に関係する。そこで、私としては、ヒューマンインターフェイスの講義のキーワードに、頭脳に関係する知だけではなく、身体や感性も含めます。それで資料のトップに「身体知と感性知」と記したわけです。

今風に言うとコラボレーション、協働。もう少し言うとフェデレーション、連合。そういうところに見られるヒューマンインターフェイスということをみなさんに解説していきます。マン・マシン・インターフェイスのうち、マンには身体がかなめとなるわけです。また、マシンはたんに機械だけにとどまらず、身体を取り巻くさまざまな環境、あるいは身体の中の環境まで入ります。そのようにして、複合科学的身体論へとみなさんをいざないたく思います。

二　身体をとりまく現状

シートの一番目、身体をとりまく現状から入ります。身体をとりまく現状を四つ区分してありますが、一つは文化的身体観。「観」がついているのは、文化的に身体を見た場合の見方という意味で、別の言い方をすれば、文化的な身体と言いきってもいいです。二つ目は、科学的身体観。あるいは科学的な身体。三つ目は環境の一つとしての身体。四つ目は、いま私がみなさんに解説した三つ以外の身体論あれこれ、それを説明したいと思います。それに即して、シートの右に私の手書きの図があるでしょう。Ⅰ、Ⅱ、Ⅲ、Ⅳと四つある。少しずつ図が違います。これもあわせて説明していきます。

1　身体をとりまく現状
・文化的身体観
・科学的身体観
・環境の一つとしての身体
・身体論あれこれ

文化的身体観

ではまず、一番目の文化的身体観です。私たちの身体をとりまく環境には文化がある。そうすると、必然的に私たちの身体は文化的な要素をもつわけです。文化的な身体というのは、文化がどんなものであるかによって変わります。おおざっぱにいうと、たとえば海辺の漁村に生まれた人たちは、魚を捕って暮らすという文化の中で身体ができていきます。よく浜っ子と言いますが、横浜の人は気性が荒い。

それは浜で育ったからだという。荒海に出て行って、漁をするのだから、優しい気立てでは務まらない。時化でも生命をかけて、どうしても出航しなければいけない、漁をしなければいけないというとき。板子一枚下は地獄だと。板子というのは船底のことだよね。そういうことを肌で感じて生きて行くから、気性が荒くなるんです。そうすると、身体はそういう立ち居振るになります。「港のヨーコ・ヨコハマ・ヨコスカ」を歌うダウン・タウン・ブギウギ・バンドの宇崎竜童を思い浮かべます。君たちは知らないだろうけどね。荒っぽい、カッコイイ。

それから、文化的な歴史的な都市、京都とかに生まれた人は、はんなりというか。私は関西の人間ではないから、そのへんは微妙で分かりませんが、「花あり、花なり」を語原にするらしいですが、とにかくはんなり育っている。町並みも歴史的な町並みで千年からたっている京都の町屋に生活する人たちの陽気でおしとやかな立ち居振る舞いは、そういうふうになる。ただし、京都市生まれの宇崎竜童は例外ですが。

かと思うと、今度は上州の空っ風の下に生まれ育った人。上州というのは群馬県、上野国のことです。赤城山から乾いた冷風がピューピュー吹いてきて、これを赤城颪といっています。文化的風土からすると、群馬の人は、「かかあ天下と空っ風」と表現します。母ちゃんが強い。それから風が強い。そういう文化的風土に育つと、身体もそういう振る舞いで動くわけです。文化的身体とはそういうことです。

文化的身体は生まれ育っていく間に培われる。よく「三つ子の魂百まで」とかいって、三歳くらいまでに身体についたものは死ぬまで続くんだということわざがあるんです。何事もケース・バイ・ケースで本当にそう言えるか分からないですが、当たらずとも遠からずです。

鳩山の理工学部にかようみなさんは、多くは埼玉県あるいは関東の生まれでしょう。中には関西から入学している人もいる。私の大学時代の経験で言いますと、関西の人と接すると、なにか最初、違和感があるんです。言葉が関西弁だとか、そういう問題だけでなくて、なにかちょっと違う。越後生まれの私には尾張や備前出身の友達がいて、キャンパスで彼らと一緒に会話するときに、名古屋や岡山の方言はきれいではないです。手の打ちようがないとき「おえりゃあせんのう」なんて、たまに岡山出身の友人は言ったりして。

大阪の人はよく「あほ」と言うんだけれど、関東の人は、言われるとちょっとカチンとくるよね。「おまえ、ばかだな」と言われても腹は立たないけれど、「あほ」と言われると、本当に阿呆（あほう）のように聞こえてしまうんです。こういうものも文化的な相違だけれど、身体に染みついている感があります。そういう意味で、文化的身体観というのは、これまでの私たちがよく知っている身体観の一つとして把握しておくことが大事です。これがヒューマンインターフェイスのある意味、重要な問題になってくるわけです。

科学的身体観

二つ目の指摘は、科学的身体観。これは最初に説明した文化的身体観をぶち壊していくような概念です。ぶち壊すという意味は、用なし、要らない、ということです。かつての伝統的や地域的、風土的な観念は要らない。ですから、北海道の人も九州の人も、日本の人もアメリカの人も、科学的なシステムや科学的なデバイスとのインターフェイスの中では、身体は同じように動くんですよ。スマホをいじるのは、北海道の人と九州の人で違いはない。機械との対応だけでいくわけです。けれども、前に説明した文化的身体観はそんなわけにいかないです。むしろ機械なんか介在しないほうがいいということもよくある。

有名な話として、ボランティアでアジアやアフリカ・ラテンアメリカ各地に行く日本の青年海外協力隊の例があります。たとえば、いままで牛に粉ひき臼を回させたり牛に踏ませて脱穀したりしていた地域に石油や電気で動く脱穀機や精米機を持っていく。あっという間に十分の一くらいで仕事が終わってしまいます。脱穀は経済であるとともに文化なんです。それでは文化がなくなって困ってしまうんです。電動機器の動かし方を海外青年協力隊の人がばっちり教えたにもかかわらず、彼らが日本に帰っていくと、錆び出します。もう使わない。

大きな理由だけで二つぐらいあります。一つは、燃料が必要なんです。石油とか電気とか。そういうものがない、手に入りにくい。あってもなじまない。二つ目はもっと大きい話です。そんなことをしたら、村の人たちが家畜とどもみんなで脱穀していたライフスタイルが壊れてしまう。みんなで歌を歌いながら農作業をやったりするんです。漁師さんだったら、大漁歌を唄いながら網を引っ張る。それでソーラン節とか、海辺の民謡が出来上がる。農村では田植え歌などの民謡が出来上がる。

それから稲刈り後の秋祭り、あるいは春の田植えのときとか、みんなで演劇をやるわけです。演劇というよりも民間芸能です。民謡に合う盆踊りのようなものです。後に能や狂言に吸い上げられてしまうような田楽とか、昔はあった。そういうものはみんな田畑でやっていたんです。生産の節々でやります。そんなものはなくなっていくわけで。アフリカやラテンアメリカの、言っては失礼ながら、機械化されていないような非文明的な地域には非文明的なライフスタイルがあるので、それを壊されるほうが問題なんです。耕作機械が受け入れられれば、それを受け入れることができれば、科学的身体観を持つようになります。

みなさんはいま教室でパソコンを立ち上げていらっしゃるね。先生たちも教授会でパソコンを立ち上げていますし、配付資料もポータルサイトのようなところに電子的に格納されています。会議当日の教授会資料は事前にサーバーにアップしておくわけ。だから必要な場合は、教授会に来てから大学のホームページの教員用のところからダウンロードして、それで教授会の審議事項を進めてしていくわけ。

昔は全部、紙で刷っていたんです。とても分厚い、両面刷りで五〇ページぐらいになるときもあった。でも、もったいない、資源の無駄遣い。いまはクラウド・コンピューティングも発達したので、大事なものはクラウドに置いておいて、必要な人が必要な時にネットワーク経由でダウンロードするなり、アクセスするなりして見るようになった。これは科学身体観です。身体がそういうふうに動く。別に教授会だけでないですが、部屋を別にしている会議や遠隔地間の会議もある。電機大の場合は、東京の千住キャンパスと埼玉の鳩山キャンパスとで会議をする。そのときは遠隔でやるわけだから、それぞれがみんな自分の持ち場にいながら全体の会議をやる。これは科学的身体観になっています。こういったことは、二番目の点です。

環境の一つとしての身体

今度は、環境の一つとしての身体という考え方を説明します。ここに大きく、人、身体、社会、自然と書いた図があるでしょう。それを見てください。この図を説明します。左の丸には、人と書いてあるでしょう。右の丸は自然だけれど、人間の身体は自然物でできています。ごはんを食べたり水を飲んだりしなければ死んでしまいます。だから人の身体は自然に含まれる。人と自然のクロスしたところに身体があることになる。

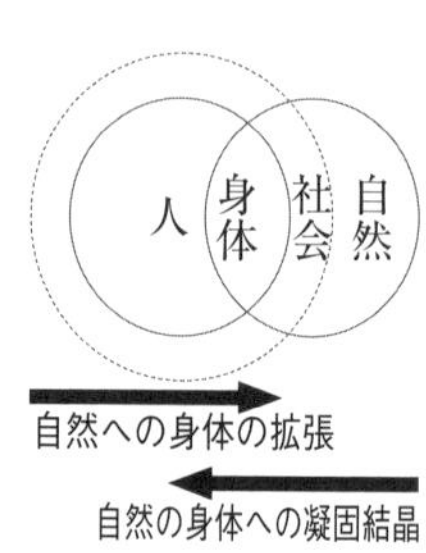

それからもう一つ、点線で人の周りにあるのは、人は一人では生きられないということを示しています。人という文字そのものが二人からなっているんです。支え合っているわけ。人間は人の間と書くでしょう。それを社会といいます。英語でソサエティ。社会は人間、人の周りを包んでいるけれども、やはり直接個人とは違うものなので、周りに点線をしてあります。

みなさんは大学院に入学されたわけだから、いま二二〜二三歳ですよね。みなさん、こちらの図で示した左から右へと、人から自然へと向かう矢印「自然への身体の拡張」で了解してきました。意識してきました。人はだんだん自然に拡張していると理解してきたんです。三つほど例を出すと、一つはモータリゼーション。クルマ社会化。自分は一〇〇メートル走っても一五秒ぐらい、私のように老人になるとそのぐらいだ。でも昔、私は高校時代、一〇キロメートルマラソンで結構速く走っていた。勉強しないで走ってばかりいたね。その名残は私のスポーツ心臓です。通常よりも大きいんです。心臓には毛細血管のバイパスができていて、きっと私は心筋梗塞にはならないです。

そう話をすると、自分の努力で自分の身体をパワーアップできると思うでしょう。それが車に乗って、自分の力では一〇〇メートルせいぜい一五秒ぐらいでも、車に乗れば、時速一〇〇キロは簡単に出せる。そうなると、それが自分の能力だと思ってしまう。私のように車に乗らない、もう免許も持ってない人間が考えたら、間違いなく一時間で一〇〇キロ進むことなんて考えない。けれど、免許を持っていたり車を持っている人は、その移動、行って帰ってこられるかなと思うでしょう。そのときに、無意識に車が自分の身体の一部になっているんです。車の運転席に座ってハンドルを握ると、自分と一体化していきます。愛車意識が生まれてくるんです。こいつと俺は波長が合うとか、相性がいいんだとか言って、自分の持ち物以上に、自分自身の手足だと思うんです。

二つ目の例はコンピュータ、いまみなさんが使っているパソコンです。キーボードをたたく、そういうことを昔はブラインドタッチと言ったのですが、いまはそういう言葉もなくなるほど要らなくなる。キーボードなどたたかない。けれど、一応キーボードをたたくほうが話をしやすいから例えに使いましょう。あるデータを三〇分で打ち込んでくれ、あるいは三〇分で構築してくれ、と上司から依頼されたときに、そのタスクをキーボード、マウスを使ってできるかなと考えるんです。よし、できるなと思ったら、引き受けます、とやる。だけど、私のような年配になってくると、それはとても無理だなと。分からないんだから。

だいたい、タスクなんてコンピュータ用語を知りもしない。いまはPａｙPａｙとかいって、電子決済がはやってきたでしょう。ＱＲコードでいろいろなものを処理するでしょう。なんのことやらさっぱり分からないんです。でも、皆さんは科学的身体をもっているから、すぐやれます。だけれど、アナログ的な青年時代を送った私のような団塊世代はそうはいかない。

三つ目は極めつけで、臓器移植です。身体がパーツの取り換えでパワーアップしてしまう。使い勝手が悪くなった自分の一部を取り替えるのです。臓器というと心臓、腎臓、肝臓など、まとめて五臓六腑と言うね。パーツといえばむしろ四肢でしょう。いまはパラリンピックの選手もオリンピックの選手と同等かそれ以上の記録を出すことがあります、例えば走り幅跳び。アメリカのマイク・パウエルは一九九一年に八・九五メートルをマークして世界記録を更新しました。

ここで少し飛躍した話をします。生身の骨肉足よりカーボンファイバーというか、とにかく軽くて強い素材でできたパワード義足の方が記録を伸ばせる。なんだったら両足を切断してしまって、両足ともわざと義足にしてピューンと飛ぶ。そうすると、健常者よりも遠くへ跳ぶ。二〇一二年のロンドン・オリンピックだったかに南アフリカのオスカー・ピストリウスという選手が出ました。パラリンピックに出るはずだけれども、「私はオリンピックにも出てもいいですか」と言って出てきたらしい。障害者だってオリンピックに出てはいけないということはないんだから。ハンデはハンデでなくなる。ハンディキャップはこれまでマイナスだったけれど、転倒というか反転して、むしろお母さん、お父さんからもらった、親からもらった生身の足よりも、炭素繊維などの義足に付け替えたほうがはるかに優れたコードが出る。

そうすると、いま話した三つの例、モータリゼーション、コンピュタリゼーション、身体の部品化。三つとも、科学的身体観をもつ人は、それほど違和感なく受け入れていきます。

さらに付け足しますと、埋め込み型センサー、インプランタブル・センサーです。手のひらの柔らかいところ、親指と人差し指の間ぐらいのところに、埋め込み型センサーのマイクロチップを入れて、自分をコンピュータ・システムと接続するわけ。今までのようにＩＣカードを読取り機にかざす必要はない。身体自体がＩＣなんです。そしてＡＩと連動して、コンピュータ・システムに自分の判断を仰ぐ。いまＡとＢとＣがあるが、さて現状ではどうしたらいいかなと思念すると、Ｂでいくべきだ、といった答えをくれます。そういうことをインプランタブル・センサーを介して判断してもらう。そういうふうにだんだんなっていくと、そのほうが快適になるんです。その埋め込み型センサーは有効期限が過ぎると体内から消滅します。ＳＦっぽい話だけれど、もう現にそうなってきます。

アメリカでは、親指と人差し指の間にチップを入れるのはかなり常態化しています。そのシステムを導入している会社に就職すると、チップをピュッと入れられます。そうすると、もう二四時間コントロールされるわけ。私はいま「される」と受け身的な言い方をしたけれど、「してもらう」。そのほうが快適です。親も大喜びです。小学生の場合、もしかしたら通学途中で誘拐されるかもしれない。だから、お母さんは自分の子どもがどこにいるか全部把握するために、例えば鉄道会社と結んで、定期券から信号が出せるようにしておき、自動改札でピッと子どもが押したら、お母さんもピッと台所で分かるのです。いま通過したなと。

いま私が話した事例は、ＩＤカードのようなものですから、この教室でも利用可能です。現在は、みなさん教室に入って出席タブレットにタッチする。学生証のＩＤカードでピッピッとやる。でも、体内埋め込み型センサーにしたら、教室に入ってきたらピッピッと反応し、ここの授業に出てきていることが記録される。もう出席を取る必要はないです。そういうふうになっていくことについて、自然にそれを受け入れられれば、身体もまた環境の一つになってしまう。本当は自然なことではないと、私は思いますがね。

とにかく、自分の身体が自分の行動を管理する。

センサーのほか臓器移植で説明したように、要するに取り替え可能な身体もあります。取り替えるということは環境でしょう。新しい車を変えれば、もっと能力は上がるわけです。そういう意味で環境としての身体そのものを取り換えて機能アップ、バージョン・チェンジする。

三　身体論あれこれ

では次、身体論あれこれです。これは一四回にわたるこの講義全体で逐一やっていきます。いまは詳しくやりませんけれども、機械的身体論、自然的・感性的身体論、唯物論的身体論、間主観的・世界内的身体論、そして最後、霊肉混在的・主客両義的身体論。だんだん難しくなってくるでしょう。私は社会哲学・社会思想の出身なので、哲学者の説いた身体論が中心なんです。だけど、まあいいよ。まだ説明してないんだから分からなくていいんだからね。いまはとりあえず、こういったものがあるということだけ言っておきます。

自然的自然と社会的自然

さて、一つ目の図Ⅰを見てください。これは、人と自然との間に身体があるけれど、自然のほうに自然的自然と書いてある。二つ目の図Ⅱを見てください。今度は自然のほうは、社会的自然と書いてあるね。Ⅰは自然的自然と書いてあります。Ⅱは社会的自然と書いてありますね。なにが違うか。

それは自然と社会が違うからなんですが、Ⅰは、言ってしまえば裸の自然です。人間社会がまだ存在しない。なんらの加工もない裸の自然。社会的な力とか関係とかが入ってきていない。原始の森羅万象あるいは宇宙空間のようなものです。

だから、人類が登場してからは、もうあまり存在しない。まるっきりの自然には、私たちはなかなか接しない。たまに台風がきたりすると、自然の猛威にものすごく苦しめられる。けれど台風だって、地球温暖化の対策会議などで議論されるように、気候変動は社会的・人為的に起きているのではないかということにもなります。石炭、石油などの化石燃料を使いすぎて、二〇世紀の間に地球

Ⅰ
人　身体　自然的自然

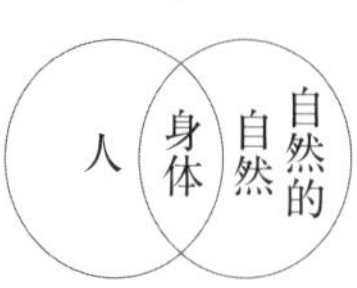

Ⅱ
人　身体　社会的自然

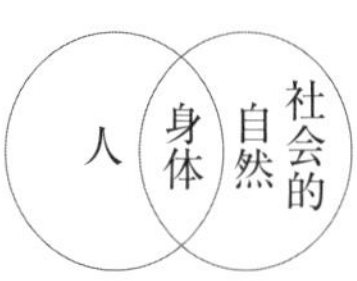

上の気温が一度、二度と上昇したために起きているんだといったら、そういう台風は自然的自然でなく社会的自然に入るんです。社会が関係するから。

自然現象だけではなくて、経済変動はみんなこちらです。社会的自然。株が上がった下がったというレベルだけではなくて、たとえば一〇〇年スパンで見たら、二〇世紀の初頭に社会主義が生まれてきて、資本主義と東西対決があって、その過程で経済的にいろいろな障壁ができたり、逆にそれを取っ払ったりして、貿易関係が変動を受けたけれども、それは一つの経済法則にのっとっているわけです。そういう経済法則は社会的自然です。

いくら金もうけをしようと思っても、需給のバランスを考慮しなければ失敗します。需要と供給のバランスの中で商売しなければ駄目なので、売れた売れたと喜んで、いっぱいつくれば、商品がだぶつきますから、そのうちに売れなくなる。それでは経済法則を読んでいない。つまり経済法則は自分の自由にはならないわけね。そういうのを社会的自然と言います。その現場に身体はさらされています。

歴史的自然

それから三つ目の図Ⅲは、自然の前に「歴史的」と書いてあります。先ほど文化的身体観のときに京都の話などをしましたが、私たちは横軸ではほかの社会、イギリスだとかアメリカだとか、そういう社会と触れ合っていますが、縦軸では、時間軸において過去と触れ合っている。あるいは未来とも触れ合っています。

未来というのは、まだ来ていないですが当然予測できます。ですから、未来にこういうものを持ち込んだらいけないとか、未来をよくするためにはいまどうしたらいいかとか、そういうことを考えたら、未来と対話をしていることになるでしょう。そういう意味で歴史的自然を捉えます。歴史と書いたけれど未来も見通す時間軸という意味ですね。

みなさんと私が生まれた世代は五〇年ぐらい違います。私はいま七〇歳で、みなさんはい二〇歳を少し超えたくらい。私が大学生だったころと、いまみなさんが大学生の現在は五〇年違う。社会的な問題だけでなく、気候の問題も含め、万事が大きく違います。はっきり言って、五〇年前の人のものの考え方なんて、み

Ⅲ

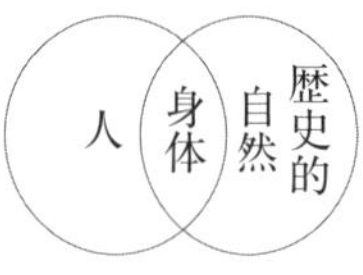

歴史的自然
身体
人

なさんにはとても理解できない、そんなこともあると思います。私たちはまた逆に、いまの若い人たちのことは理解できないということもあるでしょう。でも、そういうふうにして私たちの社会、私たちの人間関係は、時のながれに大きく影響されるわけです。

身体もそうですね。みなさんに分かりやすい言い方をすると、流行(はやり)があります。ファッション。これは五〇年ぐらい生きてくると分かるんです。これって前にはやったことがあるな。これは自分が子どものころには流行っていたな。この振り付けは田舎でよくやっていた盆踊りの振り付けにそっくりだな。歌謡曲もそうです。リバイバルというかカバーというか、そういうふうにして、昔の曲だったりする曲は、いま歌われると、またそれなりに新鮮になるんです。懐かしいと思う人もいれば、五〇年前の歌だというけれど、すごく新鮮だなと思う人もいるでしょう。そういうふうに、はやり廃りというか、流行を考えると、歴史的自然が分かります。自分たちは好き勝手に歴史をつくったり文化をつくったりしているようだけれども、五〇年に一回、一〇〇年に一回めぐってくるようなサイクル、あるんです。

先ほど流行の話をしたけれど、これを時代思潮の歴史でみましょう。例えば、フランス革命のころ、一八世紀の終わりころは人間の理性がうたわれました。合理的な価値はすばらしいと。非合理な価値、王様の権力とか教会のヒエラルキーなどを打ち破って、人間の理性を称えたんです。それが一八世紀の終わりから一九世紀にかけてですが、一九世紀になってしばらくすると、反動が起きるんです。ロマン主義といいます。ロマンというのはローマに起因する言葉です。ローマの昔に戻ったほうがいいという風潮が一世を風靡します。それが一九世紀前半です。けれども、人は飽きっぽいので、非合理で復古調のものは飽きてきて、一九世紀の中ごろからは合理的な科学主義や自然主義にとってかえられます。このころ、チャールズ・ダーウィンが出てきて、自然を観察してみると、人間はサルと共通の先祖を持つところから進化してきたんだとか言いだしたんです。科学的でしょう。

ところが、一九世紀が終わって二〇世紀になると、また非合理な時代になって、政治思潮で言うとナチズムやファシズムになってきます。そして理性的な考えや行動が否定され破壊されたのです。その傾向は一九四五年、第二次世界大戦後にぶち破られて、一挙にまた合理主義の時代になる。理性の時代、民主主義の時代。そのころに私は生まれている。だから私は、民主主義とか人権概念とか、そういうのは非常にいいものだと思っています。

けれど、それからまた五〇年して二一世紀、いまはまたもや非合理の時代でしょう、あいつらとはつき合わないほうがいいよ、とか考えるヘイトクライム、ヘイトスピーチ。戦争をやってこちらが負けるぐらいなら、こちらは前もって軍備を整えて先手必勝だ、とか考えて軍備を拡張していくようになってきたのです。なので、私は唖然としているのだけれど、いまの若者はけっこう受け入れています。アンケートをとると、若者のほうが軍事については許容力、包容力とは言いたくないけれど、許容力が大きいですね。

私たちのような平和と民主主義の時代に育った老人は駄目ですね。絶対にまた大変なことになる、やめたほうがいいと思う。でも、いま五〇歳代、四〇歳代、三〇歳代ぐらいの人たちは、こんなに社会が立ちゆかなくなっているのだから、起死回生があっていい、あるいはスクラップ・アンド・ビルド、一回ぶち壊してつくりなおす、こういうことを望んでいます。それが五〇年ごとに巡ってきたんです。私はこれから二〇年くらいの先、この世にいなくなってしまうのですが、みなさんが私ぐらいの年になるまでにもう一回、社会は理性的なほうに向かうと思います。

ちょっと長い話だけれど、歴史的自然とはそういうことです。自分の自由になるように思っているけれど、そうではない。そこに身体がさらされるわけです。身体がさらされるというのは、自分の身体がさらされるのではなくて、身体を持った私、人間がさらされるという意味ですよ。

科学的自然

最後の小項目、科学的自然。これは先ほど少し説明した三つ、モータリゼーション、コンピュタリゼーション、身体の部品化で話したことの繰り返しです。私たちは科学的な自然の下に、すべてを受け入れる。遺伝子を解析したゲノム編集食品がいま出回ってきています。昔は、遺伝子組み換え食品と言っていたのですが、それは不自然なんです。

Ⅳ
科学的自然
身体
人

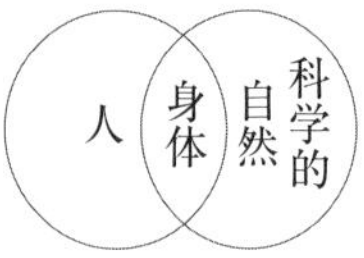

でも、ゲノム編集食品は自然です。その二つはなにが違うかというと、遺伝子組み換え食品はなにか違う遺伝子を入れ込む。組み換えてしまう。不自然でしょう。ゲノム編集というのは、要らないゲノム、

要らない部分を切ってしまうんです。中に入れていないんです。これは昔から自然界にあることで、突然変異というやつ。なので、なにかを入れ込むという遺伝子組み換え技術は人体とかに危ないけれど、ゲノム編集食品、技術は安全だと言っている。検査も要らない状態で、もう日本には出てきています。アメリカでは前々から出ているけれど、これはゲノム編集食品ですよと明示はしません。

遺伝子組み換え食品は、必ずそう明記してある。ちょっと危ないから明記していたけれども、遺伝子組み換え食品と違ってゲノム編集食品はその必要がない。だからアメリカの人たちは、日本もそうだけれど、どんどん摂取するようになる。そのときに、私のようにちょっと神経質な者が「いや、食べたくないな、それは。ゲノム編集食品もゲノムを編集していると書いてほしい。そうしたら、そんなのは絶対買わない」と言っていても、シェアが八割九割といってしまったら、食わざるを得ないでしょう。そうすると、そういうことに慣れていくではないですか。それがこの科学的自然と身体との関係です。

あるいはエレベーターでも、昔、髙島屋とか三越とか、かつて百貨店と称していた時代に、エレベーターガールがいたんです。たしかに可憐というか美しかったな。「家電売り場の二階でございます」とか言ってくれるんです。私は経験したことがないけれど、そのエレベーターガールがあまりにも美しいのでうっとりし、降りる階で降りず、最上階まで乗っていた人がいたという漫才のネタがあったくらいです。いまはエレベーターガールはいないですよ。でも電子的に処理された女性風の言葉が、何階だと言ってくれます。電大のエレベーターでも、教授会の会議室に上がって行くエレベーターだけは英語で言ってくれているね。third floor とか Watch your step とか音声が流れます。でも、機械音だからね。

ところが、科学的身体からすると、機械音のほうがいいとなるわけです。生の人間にいられるといやだ。それは美人かどうかの問題ではない。のんびり買い物もできない。エレベーターに乗っているときもいやだとか言って、はっきりと機械音、無機質な音のほうがいいんだとなってきたんです。そうすると、そこには自然的なものも社会的なものも歴史的なものも削ぎ落とされて、科学的なコミュニケーションがいいという人間性が登場してくるでしょう。そこが、科学的身体観のメリットなのかデメリットなのか分からないけれど、ひとつの特徴ですね。

よく人工知能ＡＩと人間の知能がせめぎ合って、あと二〇～三〇年の間に、ＡＩが人間の知能に勝つと予測している報告があるでしょう。シンギュラリティ、技術的特異点と言います。だけど私の考えから言うとそうはなりません。先ほど見ていただいた人間拡張の図をもう一度ご覧ください。従来の考えのように、人間がどんどんコンピュータとか車とか、いろいろな技術を取り入れながら、人間が外部に拡張していっていると考えたなら、ＡＩはもっと先へいってしまうので勝てないんです。ＡＩに絶対勝てないです。けれど、私が提唱している反対向きのベクトルでみれば、人間は主体のままです。

夕べＮＨＫテレビで放映された番組「ＡＩでよみがえる美空ひばり」、その中でＡＩ技術で披露された美空ひばりの新曲「あれから」のことを例に説明します。美空ひばりが亡くなって三〇年たった。それで「川の流れのように」を作曲した秋元さんが中心というかコーディネーターとなって、三〇年後の美空ひばりをバーチャル世界に復活させようということで、夕べ、その番組が放送されたんです。そのときに、苦労話があったんだけれど、一番なにに苦労したかというと、ＡＩでは分析できないなにかを美空ひばりが持っている、処理できない部分の再現でした。

振り付けは天童よしみに依頼しました。子どものころから美空ひばりの歌を歌ったり、振り付けを真似てきた彼女にやってもらった。ファッションは若いころから二〇年くらい担当していた森英恵に協力してもらった。それから、パーマというか髪結いはそれを長く担当していた人に、というふうに。それから息子にはセリフ。母親のひばりさんは忙しいから、昔話のようなものを録音しておき、息子が夜寝るときそれを聞きながら眠った。そこには歌っているのでなく語っている美空ひばりの声が入っているんです。そういうものを全部集めたんだけれど、なにか足りない。

それは結局、美空ひばりの魂というか、美空ひばりの身体です。身体は最高の楽器です。それはもう存在しない。もっと突き詰めて具体的に言うと、美空ひばりは高次倍音で歌っていたんです。ホーミーだな、モンゴルのね。モンゴル高原の人たちがほかの人たちと交流するために培った、独特の、なんとなしにビーンというような緊張音でハモっている歌い方、舌の動かし方。これを部分的ですが、美空ひばりもやっていたんだね。それは美空ひばりが倍音の技術を持っていたのではなくて、美空ひばりの生きた身体がそうだったんだ。

なので、それをAIで復元なんかできない。そういう点から言うと、文化的身体観とか、あるいはそういうもの総体の中で、みなさんはヒューマンインターフェイスを捉えていくのがいいのではないかな、大事ではないかなと思うわけです。

それでは、これで第一講「複合科学的身体論へのいざない」を終わります。質問があれば受けるのでこちらに来てください。

Ⅲ．歴史知の落穂ひろい

第十二章

歴史知の落穂ひろい①

一　『記・紀』に登場する「アシカビ」の物質性

奈良時代の末に成立した『萬葉集』には、抒情的な歌のほか、叙事的な歌も詠まれた。『日本書紀』には登場せず『古事記』の大国主の神話の段に登場する「沼河比売」について、『萬葉集』には以下の歌が記されている。「渟名河の　底なる玉　求めて　得まし玉かも　拾ひて　得まし玉かも　惜しき君が　老ゆらく惜しも」（巻十三　三二四七　作者未詳）。ここに記された「底なる玉」とは翡翠である。やっとのことで手に入れた翡翠のように美しき姫君が年老いてゆく、ああ切ないことよ、といった意味である。

一九九〇年代に、私は、記紀神話の中に登場する具象神の末裔を日本各地に探し求めるフィールドワークを繰り返した。山・石・蛇・藁・茅などなど。そのような具象諸神の記紀世界的起原のひとつに「アシカビ（宇摩志阿斯訶備比古遅）」がある。日本神話の冒頭、天地開闢の部分に記された、葦にかかわる植物神である。一九九三年に出版した拙著『フェティシズムの信仰圏―ものがみ信仰のフィールドワーク』（世界書院）において、『古事記』から必要箇所を抜き出してみた。――

「天地初めて発けし時、高天の原に成れる神の名は、天之御中主神。次に高御産巣日神。次に神産巣日神。此の三柱の神は、並独神と成り坐して、身を隠したまひき。次に國稚く浮きし脂の如くして、久羅下那州多陀用弊流時、葦牙の如く萌え騰る物に因りて成れる神の名は、宇摩志阿斯訶備比古遅神。次に天之常立神。此の二柱の神も亦、独神と成り坐して、身を隠したまひき。

上の件の五柱の神は、別天つ神。
次に成れる神の名は、國之常立神。次に豊雲野神。
比の二柱の神も亦、独神と成り坐して、身を隠したまひき」。

ここに記された「葦牙の如く萌え騰る物」を地上（国）の物質（生物）とみるか高天原（天）の観念（神的存在）とみるか、そこが肝心かなめの岐路なのだ。大雑把に類型化すると、平田篤胤は前者を支持し、本居宣長は後者を支持した。平田は、天地初発時に生茂った葦牙の如きものを明確に植物として描き、と同時に薦とか菅とかも天地初発の時に生え始めたとしている。対して本居宣長は、天地開闢にあたり、葦牙に似た形状のものが未成熟な状態の国土に生え初めたと解釈する。神観念の起原を物質と見做す私は、むろん平田にちかい（★拙著『儀礼と神観念の起原』論創社、二〇〇五年、参照）。

平田篤胤と本居宣長の対理論は、明治以降に継承された。近代日本における比較神話学の祖と称される高木敏雄は、具象神派である。彼によれば、葦は何かしらの抽象神や隠し身の神の依代となるのでなく、葦の生命（具象）がそのまま高等な神（抽象）へと化すのである。その高木と同郷（熊本県）の後輩で、その高木氏に学ぶべきものすべてを学んだ松村武雄は、葦という物質（植物）からアシカビという神が生まれたとしている。葦という植物か否かにかかわらず、或る一つの物質から抽象の過程を経て神が生まれたとするのである。

近年では、毛利正守と水林彪の論争が興味深い。例えば、水林は『思想』第八三五号（一九九四年一月）で次のように記した。「天皇とは、始原・至高の『天』にある産ス『日』の生命力と、萌え騰る『葦』（葦牙—葦根）のごとき『地』の生命力を、血統の連続によって一身に体現した唯一無二の存在としての『根子日子』であること、このことを、『古事記』は、冒頭の天地生成神話においてすでに語りだしていたのである」（★水林「『古事記』天地生成神話論」、六七頁）。

対して毛利は、『思想』第八四八号（一九九五年二月）で次のように記した。「高天原での神々の生成を語る中で、葦の芽を比喩とし、葦の如く萌え騰る物によって成る神は、あくまで生成の問題として重要なのであり、その時、国はといえば、まだ漂っている状態なのである」（毛利「古事記冒頭における神々生成神話の意義」、一三三〜一三四頁）。

私は、この二人の論争を知る前に、拙著を刊行している。哲学・思想専攻である私の手法は、法学専攻の水林とも、国文学専攻の毛利ともちがう。けれども、神観念の起原を物質に見通す私の立場からすれば、水林の学説に親近感を覚える。

水林は、別稿「古代天皇制における出雲関連諸儀式と出雲神話」(『国立歴史民俗博物館研究報告』第一五二集、二〇〇九年三月)において、次のように記している。日本神話には以下の二類型がある。「天地共尊神話(「天」のみならず「地」の世界も尊い世界と観念するタイプの神話)」と「天尊地卑神話(「天」は尊いが「地」は卑しいと観念するタイプの神話)」と(一二三頁)。前者は『古事記』で、後者は『日本書紀』である。平田や高木、松村、水林、そして私の諸説は前者になじむ。三〇年にわたるわがフィールドワークは頸城・諏訪・武蔵・御殿場などをクネクネと、〔蛇の道〕をたどってきたようである。

〔付言〕本稿は二〇一九年四月二八日に執筆・脱稿した。平成から令和へと元号がうつる過渡にあたる。「令和」は『萬葉集』から素材を得たとされる。そうした記紀萬葉に対して、私は天地共尊神話を大切にする天地人共生的態度で接している。いわば、アウトローである。

二　〔らんこ〕に聖性はあるか――二風谷の思い出

江戸時代初期に活躍した遊行僧の円空は、生涯に渡って数知れぬ一木彫像を刻みだしたことで知られます。ところで、一木から神像・仏像を彫りだすときに削られてできる木っ端、これもまた円空にとっては聖なるものでした。目鼻を彫って数分で簡素な聖像に仕上げました。もともとの樹木それ自身が聖なるものだから、木っ端もまた然りなのです。(参考:中村元、「山川草木に悉く佛性有り」、『学鐙』第九〇巻第一号、一九九三年、一六〜二三頁)

その木っ端について考えるにつけ、私は「らんこ」に想いがおよびます。この言葉はアイヌ語で木っ端を意味します。私は、一九九七年の夏にアイヌの里、沙流郡平取町（さるぐんびらとりちょう）二風谷を訪れ、二風谷アイヌ資料館（シシリムカ二風谷アイヌ資料館）創設者の萱野茂氏（一九二六～二〇〇六）から、アイヌの文化と生活誌に関する説明を受けました。その説明の中の一つが「らんこ」でした。カツラのことを「らんこ」というとのこと。これは、丸木舟を造るときにでる削りくずです。その場で私は、なにかジーンと感じるところがあり、「萱野さん、このらんこを少し戴けませんでしょうか」とお願いしました。「どうぞ、どうぞ。お持ち帰りください。」この明快なご返事に、私はアイヌの里との真心の交流を感じました。

　周知のように、アイヌの信仰は「カムイ」によって特徴づけられます。カムイ・モシリに住むカムイは、人間の住むアイヌ・モシリにおいてさまざまな形象・形像に内在します。北海道歴史・文化ポータルサイト「AKARENGA」（https://www.akarenga-h.jp/hokkaido/ainu/a-03/）によると、カムイには人間の役に立つ種類と怖ろしく災いをもたらす種類がいます。いずれにせよ、人間は最終的にカムイをカムイ・モシリに送ることになります。「人間が動物などを捕らえて肉や毛皮を手に入れるのは、その動物の命を奪うことになりますが、それは肉体からそのカムイの〝魂〟を解き放つことでもあると考えられました。人間はその肉体を受け取り、〝魂〟をカムイの世界へ送り帰すことになります」。

　アイヌの信仰について、そのような説明を読むと、私はそこにアニミズムの霊魂移動説を見いだします。その説によれば、ある個物に付着したり内在したりする霊魂（アニマ）と、それを宿す個物は別個のものです（フレイザー著・神成利男訳・石塚正英監修『金枝篇』第一巻、国書刊行会、

二〇〇四年、参照)。そうであれば、冒頭にあげました円空の木っ端仏のように、個物(木っ端)そのものが聖なる存在であるという理解と食い違うのです。私は、その違いを知っているにも関わらず、「らんこ」を手に取ったとき、その違いを意識せず、「らんこ」そのものに丸木舟と同様の聖性(カムイ)を見通してしまったのです。そこで問題は、はたして削りくずにもカムイは宿っているやいなや、です。推論を導きますと、丸木舟自体にカムイは宿るけれども「らんこ」には内在していないことになります。

しかし、私は、二風谷の丸木舟工房で、なぜ「らんこ」に対して、あたかも円空木っ端仏に接したような気分になったのでしょうか。なぜでしょうか。根拠はたぶん、これまで私がフィールドにしてきた頸城野で出会った神々の性格にあります。江戸時代から同地方に伝わる雨乞い儀礼や風封じの儀礼では、石塊や暴風を神そのものと見なして遇します。それらの背後に不可視の神格は控えていません。その神観念は、たとえ木片であろうとも樹木自体が神であるという円空仏の性格に通じます。そのような事情から、二風谷の「らんこ」に対してもその観念で接してしまったのでしょうね。

ここでは、これ以上詳しい説明をしません。関心おありの方々は、以下のサイトに掲載されている関連拙稿をご覧ください。「ミケランジェロの大理石―〔理想の身体〕をめぐって」頸城野郷土資料室学術研究部研究紀要、Forum39、二〇一九年一月一五日公開。(次節参照)
https://www.jstage.jst.go.jp/article/kfa/2019/39/2019_1/_article/-char/ja/

三　ミケランジェロの大理石
――〔理想の身体〕をめぐって

はじめに

頸城野(新潟県上越地方)やマルタ島など地中海で石造物調査を始めて、かれこれ三〇年になる。延べ一四〇か所余り、年平均四~五回になる。ある時は山岳の麓や岩屋で修行中の行者が刻んだ弥勒仏や不動明王を、またある時は雨乞い祈願などで農民がつくった田畑や池畔の地蔵や庚申様を、しげしげと観察してきた。その過程で私は、地元産石造物の素材に対して、次のように意識するようになった。

南欧や地中海沿岸はもとより、北欧でも神の素材として石が多く使用される。なるほど、石は壊れにくいから素材に選ばれる。しかし、そもそも、ある民族や個人にとって神にしやすい素材は、素材それ自体が神的なのである。石造文化を研究対象とする人は、この点をしっかり認識してかからねばならない」（石塚正英「縄文土偶と記紀神話―ド＝ブロス、フレイザーを援用した比較研究」、石塚編著『石の比較文化誌』国書刊行会、二〇〇四年、三六頁）。

そのように記してはみたものの、先史・古代でなく、文明の発達した後代においては、素材としての石は文字通り素材・部材でしかなく、聖なる存在はその中に隠れている、閉じ込められている、という認識が一般的となった。日本では一木彫から寄木造りへの転換がそれを物語っている。では、ヨーロッパの事情はどうか。その問題を、私は、イタリア・ルネッサンス期に活動した彫刻家ミケランジェロ・ブオナローティ（一四七五～一五六四）の大理石観を通して検討してみたい。

ミケランジェロにとっての大理石

その問題を調べるのにうってつけの催し物が二〇一八年六月～九月、東京の国立西洋美術館で開催された。【ミケランジェロと理想の身体】展である。〔理想の身体〕というのだから、ミケランジェロの作品は精神と物質、心と身体、人間と自然といった二元論から距離をおいているのかと、心をときめかしつつプロムナードをめぐった。作品の芸術的完成度は、文字通りルネッサンス的であった。造形美における理想の極致と形容して差し支えなかった。けれども、会場で手にした図録『ミケランジェロと理想の身体』を開いて、驚いてしまった。素材としての大理石に関係して、こう記されていたのである。

★ミケランジェロいわく

「私は彫刻というものは、どうしても取り出すべきものとして制作するものと考えます」（一一頁）。

★美術史家セブレゴンティいわく

「ミケランジェロによれば、石の中にはすでに潜在的にその像は内包されており、芸術家の手によって余計なものを取り去られ自由になるのを待っているというのである」（一一頁）。

「後者の四体〈若い奴隷〉〈髭の奴隷〉〈アトラス〉〈目覚める奴隷〉）…はいずれも苦しみを表現しており、あたかも自らを閉じ込めている大理石の塊から自由になろうと途方もない努力をしているように見える」（一一頁）。

「ミケランジェロは《聖マタイ》…では、自身を閉じ込める大理石塊から抜け出ようともがく聖人の肉体の劇的なコントラポスト、反射的な頭部のひねり、苦痛が引き起こす迫力ある躍動のうちに《ラオコーン》像から受けた影響を示している」（一〇三頁）。

「《ダヴィデ＝アポロ》は、ミケランジェロの生み出した根本的な表現方法である『曲がりくねった』動きの最高に例であり」（一一五頁）

「彼の芸術は閉じ込められた大理石の中から自由になろうともがいている人間の形との闘いであると解釈されている」（一一六頁）。

セブレゴンティ編集による以上の大理石観を、私はミケランジェロ自身の受け止めとみている。論拠は「ミケランジェロの詩と手紙」（須賀敦子訳、SPAZIO 1976 No.12）ほかに散見される。くだんの図録からは、どうみても大理石それ自体に聖性は読み取れない。自然界に存在する被造物としては最高のものだが、あくまでも聖なる存在を覆っている、聖ならぬ「余計なもの」である。あるいはまた大理石は、神像を納める容器ということになる。〔理想の身体〕とは、容器としての理想なのである。身体そのものが聖なる存在つまり理想となっているわけではないのである。

ミケランジェロは、出来栄えが芳しくないと、よく制作を途中で放棄した。その時ミケランジェロは、制作中の大理石像に対して神そのものの表現という意識をもちはした。けれどもうまくいかなければ、その残欠は余計なものに転落する。うまくいったとしても、そこに表現された聖性は、素材＝大理石でなく聖なるイメージ＝キリスト教に基づいている。彫刻技術は芸術＝アートでなく儀礼＝サクラメントに奉仕する。いずれにせよ、大理石が大理石のままで聖なる存在とみなされることはない。理想の大理石は〈ダヴィデ〉像になったそれであって、大理石が大理石のままで理想と見做されるわけではない。

国立西洋美術館で開催された【ミケランジェロと理想の身体】展において私は、大理石そのものが〈理想の身体〉という構えを見いだすことはなかった。ミケランジェロはよく鎌倉初期の運慶と比較され、運慶は〈日本のミケランジェロ〉と称されもする。それは造形美からの比較である。運慶は、定朝に始まるとされる寄木造の技術をもって〈理想の身体〉を仏像に託した。それは見事である。けれども、素材は寄木＝部材の集合にすぎない。素材そのものに聖性を追求するならば、それは一木造にさかのぼる。私は、素材そのものに聖性を求めて、エジプトのピラミッドよりも古いマルタ島・ゴゾ島の石灰岩遺跡を調査した。それと同じように、私は、クスノキやカヤの一木で造られた仏像を日本各地に見出した。また、日本海沿岸の一角、上越地方にも一木造りを探した。大理石をめぐるミケランジェロの認識を確認する傍証として、以下において、クスノキやカヤの一木で造られた飛鳥時代から奈良時代の仏像を検討する。

山川草木に悉く仏性有り

思想家・人類学者の中沢新一は、『朝日新聞』（二〇〇六年一一月一九日付朝刊・広告コラム「仕事力」）に「仕事と暮らしが日本人の芸術だ」と題する記事を載せ、その中で次のように述べている。

極東の日本は、東アジアでキリスト教の布教が成功しなかった数少ない国です。韓国やフィリピンのように、多くの国民がキリスト教を受け入れた国々と何が異なるのかと言えば、日本人が長年かけて培ってきた独特の自然観にあると思います。だから、キリスト教の根底にある、自然を戦うべき相手ととらえるような考え方を受け入れられなかったのです。（中略）自然を支配し産業を加速するという方向で先進国が走ってきた結果、地球全体の環境問題が発生してきました。日本人はこの問題に立ち向かっていける思想を、歴史的時間をかけて育んできました。日本人がずっと抱いてきた自然への思想からしか、答えは生まれてこない。その日本人本来の思想を取り戻す大きな芽として、ニートは生まれるべくして生まれてきたとは考えられないでしょうか。産業と教育の落ちこぼれというネガティブなとらえ方は、何か大切なものを見落としていると私は思います。

中沢の示す日本人の自然観は、古代インドに発する仏教には見られない。先史日本の精神的オリジナルである。日本で仏教を受け入れた古代人は、すでに縄文の段階で培った自然物・自然現象に対する信仰・儀礼を捨て去ることなく、それらを仏教の如来信仰や菩薩信仰に重ね合わせて維持し続けた。逆に、仏教の方が縄文や弥生の自然信仰とその儀礼に自らの信仰形態を従わせ、非情（精神なき自然物）も成仏するとか山川草木に悉く仏性ありとして、布教に従事したのであった。中村元によると、本来インドでは有情以外の成仏は説かれなかったとのことである。そうであるとするならば、先史日本では自然がそのままで神であったのは紛れもないことであろう。（中村元「山川草木に悉く佛性有り」『学鐙』第九〇巻第一号、一九九三年、一六〜二三頁）。

その印象を色濃く今に伝える仏像がある。それは奈良平安時代（八〜九世紀）につくられたいわゆる一木彫仏像である。二〇〇六年秋、上野の東京国立博物館で特別展「仏像　一木（いちぼく）にこめられた祈り」が催された。奈良時代から江戸時代の円空・木喰に到るまで、一木彫・鉈彫りの神像が一同に展示されたのである。私もこの機をとらえて調査見学し、あわせて図録『特別展・仏像・一木にこめられた祈り』（東京国立博物館発行、二〇〇六年）の解説「初期一木の世界」（岩佐光晴）を精読した。また、開催中の二〇〇六年一一月一二日、NHKは番組「新日曜美術館」で「日本の仏像はこうして生まれた・木の霊性が宿る仏」を放送した。その中でおおよそ次のような解説がなされた。現世における無病息災などを祈願して樹木を信仰してきた古代日本人は、奈良時代になると、鑑真の指導もあって、大地に根を張った生命力あふれる大木から十一面観音などの仏像を彫りだすようになった。

それが平安時代になると、仏像は西方浄土あるいは来世に心を向ける信仰の対象にかわった。一木で高名な僧侶が彫られ、さらにその体内に十一面観音が潜むようにして顔面内聖顔が彫られている宝誌和尚立像（平安時代・一一世紀、像高一五九センチメートル、京都・西住寺）はその典型であろう。ちなみに、宝誌和尚（四一八〜五一四）は日本に仏教が伝来する以前に南朝時代の中国で活躍した僧侶で、十一面観音の化身という伝承・信仰がある。

仏像も一木でなく寄木造り（定朝様）で表現されるようになった。けれども、樹木の霊にこだわって一木で仏像を造る技法は、以後地方に残存することとなり、やがて江戸初期になって円空において庶民のあいだに復活するのであった。

ここまで説明を聞くと、一木像彫の精神は、もうほとんど野の石仏造立の精神と一緒であることがわかる。私は二〇〇六年一〇月に大分の熊野磨崖仏を調査に行った。二体彫られているのを確認した。高さ約七メートルの大日如来像は、約八メートルの龕に刻印されていた。またその左に位置する岩壁には、高さ約八メートルの不動明王像が刻印されていた。お不動さまのユーモアにあふれる下膨れのお顔はじつに印象深かった。この磨崖仏の右奥に熊野神社が造営されているのであるが、これは熊野修験と密接な関係をもっていた。それはそれとして、この熊野神社は秩父の岩根神社とおなじく、岸壁を神体とするものであることはあきらかである。石仏を彫りだす人は、その素材である岸壁や石塊それ自体に神性を見抜いているのである。彫りだされる像容はafterthought（後知恵）でしかありえない。それと同様、一木仏も、それを彫りだす人は、その素材である樹木それ自体に神性を見抜いているのである。その精神は、自然と人間を一つにした森羅万象をつらぬく、いわば〔ちきゅうの鼓動〕なのだ。

神性における素材と像容との一致を考えるにつけ、私はここで「美学の創始者」と称される一八世紀ドイツの哲学者バウムガルテンの発想を引用したい。井奥陽子『バウムガルテンの美学』（慶応義塾大学出版会、二〇二〇年、一七四頁）からの孫引きで紹介する。

> 古代人たちには或る特定の彫像〔statue〕をアルグーメンタと名づけていたことがみうけられるが、我々にはそれがなぜか分かるだろう。すなわち、その彫像が写しとる〔abbliden〕原像〔Original〕を我々が認識しうるための根拠が、その彫像に含まれているからである。(KA §26, S.84)

「その彫像が写しとる〔abbliden〕原像〔Original〕を我々が認識しうるための根拠が、その彫像に含まれている」という主張は、影像（模写）において原像（本物）が認識できるという主張である。すなわち、影像はたんなる模写ではなく、そこに原像を認識できる根拠を具えている、つまり一種の本物でもあるということだ。本物でない複製物にも、ベンヤミンのいうアウラが備わっていると理解できる主張である。これは、キリスト教においては偶像崇拝と理解（誤解）される発想である。バウムガルテンの〔アルグーメンタ〕論は、アニミズムやフェティシズムにリンクしていて、じつに含蓄あふれる捉え方である。

むすび

私がフィールドとしてきた頸城野（新潟県上越地方）には平安時代の一木彫仏像がいまに遺されている。それは上越市虫生岩戸の岩殿山明静院（国分寺奥の院）に安置されている木造大日如来坐像である。寺伝には、国分寺を開基した行基の作とあるが、この地の仏教美術史家、故平野団三は頸城野に坐すこのような一木彫仏像に関して、つとにこう記していた。「木彫でも黒川芋の島大日像、菅原馬屋大日像など何れも藤原期ですが土地出来で一木鉈造り系統です。佛像も中央製作で実に立派な物が舶載されて来るのは鎌倉も末に下つて来るのではないでせうか」（「上越石佛に対する調査中間報告」、『頸城文化』第二号、一九五二年）。

造形美の点でなく、儀礼の点でいうと、ミケランジェロが彫りだす像容はメンヒルやドルメン以後の afterthought（後知恵）である。文明的キリスト教を前提にしたイメージである。そのイメージにぴったり合う素材としてミケランジェロは、石切り場のあるカッラーラ（トスカナ州マッサ＝カッラーラ県）に魅了されたのだった。最初にイメージありき、だった。この、イメージと素材とに区別だてのない時代は、石塊それ自体、樹木それ自体が端的に神であった。そのような神をフェティシュと称し、そのような信仰をフェティシズムと称する。私はその神観念を長年に渡って調査研究してきた。そのキャリアから結論して、ミケランジェロは大理石フェティシストではなかった。わがフェティシズム研究の成果については、さしずめ以下の拙著を参照されたい。『フェティシズム―通奏低音』社会評論社、二〇一四年。『母権・神話・儀礼―ドローメノン（神態的所作）』社会評論社、二〇一五年。

四　キリスト教徒は神への呼びかけに〝thou〟（英語）、〝Du〟（独語）〝tu〟（仏語、伊語）を使う

信仰世界でキリスト教徒が神に呼びかけるとき、「おんみ」と称し、神が信徒に呼びかけるときは、信徒同士が互いを指して使う「汝」と同様であると、私はながくそう思っていました。「汝」とは「君、おまえ」といった意味です。私自身、キリスト教を信仰していないので、「おんみ」と「汝」とは、欧語では明確に異なっていると、勝手にそう思っておりました。

ところが、キリスト教徒は、神を呼称〝thou〟（英語）、〝Du〟（ドイツ語）〝tu〟（フランス語、イタリア語）で呼びかけており、それらはすべて信徒たちが互いに呼びかけあう親称と同じだったことに、いまさらながら、気づきました。二〇二〇年五月四日に行われましたオンラインの〈リモートカレッジ講座〉（ホスト石塚正英）第二回で私が報告した『ベートーヴェン〔運命〕とインド神崇拝』について、参加者の一人、川本隆から受けた質問がきっかけです。

ところで、なぜ、いまさらながら、なのでしょうか。わが人生において、光陰矢の如く古稀を迎えているという理由のほかに、今一つ、もっと重要な理由があります。それは、キリスト教の神の呼称にあたる日本語に起因します。神を称えて呼びかける場合は、文語調ですと、「おんみ」と称します。むろん翻訳語です。原語をはっきりと確認しないできた私にすれば、それは崇高な表現で、地上の信徒たちが互いに親しく呼びかける「汝」とは別個の言葉であると思っていたのです。けれども、原語ではみな同じだったのです。そのことを、私はミケランジェロとベートーヴェンの事例で知りました。ちなみに、〈リモートカレッジ講座〉第三回（二〇二〇年五月二三日）で、私は「ミケランジェロの大理石」と題して報告する予定だったので、その準備作業中にいっそう明確に意識するに至りました。

ミケランジェロは、一五五〇年、知人のジョルジョ・ヴァザーリに宛てた書簡で、こう記しています。

Non ha l' ottimo artista alcun concetto,
Ch' un marmo solo in sè non circonscriva
Col suo soverchio; e solo a quello arriva
La man che ubbidisce all' intelletto.

優れた芸術家は　大理石にむかうとき

余計の部分に　かくれ潜(ひそ)む
唯一つの真理を追うだけ
手は知性の命じるところを　なぞるままに

Il mal ch'io fuggo, e 'l ben ch'io mi prometto,
In te, donna leggiadra, altera e diva,
Tal si nasconde; e perch'io più non viva,
Contraria ho l'arte al disiato effetto.
それに似て　疎ましい災も　待ち望む善きことも
おお
誇り高い女神よ　爽かな君よ　おんみはすべてを秘
めている
だが　わたしの芸術(わざ)は　心に背き
思うように　実をむすんではくれぬ

Amor dunque non ha, nè tua beltate,
O durezza, o fortuna, o gran disdegno,
Del mio mal colpa, o mio destino o sorte;
愛が　おんみの美しさが
頑な心が　また幸運が　蔑みが
わたしの不幸の種　宿命　因果とは言わせぬ

Se dentro del tuo cor morte e pietate
Porti in un tempo, e che 'l mio basso ingegno
Non sappia, ardendo, trarne altro che morte.
おんみの心は　死と慈悲を兼ね具えているのに
これほど燃えながら　死より選ぶを却らぬは
ひとえに　わたしの菲才ゆえ（注）

（注　この詩は、制作年代不詳。ヴィットリア・コロンナに捧げたものと思われる。　ミケランジェロからジョルジョ・ヴァザーリ宛、一五五〇年。日本オリベッティ広報部『SPAZIO』第七巻第一号（No.12）、一九七六年三月刊、七四頁。）

次にベートーヴェンの事例をあげます。それは、拙著『身体知と感性知―アンサンブル』（社会評論社、二〇一五年、一八二頁）に記してあるので、拙著から引用します。身体的な苦境に端を発してカトリックを拒否しインドの諸神に接近するようになったベートーヴェンの心境です。

ベートーヴェンは、一八一五年に次のような書付けを残した。「ブラマ(Brahma)、その精神はブラマ自らのなかにのみこまれている。力強きもの、ブラマは空間のどの部分にも現存している。(中略)汝(Du)はあらゆる讃美と敬慕のまとたれ！　汝(Du)は真の至福バガヴァーン(Bhagavan)、すべての法則の本体であり、あらゆる叡智の形像であって、全世界を現実のものたらしめ、万物を担うものである」。ベートーヴェンはこのようにしてインドの創造神ブラマ、至高神バガヴァーンに対し尊敬の呼称「おんみ(Sie)」でなく親愛の呼称「汝(Du)」で語りかけて崇敬するのである。「ブラマ」とはインドの創造神「ブラフマン」のことで、維持の神ビシュヌ、破壊の神シバと並ぶ三大神である。また「バガヴァーン」とは「バガヴァット」と同じく、「最高霊」「至高存在」「聖人」の意味で、中国では「薄伽梵」と音写する。イギリスの民俗学者フレイザーによれば大地の女神ダルティ・マイ(Dharti-mai)と一対になって豊穣をもたらす「太陽神(Bhagawan)」である。一八一五年当時、ベートーヴェンがそのようなインドの神、インドの信仰に親しく心身を寄せていたことはまちがいない。

この文章中で、私は至高神への一般的な呼びかけを「おんみ(Sie)」と記したのですが、それは私の勝手な判断・誤認だったわけです。キリスト教において信徒が神に対して通常はSieで呼びかけることはないのです。インドの神々に対してではありますが、ベートーヴェンは神に対する呼称にDuを使っていたのでした。それは、なにか特別なことではなかったのです。けれども、心情的にみて、長きにわたってキリスト教権力に虐げられてきた農民たちは、絶対神に向かって心から親称として〝thou〟(英語)、〝Du〟(独語)〝tu〟(仏語、伊語)を用いたとは思えないのです。

最後に、私が注目してきた一九世紀ドイツの哲学者ルートヴィヒ・フォイエルバッハに言及します。彼は、神と人、人と人、人と自然、などなどを〔私とあなた〕という関係でみていきます。たとえば、次のようにしてです。拙著『フォイエルバッハの社会哲学―他我論を基軸に―』(社会評論社、二〇二〇年、二六八頁)から引用します。

人間は、自然が創造と破壊を為すかぎり、または一般に自然が人間に対して畏敬の念を起こさせる威力という印象を与えるかぎり、自然を人間化して全能な存在者にする（*Ludwig Feuerbach Gesammelte Werke*, hg. v. W. Schuffenhauer, Akademie-Verkag, Berlin, Bd.6, 1969, S.360.）。

ここに引用した文章中の「自然を人間化して」は、いわゆる擬人化でなく文字通りのことを指します。また「全能な存在者にする」は、神格化するということを指します。そこから、人間にとって自然も神も、〔もう一人の私（alter-ego）〕の関係におかれるのです。ならば、お互い、親愛と尊敬の念を表して〝Du〟で呼び合うこととなるのが成り行きではないでしょうか。しかし、中世カトリック教会では、唯一神は信徒に対して絶対的な存在だったのですから、ベートーヴェンやフォイエルバッハには、カトリックの神は拒絶以外のなにものでもなかったのです。そうであれば、心から親称として〝thou〟（英語）、〝Du〟（独語）〝tu〟（仏語、伊語）を用いたとは思えないのです。そのようなわけで、私はながく勝手な判断・誤認をなしてきたのでした。

参考資料

	敬称	親称	神などへの呼びかけ
英語	you	(thou)	thou
ドイツ語	Sie	du	du
フランス語	vous	tu	tu
イタリア語	Lei (lei)	tu	tu
スペイン語	usted	tú	tú vos

＊神『など』としましたのは、神の他にも聖母マリア・聖人などの神に準ずる方々が含まれるからです。

（引用元：Prof_Hiroyuki の語学・検定・歴史談義 https://ameblo.jp/prof-hiroyuki/entry-10767451856.html）

五　ルッソフィル（ロシア原初主義）とスラヴォフィル（スラヴ愛国主義）

【報告情報】 世界史研究会 第七回例会二〇一八年三月一〇日、於・早稲田大学

木崎良平著「【ルーシ】という語の意味に関する歴史的一考察」（学位論文 京都大学 一九六四年）によれば、【ルーシ】という語の意味する内容は、ロシア社会の歴史的転回の過程で、次の様相を呈した。一系統を示すわけでないが、列記すると次のようになる。①首長・盟主（五世紀）、②赤い（八世紀）、③実在の集団（一一世紀）、④ノヴゴロドを中心としたノルマン国家（一〇世紀）、⑤種族的意味→キエフ政治的・地理的意味→正教的意味へ展開、⑥北東ロシア地域に拡大（一四世紀）、⑦いつの時点でも、「ルーシ」は東スラヴ人という「種族的・民族的意味」をもったことはなく、その語は、元来「種族的にはノルマン人を意味したに違いないと思われる」。

そのような内容の本書がもつ意義として、一八〜一九世紀ヨーロッパに登場する「ナショナリズム」の東ヨーロッパ的形成過程を明らかにしている点がある。ようするに、本書で検討された【ルーシ】および近隣語【ルテニア】【ロシア】は、のちのスラヴ世界における一地方（土地・人・文化）を指すに過ぎなかったが、やがて一八世紀以降東スラヴ世界を統合する「種族的・民族的意味」＝ネーション・ステート【ロシア】の意味内容を獲得するに至ったということなのである。

そのような仮定は、イギリスにおいては一八世紀の三王国戦争の前後に確認できる。すなわち、イギリスでは、歴史的にみて【イングランド】【スコットランド】【アイルランド】が並立して存在したが、例えばテューダー朝では、ネーションとは主権保持者、限定された上部階層を意味していたが、三王国戦争中に支配階層以下に拡大していく。その過程で【イングランド】がネーション・ステートの位置を獲得していく。つまり、ネーションなる語は、プレ・ネーション的な郷土的概念から本来のネーションに展開していったと考えられる。

ところで、【ルーシ】なる語も、これと似たような展開をみせたのではなかろうか。よって、一九世紀初に輪郭をはっきりさせた【スラヴォフィル（スラヴ愛国主義）】と【ザパトニキ（西欧主義）】の対立における両者は、ともに近代的な思想・思潮であって、とくに前者は、初期に存在したと仮定して私が造った語【ルッソフィル（ロシア原初主義）】とは別物であったことになる。

【参考】石塚正英「木崎良平著『【ルーシ】という語の意味に関する歴史的一考察』を読む」、世界史研究会編『世界史研究論叢』第七号、二〇一七年一〇月。小嶋 望「三王国戦争期王党派ニュースブックにおける『ネーション』と『イングランド人』」、世界史研究会編『世界史研究論叢』第七号、二〇一七年一〇月。

なお、近代的なナショナリズム以前の、あるいはこれと対立する郷土愛的な思想・思潮を、私は【パトリオフィル】という語で括り、議論してきた。それについては、以下の文献を参照。「岡倉天心『アジアは一なり』のパトリ的な意味」、頸城野郷土資料室学術研究部研究紀要、第一巻第二号、二〇一六年四月。「小川未明の郷土愛（パトリオフィル）—戦前・戦中・戦後の作家遍歴を踏まえて」、くびき野カレッジ天地びと講座第三〇三講、二〇一七年四月。ともに、以下の新著に再録してある。石塚正英『地域文化の沃土 頸城野往還』社会評論社、二〇一八年六月。

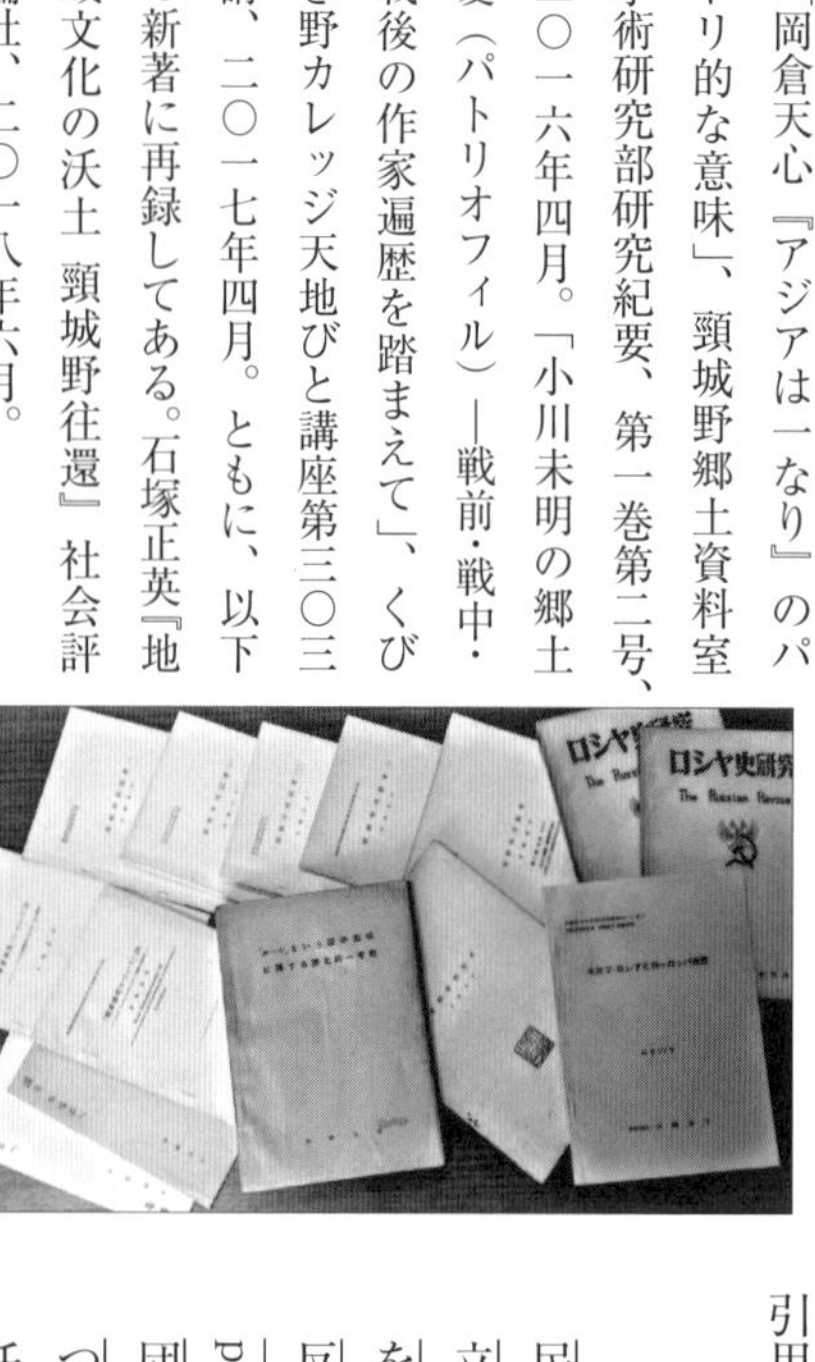

六　ロシア革命の教訓
——コミューンからアソシエーションへ

タイトルに記された課題について、現行の日本共産党綱領に関して幾つか学術的疑問を呈する形で論じてみる。

【疑問点1】以下に同党綱領中の（13）全文を引用する。引用文中の英文挿入は、英語版綱領の同一箇所を示す。疑問点は傍線で強調した文章に関してであり、疑問の内容は引用文に続く「コメント」に記されている。

（13）民主主義的な変革は、労働者、勤労市民、農漁民、中小企業家、知識人、女性、青年、学生など、独立、民主主義、平和、生活向上を求めるすべての人びとを結集した統一戦線によって、実現される。統一戦線は、反動的党派とたたかいながら、民主的党派（democratic parties）、各分野の諸団体、民主的な人びととの共同と団結（cooperation and unity）をかためることによってつくりあげられ、成長・発展する。当面のさしせまった任務にもとづく共同と団結（common efforts and unity）

は、世界観や歴史観、宗教的信条の違いをこえて、推進されなければならない。

日本共産党は、国民的な共同と団結（national common effort and unity）をめざすこの運動で、先頭にたって推進する役割（the role as the foremost promoter of the movement）を果たさなければならない。日本共産党が、高い政治的、理論的な力量と、労働者をはじめ国民諸階層と広く深く結びついた強大な組織力をもって発展することは、統一戦線の発展のための決定的な条件となる。

日本共産党と統一戦線の勢力が、積極的に国会の議席を占め、国会外の運動と結びついてたたかうことは、国民の要求の実現にとっても、また変革の事業の前進にとっても、重要である。

日本共産党と統一戦線の勢力が、国民多数の支持を得て、国会で安定した過半数を占めるならば、統一戦線の政府・民主連合政府をつくることができる。日本共産党は、「国民が主人公」を一貫した信条として活動してきた政党として、国会の多数の支持を得て民主連合政府をつくるために奮闘する。

統一戦線の発展の過程では、民主的改革の内容の主要点のすべてではないが、いくつかの目標では一致し、その一致点にもとづく統一戦線の条件が生まれるという場合も起こりうる。党は、その場合でも、その共同が国民の利益にこたえ、現在の反動支配を打破してゆくのに役立つかぎり、さしあたって一致できる目標の範囲で統一戦線を形成し、統一戦線の政府をつくるために力をつくす。

また、全国各地で革新・民主の自治体を確立することは、その地方・地域の住民の要求実現の柱となると同時に、国政における民主的革新的な流れを前進させるうえでも、重要な力となる。

民主連合政府の樹立は、国民多数の支持にもとづき、独占資本主義と対米従属の体制を代表する支配勢力の妨害や抵抗を打ち破るたたかいを通じて達成できる。対日支配の存続に固執するアメリカの支配勢力の妨害の動きも、もちろん、軽視することはできない。

このたたかいは、政府の樹立をもって終わるものではない。引き続く前進のなかで、民主勢力の統一と国民的なたたかいを基礎に、統一戦線の政府が国の機構の全体を名実ともに掌握し、行政の諸機構が新しい国民的な諸政策の担い手となることが、重要な意義をもってくる。

　民主連合政府は、労働者、勤労市民、農漁民、中小企業家、知識人、女性、青年、学生など国民諸階層・諸団体の民主連合に基盤をおき、日本の真の独立の回復と民主主義的変革を実行することによって、日本の新しい進路を開く任務をもった政権である。

★疑問点1に関するコメント―「党」の問題　統一戦線は「独立、民主主義、平和、生活向上を求めるすべての人びと」が結集して成立する。そして、この結集体は「民主的党派、各分野の諸団体、民主的な人びととの共同と団結をかためることによってつくりあげられ、成長・発展する」のである。ところで、日本共産党は、引用文に記された「民主的党派」の一つではないのだろうか。日本共産党は「先頭にたって推進する」が、あくまでも「民主的党派」の一つなのではないのか。しかし、「日本共産党と統一戦線の勢力が、国民多数の支持を得て、国会で安定した過半数を占めるならば」という表現からは、日本共産党だけが統一戦線と別個の存在とも解釈できる。また、同じく引用文に記された「民主的な人びと」は、前者の引用第一文に記された「すべての人びと」に含まれているのではないだろうか。同じ集団が団結し合うというように解釈できる。けっきょく、上記の文章では「統一戦線」、「民主連合政府」、「民主的党派」および「日本共産党」の四者関係が、微妙にあいまいなのである。

　さて、ロシア革命の時代、革命が軍事力学上の勝利を収めて成功したとき、ウラジミール・レーニンは、労農兵ソヴェトと党（ボルシェヴィキ）との関係をどのように捉えていたであろうか。知られている標語によれば「すべての権力をソヴェトへ！」ということであるから、党つまりボルシェヴィキはソヴェトに従属することになるはずであった。レーニンは、マルクス・エンゲルスと同様、パリ・コミューンを高く評価する。そのかぎりで彼はコミューンについての観念をマルクス・エンゲルスと共有している。だが、このコミューンを樹立するまでの共産主義者の役割となると、まったく別途の方策を考案したのだった。秘密裡に、十分な訓練を受けた少数の職業革命家たちは、そうであるからなおのこと、ロシア革命の成功に最大の貢献を為したのである。ロシア革命を成功させるのに功労のあった職革・労革の指導者集団は、けっきょく、ソヴェトにおいて「だれも『官僚』になれない状態」を選択するのでなく、党を残存させて、永久に独裁権を保持できる状態を選択したのである。ロシア革命は、軍事上の勝利は収めたものの、共産主義革命としてはレーニンの死を以て内的に敗北したのであった。（レーニンおよびヨシフ・スターリンにおける党の問題については、石塚正英『文化による抵抗―アミルカル・カブラルの思想』柘植書房、一九九二年、第六章「プロレタリアート革命と政党の廃絶」、参照。）

レーニンやレオン・トロツキーを含めたボルシェヴィキ党は、ソヴェトの選出基盤たる労働者・農民社会をコミューンでなくアソシエーションへ向かって改造するという、プロレタリアート革命にとって第一の任務を棚上げしたまま、党権力――チェカ創設、軍と産業への党の介入等――だけを強大化したのである。それでは本末が転倒していることを、最晩年に至ってレーニンは再確認した。しかし、時すでに遅しだった。――彼には「スターリンはあまりにも粗暴である」と遺言するのが精一杯であった（注 松田道雄編『ドキュメント現代史Ⅰ、ロシア革命』平凡社、一九七二年、三一七頁、参照）。

【疑問点2】 以下に同党綱領中の（15）全文を引用する。引用文中の英文挿入は、英語版綱領の同一箇所を示す。疑問点は下線で強調した語句「共産主義の社会」「共同社会」に関してであり、疑問の内容は引用に続く「コメント」に記されている。

5．社会主義・共産主義の社会をめざして

（15）日本の社会発展の次の段階では、資本主義を乗り越え、社会主義・共産主義の社会（a socialist/communist society）への前進をはかる社会主義的変革が、課題となる。これまでの世界では、資本主義時代の高度な経済的・社会的な達成を踏まえて、社会主義的変革に本格的に取り組んだ経験はなかった。発達した資本主義の国での社会主義・共産主義への前進をめざす取り組みは、二一世紀の新しい世界史的な課題である。

社会主義的変革の中心は、主要な生産手段の所有・管理・運営を社会の手に移す生産手段の社会化である。社会化の対象となるのは生産手段だけで、生活手段については、この社会の発展のあらゆる段階を通じて、私有財産が保障される。

生産手段の社会化は、人間による人間の搾取を廃止し、すべての人間の生活を向上させ、社会から貧困をなくすとともに、労働時間の抜本的な短縮を可能にし、社会のすべての構成員の人間的発達を保障する土台をつくりだす。

生産手段の社会化は、生産と経済の推進力を資本の利潤追求から社会および社会の構成員の物質的精神的な生活の発展に移し、経済の計画的な運営によって、くりかえしの不況を取り除き、環境破壊や社会的格差の拡大などへの有効な規制を可能にする。

生産手段の社会化は、経済を利潤第一主義の狭い枠組みから解放することによって、人間社会を支える物質的生産力の新たな飛躍的な発展の条件をつくりだす。

社会主義・共産主義の日本では、民主主義と自由の成果をはじめ、資本主義時代の価値ある成果のすべてが、受けつがれ、いっそう発展させられる。「搾取の自由」は制限され、改革の前進のなかで廃止をめざす。搾取の廃止によって、人間が、ほんとうの意味で、社会の主人公となる道が開かれ、「国民が主人公」という民主主義の理念は、政治・経済・文化・社会の全体にわたって、社会的な現実となる。

さまざまな思想・信条の自由、反対政党を含む政治活動の自由は厳格に保障される。「社会主義」の名のもとに、特定の政党に「指導」政党としての特権を与えたり、特定の世界観を「国定の哲学」と意義づけたりすることは、日本における社会主義の道とは無縁であり、きびしくしりぞけられる。

社会主義・共産主義の社会がさらに高度な発展をとげ、搾取や抑圧を知らない世代が多数を占めるようになったとき、原則としていっさいの強制のない、国家権力そのものが不必要になる社会、人間による人間の搾取もなく、抑圧も戦争もない、真に平等で自由な人間関係からなる共同社会（an association）への本格的な展望が開かれる。

人類は、こうして、本当の意味で人間的な生存と生活の諸条件をかちとり、人類史の新しい発展段階に足を踏み出すことになる。

★疑問点2に関するコメント ──「アソシエーション」の問

題　本綱領では、「共同社会」と「共産主義社会」は同一の意味をもつと思われるが、英語版綱領で「共同社会」は「an association」とされている。また、「共産主義社会」は「a communist society」とされている。私の専門とする社会思想史研究では、概念として、association は「共産主義（communism）」とか「共産主義社会（a communist society）」とは一線を画する点を指摘したい。この二語の関係は、一九世紀ヨーロッパ思想運動にあって、コミューンからアソシエーションへ、という変遷を確認できる（石塚正英『革命職人ヴァイトリング―コミューンからアソシエーションへ』社会評論社、二〇一六年、参照）。それはおおよそ以下の二系譜から登場した。一つはジョン・ロック的系譜である。つまり、近代市民社会における個人を社会構成の出発点とし、この個の契約をもって社会成立の基盤とする。その場合、この契約が服従的なものから連合的なものへ転化する地平にアソシエーション（協同）が出現する。いま一つはジャン゠ジャック・ルソー的系譜である。ルソーは、近代市民社会における個人を社会全体と一致させるところから出発し、この個と個の結合すなわち社会全体、という結合契約をもって社会成立の基盤とする。その場合、個は全体に優先することはなく、全体のなかに個が成立するという、コミューン（共同）が再構成される。この二系譜から、やがて一九世紀になってシャルル・フーリエやジョゼフ・プルードンが登場した。こうして、財産を個人ではなく社会が共有する単一的なコミューンから、財産を占有する個人の連合である多元的なアソシエーションへの転化が生じたのである。マルクスはパリ・コミューンにおいて後者を展望し、レーニンはソヴェトという社会単位においてこれを実践しようとした。だがレーニンの軍事的・政治的・肉体的衰退は、スターリン時代における前者の復活をもたらした。スターリンのいわゆる「一国一工場」理論である。

【疑問点3】　以下に同党綱領中の（17）全文を引用する。引用文中の英文挿入は、英語版綱領の同一箇所を示す。疑問点は下線で強調した語句「日本だけの問題」「共同社会」に関してであり、疑問の内容は引用に続く「コメント」に記されている。

（17）社会主義・共産主義への前進の方向を探究することは、日本だけの問題ではない（not exclusive to Japan）。

二一世紀の世界は、発達した資本主義諸国での経済的・政治的矛盾と人民の運動のなかからも、資本主義から離脱した国ぐにでの社会主義への独自の道を探究する努力のなかからも、政治的独立をかちとりながら資本主義の枠内では経済的発展の前途を開きえないでいるアジア・中東・アフリカ・ラテンアメリカの広範な国ぐにの人民の運動のなかからも、資本主義を乗り越えて新しい社会をめざす流れが成長し発展することを、大きな時代的特徴としている。

日本共産党は、それぞれの段階で日本社会が必要とする変革の諸課題の遂行に努力をそそぎながら、二一世紀を、搾取も抑圧もない共同社会（an association）の建設に向かう人類史的な前進の世紀とすることをめざして、力をつくすものである。

★疑問点3に関するコメント――単一か多元化か　本綱領「共同社会」の英語版をみると冠詞「an」が付いている。これは単一の社会を意味する。将来社会は、マルクスの意味ではけっして単一性のみでなく多様性をも特徴とする。また、本綱領で述べられていることは「日本だけでの問題でない」、日本一国内での前進、運動、努力を問題にしているのではない、「広範な国ぐにの人民の運動」に関係している、と解釈できる。けれども、本綱領は、それらの国ぐにの人民と連帯する、とは明記されていない。連帯しないとも明記されていない。日本共産党が目指す二一世紀の目標は「共同社会の建設」であるが、それは単数、つまり単一の社会である。さて、この単数は日本社会だけを示すのか、それとも「広範な国ぐにの人民」を含むものを示すのか。共産主義運動には国境はありえないとするならば、後者が妥当と解釈できるが。あるいは、他地域の人民はそれぞれ個別に「共同社会の建設」につとめ、結果として世界単一の「共同社会」が建設される、ということなのか。本綱領からは以上の疑問点が浮かんでくる。だが、この疑問は、二一世紀のこんにちにあってなお、第一にロシア革命を再検討することによってこそ解決でき教訓化できるのである。

ついては、拙著『革命職人ヴァイトリング―コミューンからアソシエーションへ』に記されている以下の文章を参照されたい。

本書は、二〇一七年ロシア革命百周年を意識している。一九一七年に全世界を揺るがしたこの出来事は、一九世紀ヨーロッパで継起した諸革命運動の帰結であるものの、アソシエーション型でなく、コミューン型に収斂した。あるいはまた、クロンシュタット叛乱（一九二一年三月）鎮圧を契機に、ソヴィエト＝〔社会原理〕でなくロシア共産党＝〔国家原理〕へと権力が集中し始めた。本書を通じて私は、ロシア革命におけるそうした負の教訓を踏まえ、二一世紀においてはアソシエーション型社会の実現を展望するものである。その立ち位置は、拙著『ソキエタスの方へ―政党の廃絶とアソシアシオンの展望』（社会評論社、一九九九年）で表明した議論の延長上にある。」（一六〜一七頁）

「かつてマルクス・エンゲルスは『共産党宣言』（私の用語では「共産主義者宣言」）で、プロレタリアートは政治的支配を獲得し、国民（Nation）とならねばならない、と主張した。このような発想は一九世紀から二〇世紀にかけての国民国家全盛期に符合するものであって、トランス・ナショナルの傾向を強めつつあるこんにち、すでに一種のアナクロニズムとなっている。現在、政治的な境界、主権的な壁はここかしこで曖昧になってきている。そして、この現象を推し進める主体はワールド・ワイドな諸個人の社会的連携＝アソシエーションであり、社会的に協同した諸個人のネットワークである。一九世紀人マルクスは、プロレタリアートは「国民」になるべきだと考えた。さて、国民には国家＝国権という枠が前提されているのだが、二一世紀のこんにち、まさにこの枠こそがアソシエーション拡大の障害となっているのである。（一二二頁）

★参考文献一覧：石塚正英『文化による抵抗―アミルカル・カブラルの思想』（柘植書房、一九九二年）、同『ソキエタスの方へ―政党の廃絶とアソシアシオンの展望』（社会評論社、一九九九年）、同『アソシアシオンの世界多様化―クレオリゼーション』（社会評論社、二〇一五年）、同『革命職人ヴァイトリング―コミューンからアソシエーションへ』（社会評論社、二〇一六年）。

七　歴史限定的概念としての政治政党
――結社と政党の相違

前節「ロシア革命の教訓」に記した一段落を、ここでもう一度繰返す。

ロシア革命の時代、革命が軍事力学上の勝利を収めて成功したとき、レーニンは、労農兵ソヴェトと党（ボルシェヴィキ）との関係をどのように捉えていたであろうか。知られている標語によれば「すべての権力をソヴェトへ！」ということであるから、党つまりボルシェヴィキはソヴェトに従属することになるはずであった。レーニンは、マルクス・エンゲルスと同様、パリ・コミューンを高く評価する。そのかぎりで彼はコミューンについての観念をマルクス・エンゲルスと共有している。だが、このコミューンを樹立するまでの共産主義者の役割となると、まったく別途の方策を考案したのだった。秘密裡に、十分な訓練を受けた少数の職業革命家たちは、そうであるからなおのこと、ロシア革命の成功に最大の貢献を為したのである。ロシア革命を成功させるのに功労のあった職革・労革の指導者集団は、けっきょく、ソヴェトにおいて「だれも『官僚』になれない状態」を選択するのでなく、党を残存させて、永久に独裁権を保持できる状態を選択したのである。ロシア革命は、軍事上の勝利は収めたものの、共産主義革命としてはレーニンの死を以て内的に敗北したのであった。その敗北は、革命党＝革命結社と革命運動の関係について捉え違いをしていたことに起因する。

マルクス・エンゲルスの意味における共産主義は、将来の労働者アソツィアツィオーン実現へと向かう運動であり、行動体なのだから、自らを党（部分）として分立させることはありえない。共産主義者は、欧米のあらゆる都市・農村で地区コミューンを設立するべく行動する労働者党の中に存在するのだ。そのことは、ドイツ社会民主主義労働者党にも妥当する。この党は共産党ではない。共産党という組織は、共産主義運動にはけっして存在しない。万国のプロレタリアートの間にあって他の労働者党のむこうを張って自己の党を結成しないのが、共産主義なのだ。革命はプロレタリアートの仕事であり、その目標はアソツィアツィオーンの実現である。しかし、これは一挙に成し遂げることができない。

それに先だって、プロレタリアートは自己の権力実体として労働者政府を樹立する。さらに、その政府を樹立するまでは各地区・各都市に労働者の党を組織して、革命運動を推進する。ところで、共産主義者は、他の主義者ともどもその労働者党の一員となって運動を前進させるが、革命を実行した段階——実例としてはパリ・コミューン——においては、党はもはや問題にならない。ここでは行動体——マルクスにおける労働者政府——は、むろん共産主義者がその指導的中核を形成するものの、彼らはけっして党を結成している訳ではない。よって、プロレタリアート革命において党が積極的な意味をもつのは、労働者の政府が樹立されるまで、ということになる。それにしても、ここで述べている党とは、共産党のことではないのである。かように、マルクス・エンゲルスにとって共産党という組織は、文字通りの幽霊である。共産党が指導するプロレタリアート革命などという構えを一九世紀のヨーロッパ社会に想定してみても、それはまぼろしである。一八七二年において『宣言』表題から Partei が削がれたのを知ったマルクス・エンゲルスがこれを事後承諾したのは、当然のなりゆきだったのである。共産主義者マルクス・エンゲルスは、端から、党を超えていたのだ。

この問題を、私は次の論文二編でまず扱った。「プロレタリアート革命と政党の廃絶」（拙著『文化による抵抗—アミルカル・カブラルの思想』柘植書房、一九九二年、第六章）、「Kommunisten は Partei を超えている——『共産党宣言』と政党の廃絶」（専修大学社会科学研究所月報、第三五六号、一九九三年二月）。後者はその後、拙著『ソキエタスの方へ—政党の廃絶とアソシアシオンの展望』（社会評論社、一九九九年、第一章）に再録した。直近では、「ロシア革命の教訓—コミューンからアソシエーションへ」（『季報・唯物論研究』第一四一号、二〇一七年一一月）で扱った。

ところで、長年にわたる私の政党廃絶論に寄り添ってくれる議論を、つい最近読み知った。

エリック・ホブズボーム著・水田洋監訳『いかに世界を変革するか—マルクスとマルクス主義の二〇〇年』には、以下の記述がある。

〔引用一〕マルクスが生きているあいだ、本質的な任務とは、マルクスとエンゲルスの見たところでは、労働運動を一般化して階級運動とすること、労働運動が現に存在しているということが意味する共産主義による資本主義の置き換えという目的を公にすること、きわめて速やかに労働運動を政治運動に、すなわちすべての所有階級の党から独立し政治権力の獲得を目指す労働者階級の党に転化することであった。それであるから、労働者たちが政治活動から離れたり、「彼らの政治運動からその経済運動を」いくらかでも切り離すことを許したりしないことが重要であった。他方で、その党の性質は、それが階級政党であるかぎり二次的な問題である。それはその後の「党」の諸概念と混同されてはならないし、それらについての一貫した学説は、彼らの著作のなかに見出されるべくもない。この言葉自体は、非常に一般的な意味で一九世紀半ばに使われ始めたのであり、特定の一連の政治的見解あるいは政治的大義の支持者たちと、ある正規の集団の組織された構成員との双方を含んでいた。マルクスとエンゲルスは、一八五〇年代にしばしばこの言葉を共産主義者同盟、旧『ライン新聞』グループ、および両者の残党を叙述するのに使用したが、マルクスは注意深く、同盟は初期の革命的諸組織のように「党史の中の挿話にすぎず、それは自然に社会の土壌のなかのどこにでもできるもの」すなわち「広い歴史的な意味での党」であると説明した。この意味においてマルクスとエンゲルスは、「すでにほとんどの国に存在する」(一八七一年)政党としての労働者の党について語ることができたのである。

〔引用二〕党は組織された階級であろうとしなければならないのであって、マルクスとエンゲルスは『宣言』の声明から決して外れることがなかった。すなわち共産主義者は、他の労働者階級諸党に対立する別の党を作ったり、プロレタリアの運動を形成するための彼ら自身の分派的な原則を設けたりはしなかった、というのである。

以上の引用は、まるで私が書いた文章のようである。ホブズボームとの相性は、この問題で触れ合う前に、本節の最後に、二〇二二年二月にロシア連邦のプーチン政権が決行した対ウクライナ無差別爆撃に言及しておく。プーチンは、政権与党「統一ロシア」による事実上の独裁を背景に、核攻撃をもちらつかせつつ、この暴挙に出た。そのありさまは旧ソ連共産党の再来を彷彿とさせる。私は、あらためて政党の廃絶を、学術的なレベルで強く意識している。

一九八〇年代前半におけるヴァイトリング研究の道すがら、「社会的匪賊」を論じる過程で確認できていた。拙稿「ヴィルヘルム・ヴァイトリングはSozialbanditの末裔か――ホブズボームとキューターとを手がかりとして――」(石塚正英『立正西洋史』第七号、一九八四年一一月、『革命職人ヴァイトリング』社会評論社、二〇一六年再録)で、ホブズボームから以下のように引用していた。――ホブズボームは、Sozialbanditを次のように定義する、「彼らは領主と国家が犯罪者(criminals)とみなす農民アウトロー(peasant outlaws)である。だが彼らは農民社会の内部に留まり、そこの人々から英雄だとか闘士、仇討人、正義の戦士、あるいはたぶん解放のリーダーとまで考えられており、いずれにせよとにかく賞賛し援助し支持するに値する者たちと考えられている」(★E.J.Hobsbawm "*Bandits*", Penguin Books, London 1972, p.17.)。

今回は、私の研究テーマに深く絡む歴史家ホブズボームに久しぶりに出会ってうれしく思う。この新刊原書は二〇一一年の刊行だが、著者は二〇一二年に亡くなっている。訳者の一人である中村勝己のおかげで著者最晩年の大著に接することができた。

第十三章

歴史知の落穂ひろい②

一　カントのPersonとSacheとフェティシズム

先日（二〇一九年三月三日）、中野区の公益財団法人租税資料館を会場に、歴史知研究会の第六二回例会がありました。そこで私は自著『マルクスの「フェティシズム・ノート」を読む』（社会評論社、二〇一八年）を紹介しました。この研究会では、毎回収穫があってウキウキ帰宅することが多いです。この日もそうなりました。その理由は、マルクスやフォイエルバッハのフェティシズム論にかかわる私の報告に対するマルクス疎外論研究者田上孝一さんのコメントにありました。

田上さんは、マルクスの「物件化（Versachlichung）」を説明するに際して、レジュメでカントの人格（Person）と物件（Sache）の関係に言及しました。

・カントは存在者をPersonとSacheに分けた。Personは目的的存在であり、Sacheは手段的存在である。Personを手段的に売買してはいけないが、Sacheはよい。従って商品はSacheであり、売り買いできるものである。

・この前提の上に、マルクスは労働力「商品」を問題にした。それは人間の本質力というPerson的な力が、商品というSacheになっている。つまり労働力商品においては、PersonがSacheと化しているのである。これがVersachlichungである。つまり、PersonのSache化である。（レジュメ、三頁）

ところで、カント自身は人格（Person）と物件（Sache）

の関係を次のように考えました。

存在するものの中には、その現実的存在が我々の意志に依存するのではなく、自然に存在しているものがある。そしてこのような仕方で存在するものが理性を持たない場合は、手段としての相対的価値をもつだけであり、それ故それは物件(Sache)と呼ばれる。これに反して、理性的存在者は人格(Person)と呼ばれる。

(Kant, I., *Grundlegung zur Metaphysik der Sitten*(人倫の形而上学の基礎づけ), 1785, VI 428.)

私はフォイエルバッハ研究の一環としてカントに注目してきました。その限りでの認識ですが、カントのターミノロジーでは、他者の人格をさして「他我(der Andere)」と称しています。その術語で表現される対象として、動物などの非理性的な存在、自然存在は埒外なのです。(例えば、以下の文献参照。村山保史「カントの他我認識論―その可能性と限界」、現代カント研究会編『カントの他我認識論―自我の探求』晃洋書房、二〇〇一年、所収。隠岐理貴「カントと他我の問題―崇高なものの概念を手がかりに」早稲田政治公法研究、第九〇号、二〇〇九年、所収)

以上のカント思想を参考に考察しますと、私が理解するド=ブロス的フェティシズムやフォイエルバッハ的自然信仰論では、理性を持たない存在、たとえば動物は、神に選定される、つまり擬神化されることで物件(Sache)から人格(Person)、人格的崇拝対象(Fetisch)に転じるのです。その発想はカントには暴論以外の何ものでもありません。さらにこのFetischは、崇拝に値しなくなり投げ捨てられると再転倒し、物件となる。フェティシズムはその交互運動によって特徴づけられます。カント的な構え、すなわち理性なき物件(Sache)は永久にそのまま、理性を備えた人格(Person)は永久にそのまま、という固定化は人間中心主義の典型です。あるいは、私のターミノロジーで言えば、ネガティヴ・フェティシズムです。それに対して、マルクスは一八四二年のド=ブロス著作読書において、ラス・カサスに由来する「キューバの先住民」のもとでの儀礼からフェティシズムのポジティヴな交互的特徴をつかんだのです。

あらためて、人間優先・理性優先の考えを持っているカントを、以下の引用でお読みください。

> 人間は誰からも（他人からも、また自分自身からさえも）単に手段として用いられてはならず、むしろ常に同時に目的として用いられなければならないからである。まさにこの点にこそ、人間の尊厳（人格性）が存在する。そして、それによって人間は、人間ではなく、使用されうる他のすべての存在、すなわち一切の物件（Sache）を越えている。（Kant, I. *Grundlegung zur Metaphysik der Sitten*, 1785, IV 462)

この引用に出てくる「物件（Sache）」に、カントは動物を加えるのですが、私がド＝ブロスから導くフェティシズムでは人間と動物を同等に扱うのです。フォイエルバッハはこの立場です。昨日の例会ではそれをalter-ego（もう一人の私、他我）と表現しました。フェティシズムの立場からは、動物もまた「もう一人の私」という発想が導かれるのです。

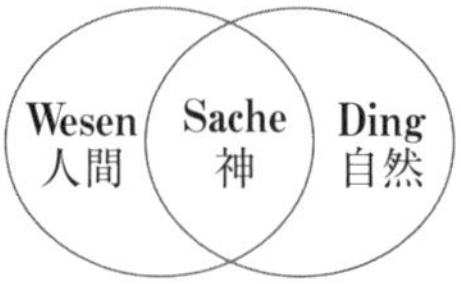

Wesen 人間　Sache 神　Ding 自然

　なお、フォイエルバッハのターミノロジーで言えば、カントが「物件（Sache）」としている対象は存在せず、端的な自然（物）をDingで表現し、Sacheは神ともなれる自然を表現します。参考図をご覧ください。

　私は、これまでフォイエルバッハやマルクスのフェティシズムをヘーゲルとの対比でとらえてきたのですが、昨日の報告会でもって、現代一級の疎外論研究者田上さんからの指摘を受けて、カントとの対比をよりいっそう強く自覚することとなったのです。そのことがあって、昨夜はウキウキの気分で帰宅したのです。懇親会でのお酒（焼酎「佐藤黒」）も影響していますが。

　最後に、田上さんは私のフェティシズム論とマルクス理論の関係をさして、こう述べました。「石塚フェティシズム論はマルクス自身とは別の新たな一つの理論構想として位置づけられるものではないか（云々）」。この指摘はまさに的を射ていると自負します。私の立場はマルクスでなく、マルクス左派なのです。その点については、「マルクス左派の超家族論」（『季報唯物論研究』一四五号、二〇一八年）をご覧ください。

二　疎外を自ら克服しつつ生きる フェティシストへの接近
――フォイエルバッハと若きマルクスとの比較

フォイエルバッハとマルクス

かつて初期マルクス研究が盛んだった二〇世紀中頃、多くの研究者たちは、マルクスは自己の思想形成において、いつかはフォイエルバッハを決定的に越えていったことにせねばおさまらなかった。しかし私にすれば、当時も現在も、フォイエルバッハとマルクスとは、別の分野で共に歩むパラレルな思想家ではあっても、一方が他方を越えるような間柄にはない。両者は、思想の系譜においても、同一線上に並べることのできない要素・契機を相互に含んでいる。それは例えば、両者の自然観に端的に示されている。その点であえて誇張して言うならば、マルクスがヘーゲルの徒であるのに対しフォイエルバッハはシュライエルマッハーの徒である。[☆01] マルクスがルネサンス人であるのに対しフォイエルバッハは宗教改革者なのだろう。或いは、もっと昔に戻せば、マルクスの先駆が福音記者ヨハネであるのに対しフォイエルバッハの先駆は伝道者パウロであろう。フォイエルバッハとパウロとの関係については別の機会に記したので、[☆02] ここでは述べないが、要するに、究極＝始原において神＝自然と考えるフォイエルバッハは、ダマスコへの途上でパウロが自覚した〝人間の内に生きる神〟カトリック批判の途上でルターがとった構え〝内面（人間の中）における信仰（神）〟から一歩も二歩も進み出て、〝人間の中の自然〟を提起したのである。この発想はフォイエルバッハとマルクスとを分ける境界石である。

つねに自然を通しての自己実現を意識し、或いは〝第二の自然〟を考えないわけではないマルクスだが、彼の発想はフォイエルバッハ的自然観と完全に重なることはない。「実践的」の意味が――或いは「実践」の目的が――マルクスとフォイエルバッハとでは違っている。マルクスにとって実践とは、人間による自然の加工を意味し、加工を通じて自然を自己の非有機的身体たらしめることがその目的とされる。そこには人間と自然との間に主客関係が歴然と成立している。その転倒が疎外だということになる。

ところが、フォイエルバッハにとって実践とは、人間と自然との相互依存――〔もう一人の私〝alter-ego〟〕――を確定することなのである。親鸞の言葉を借りて表現すれば、自然に「たすけられまいらす」とか「はからはれまいらせて」（歎異抄）とかが関係の根底にある。この、受け身を敬語で表現するという類稀れな語法は「弥陀」への敬意であって自然へのそれではない。だが始原において自然＝神であると考えるフォイエルバッハの自然観に、この受け身の敬語はまったく相応しい語法である。

〈〈人間＝主体〉－〈自然＝客体〉〉と考えるヘレニズム的ルネサンス的発想を土台にすると、疎外とは垂直的な〝転倒〟を意味することになる。それは主客の入れ替わりを意味するだけで、主客の垂直関係それ自体は維持される。これはマルクスが慣れ親しんだ発想である。他方、肉としての人間の中に神が入り込むことによって肉そのものを聖化するというパウロ的発想には、元来垂直的な〝転倒〟の構えはない。したがって、これを土台にすると、疎外とは主-客の転倒ではなく、人の身体内における神への人の依存を意味することになる。我々が知っている「疎外」という語の響きに不似合いなこの構えは、身体を介するという意味で人間的であり、フォイエルバッハ思想に近しい発想である。彼は『キリスト教の本質』（一八四一年）において、次のように言った。

主語と述語との同一性は、人間の文化の発展行程と同一である宗教のそれを調べてみると最も明瞭にわかる。人間にたんなる自然人という述語が与えられる限りは、人間の神もまたたんなる自然神である。（中略）人間が粗野および野生の状態から文化の状態に高まるとともに、すなわち人間に相応しいものとそうでないものとが区別されるとともに、同時にまた神に相応しいものとそうでないものとの区別が発生する。神は尊厳性の概念・最高の品位の概念であり、宗教的な感情は最高の礼儀感である。後期の教養であるギリシア芸術家が始めて品位・大度・不動の静けさ・快活というような概念を神々の像（Götzerstatuen）の中で具象化した[☆03]。

人と神との関係は、粗野な状態から文化の状態に高まると、「人間に相応しいもの」と「神に相応しいもの」の区別が生じていく。もともとその区別は交互的なものであり、固定的な意味をもたないものだった。その段階の神とは、人間存在のたんなる「外化」であった。だが、区別が垂直的に、固定的に意味をもち始めると、我々に馴染み深い響きの「疎外」が目立つようになっていく。

外化（Entäußerung）と疎外（Entfremdung）の区別をめぐって

マルクスは、一八四二年春にシャルル・ド゠ブロス『フェティシュ諸神の崇拝』をピストリウスによるドイツ語訳で読んで、かつての人類社会に、或いは同時代の野生社会に疎外の介在していない状態、あるいは疎外を自ら克服しつつ生きる状態が存在したことを、しかと読み知っている。「ボン・ノート」(*Neue MEGA*, IV-1, S.329-367.) の中の、ド゠ブロス著作からの摘要に当たればわかる。また、「ボン・ノート」を種本とした『ライン新聞』一八四二年一〇月二五日付論説を読めばわかる。

> ごくひろい意味での封建制度は、精神的な動物の国であり、区分された人類の世界である。この世界は、みずから区別する人類世界に対立するものであって、後者（みずから区別する人類の世界、すなわち私的所有の存在しない状態——引用者）においてはたとえ不平等があるかにみえても、実はそれは平等がおりなす色模様にほかならない。未発達な封建制度の国やカースト制度の国（つまり区分された人類の世界＝私的所有の存在する状態——引用者）では、人間は文字どおりカーストに分割されており、偉大なる聖なるもの、すなわち聖なる人間の高貴な、自由に相互に交流し合う構成分子が、切りさかれ、たたき切られ、強制的に引き裂かれているところであるから、これらの国ではまた動物崇拝、すなわち本来的な姿での動物崇拝が存在する。☆04

ド゠ブロス著者『フェティシュ諸神の崇拝』（一七六〇年）は民族学的な手法で研究された成果を基礎にしており、その中では、一八世紀当時のアフリカ、アジア、アメリカ諸大陸の野生人の社会状態がふんだんに紹介されている。また、ディオドルス、プルタルコス、パウサニアス等のギリシア古典に加え、紀元前一四～一三世紀頃のフェニキア人サンコニアトンの記述など最古の文献をも参照している。そのようなド゠ブロス著作を読んだ一八四二年のマルクスは、〝疎外の介在していない状態〟を、民族学的には学び知っていたのである。そこで問題となるのは、『ライン新聞』時代のマルクスが、「みずから区別する人類の世界」に〝色模様〟として「不平等があるかにみえ」るとしている点である。これは何を意味するか。その回答を一八四二年段階のマルクスに問うても、たぶん煮つまったものはかえってこなかろう。しかし「経哲草稿」のマルクスには返答できる。この段階のマルクスにすれば、〝色模様〟は、そこに暮らす人々が自己対象化として行う生産活動すなわち外化（Entäußerung）がその人自身に対し、時としてないし結果として否定的に作用することもあり得る、ということを表現しているのであろう。ところが、そこに暮らす人々の生産関係それ自体が必然的ないし永久的に彼らに否定的となるようなところまで達するや、「不平等があるかにみえ」る事態は不平等そのものの状態として恒久化するのであろう。これは、外化の疎外（Entfremdung）への転化を言い表している。この問題はマルクス疎外論を追究するのにきわめて重大なことなのである。

私的所有は外化（水平・交互関係）の転変としての疎外（垂直・主従関係）である。「経哲草稿」でマルクスが提起する私的所有の外化・外在化は、時として色模様をも生む外化・外在化、自由な活動において生じる外化・外在化——水平関係を特徴とする〔外在化一〕——とは次元の違うものである。水平関係にある外化・外在化が垂直関係に転変・固定化してしまう状態が疎外——垂直関係を特徴とする〔外在化二〕——である。私が重視するのは歴史時代を貫く〔外在化二〕の裏面か背面に通奏低音のごとく潜在している〔外在化一〕なのである。歴史貫通的に現象するEntäußerungがなぜ特定の時代や地域においてEntfremdungと化すのか。私はそこをフェティシズム研究の道すがら、長らく討究テーマにしてきた。

止揚されるべきものとしての唯物史観

〔外在化一〕においては自由な諸個人が生きている。その状態を捉えるには、人間諸個人の活動すなわち分業における依存と対立の相互関係に注目するとよい。この相互依存と相互対立との両極を交互的に運動している時点での諸個人を直視すればよい。これに対し、不自由な諸個人の存在する〔外在化二〕の状態を捉えるには、この交互運動における一方の極、すなわち「対立」の極に固定された諸個人を一瞥すればよい。その際、唯物史観とは、後者の、不自由な諸個人の社会と歴史を説明する原理にほかならないのである。

さて、私は〝自然発生的な社会〟という表現には疑問を感じている。先史は〔外在化一〕、文明は〔外在化二〕というように二者を明確に区分するという論理で臨む私には、先史社会や原初的社会についてそれなりの持論がある。[☆05]なるほど、一方ではそのように区分を意識しつつも、私は他方では、先史から文明、さらに未来の協同社会までを一元にして貫ぬく史観として、一九八七年以来フェティシズム史観を提起している。[☆06]そのあたりの議論に役立つ資料として、『共産党宣言』イギリス語版（一八八八年）によせたエンゲルスの注記を以下に引用する。

一八四七年には社会の先史（Die Vorgeschichte der Gesellschaft）、すなわちすべての記録された歴史の前にあった社会組織は、まだほとんど知られていなかった。その後ハクストハウゼンは、ロシアにおける土地の共有制（das Gemeineigentum am Boden）を発見し、マウラーは、土地の共有制がすべてのチュートン部族の歴史的出発の社会的基礎であったことを立証した。そして次第に、土地共有制をともなった村落共同体（Dorfgemeinden mit gemeinsamem Bodenbesitz）が、インドからアイルランドにわたって、社会の原初的形態（die Urform der Gesellschaft）であったことがわかってきた。そしてついに、この自然な共産社会（urwüchsigen kommunistischen Gesellschaf）の内部組織が、氏族（Gens）の真の性質と部族（Stamm）内におけるその位置についての、モーガンの輝かしい発見によって、典型的なかたちで明らかにされた。この原初的共同体の解体とともに（Mit der Auflösung dieser ursprünglichen Gemeinwesen）、別べつの、ついには相対立する諸階級への社会の分裂が始まる。[☆07]

結論的に述べると、「すべての記録された歴史の前にあった社会組織」すなわち先史を対象外とする唯物史観は、先史・文明の全体を貫いて対象としているフェティシズム史観に包含される。フェティシズム史観は、若いマルクスが『ライン新聞』紙上で綴った「みずから区別する人類の世界」「聖なる人間の高貴な、自由に相互に交流し合う構成分子」からなる社会を説明し、かつまた、「カースト制度の国」、諸個人が「強制的に引き裂かれている」社会をも説明し、さらには、ふたたび自己表現が物質的生活と一体のものとなる協同した諸個人の社会をも説明するのである。

なお、文中に「外化（Entäußerung）」「外在化（Entäußerung）」「疎外（Entfremdung）」の類似語が並ぶ点について、最後に補足説明をしておく。訳語の使い分けは以下の通りである。「外化が疎外に転変する」というように「外化」と「疎外」を区別して検討する場合はその通りの訳語を使用する。両者を「外在化」という用語で一括して検討する場合は「外化」を「外在化一」、「疎外」を「外在化二」というように使用する。その際「外在化」をドイツ語で記せば"Entäußerung"である。つまり、私は「疎外」を「外化」の派生とみなし、特殊形態に含めているのである。ことわっておくが、物質を基点とする、物質世界のフェティシズムにおける外化・疎外の使い分けは観念論哲学者ヘーゲルのそれとは区別される。むしろ、フォイエルバッハが「異教における人間の神化とキリスト教における人間の神化との区別」（一八四四年）で説く以下の主張に近い。

私が光の中で神を崇敬するのは、もっぱら光自身が私にとって最も立派な存在者、最強の存在者として現われるからである。もちろん後に反省の中で、人間がすでに光を超越し、光の神性または太陽の神性を疑う場合には、人間は神学の中で、第一のものを第二のものにし、根原的な神を導出された神にする、すなわち事象（Sache）をたんなる形像（Bild）にする。しかし民族の単純な宗教的感覚は神学的な反省が行うこの区別立てを至るところでかつ常に廃棄する。民族は常にふたたび根原的な神に復帰する。すなわち民族はふたたび形像を、それが根原的にそれであったところのもの、すなわち事象にする。[08]

フォイエルバッハがここで区別する「第一のもの」「事象」「根原的な神」と、「第二のもの」「形像」「導出された神」のうち、前者は外化に、後者は疎外に対応している。

注

01 例えば川本隆『初期フォイエルバッハの理性と神秘』知泉書館、二〇一七年、六〇〜六一頁参照。

02 拙稿「バルバロスとしての初期社会主義」、『現代思想』一九九一年八月号。

03 L. Feuerbach, *Das Wesen des Christentums*, Reclam, Stuttgart. 1974, S.63f.

04 *Marx-Engels-Werke*, Berlin, Bd.1, S.115.

05　拙著『歴史知のオントロギー』社会評論社、二〇二一年参照。
06　拙著『フェティシズムの思想圏』世界書院、一九九一年参照。
07　Friedrich Engels, Anmerkung von Engels zur englischen Ausgabe von 1888. *Marx-Engels-Werke*, Bd.4, Berlin, S.462.
08　*Ludwig Feuerbach Gesammelte Werke*, Bd.9, hg. v. W. Schuffenhauer, Akademie-Verkag, Berlin, 1969, S.414.

〔注記〕本稿は三〇年前に公開した以下の拙稿を補筆して成立している。「止揚されるべきものとしての唯物史観とは何か：原田実著『労働の疎外と市民社会――初期マルクス経済学の研究』（雄山閣出版,1990.9）紹介」、『社会思想史の窓』No.87 1991.8.20. 基本的な論点・結論は三〇年前とかわっていない。

（二〇二一年一〇月一一日執筆）

三　中期フォイエルバッハと初期マルクスの分岐点――フェティシズム理解の相違

フォイエルバッハ研究は、かつて、マルクス研究の前座のような位置にあった。ヘーゲル（観念論的弁証法）↓フォイエルバッハ（キリスト教批判・唯物論・疎外論）↓マルクス（唯物史観）の系譜における中間的位置取りである。マルクスはヘーゲル哲学を批判して独自の哲学を樹立するに際して、フォイエルバッハの疎外論哲学に学び、ほどなくその位相を脱却していったというストーリーである。

フォイエルバッハ（一八〇四～七二）は、『キリスト教の本質』（一八四一年）刊行後、とくに一八四〇年代後半以降、人間疎外を惹起するキリスト教とは相対的に別個の対象に力点を置くようになる。すなわち、キリスト教における神（主）と人（従）との地位固定によって生じる人間疎外を捉えるのに、ヨーロッパ外の非キリスト教世界に息づく先史時代からの自然信仰に注目してゆく。アジア・アフリカ・ラテンアメリカ（AALA）世界における神と人との主従転倒・相互性に関心を持ち、古代世界・非ヨーロッパ世界を探究する方向に舵を切った。その成果が『宗教の本質』（一八四六年）、『宗教の本質に関する講演』（一八五一年）、『神統記』（一八五七年）である。

その思索・研究の過程を問題にしないフォイエルバッハ研究は、総合的なフォイエルバッハ研究ではなかろう。一八四八年ドイツ革命敗北後、フォイエルバッハはますます宗教問題に突っ込んでいく。マルクスのように、宗教問題は片付いたなどとは、到底思えなかったのである。"entweder oder"(二者択一)の俎上に載せるまでもない。その意味で、「経哲手稿」(一八四三〜四四)、「ドイツ・イデオロギー」(一八四五〜四六)以降、近代市民社会に分け入る方向を強めたマルクスとは問題関心の領域を異にしていったのだ。マルクス哲学・経済学を研究する内田弘は、そのあたりの事情を、以下の様に簡潔かつ適切に記している。

フォイエルバッハは、ヘーゲルにおける主語は神、述語は人間という関係を転倒し、すなわち人間が神を創造したのであって、人間が主語で神はその述語であることを論証した。しかしフォイエルバッハの提示した人間は、厳密にいえば、神を創造する宗教的人間を生む現実的根拠のなかで把握されていない。フォイエルバッハは宗教的世界を地上的世界の幻想であると指摘したが、なぜ地上的人間がこの幻想をいだくのか、その原因を地上的世界の内部、すなわち近代市民社会に突き止めてはいないからである。たとえてみれば、コップの水の中にストローを入れると折れて見える。ストローをコップから抜いてまっすぐだと主張したのがフォイエルバッハである。それでは、なぜまっすぐなものが折れて見えるのか、そのわけを証明するまでに徹底していない。これがマルクスのフォイエルバッハへの不満である。[☆01]

マルクス研究のサイドにすれば、この時点でフォイエルバッハは立ち止まったか、道を踏み外したかした、という見方をする。けれども、フォイエルバッハ研究のサイドにすれば、彼はマルクスのような政治経済的、あるいは市民社会的諸領域に進むのでなく、比較民族学的、あるいは宗教社会的諸領域に深入りしていく必要性を強く感じていたのである。ただし、この二名には共通して、或る注目するべき社会現象があった。それはフェティシズム(物神崇拝)である。この現象をフォイエルバッハは、ドイツ語の"Götzendienst"(庶物崇拝)を用いて議論するが、それを自然崇拝における人間精神のポジティブな表出と捉え、それを古今の非ヨーロッパ世界において確認しようとした。それに対してマルクスは、この現象を社会現象のネガティブな表出と捉え、それを近代ヨーロッパの資本主義社会において確認しようとした。なお、ここに記す「ポジティブ」とは神を攻撃する、という非宗教的内容であり、「ネガティブ」とは神にひれ伏す、という宗教的内容である。

ただし、両人のフェティシズム理解には、ダイレクトな研究対象であるか、比喩的な研究対象であるかの相違があった。内田が上記引用文中で記しているフォイエルバッハの主張、「人間が神を創造した」という立場は、超越神の介在しないフェティシズムの立場である。この立場は、先史時代やその後の文明社会における非文明的領域（牧畜・農耕社会）に妥当する。人と、人が造った神との相互関係を特徴とするフェティシズムの立場が覆され、「人間が主語で神はその述語である」関係が転倒することにより人間疎外が生じた。したがってフォイエルバッハにすれば、その転倒状態＝疎外を克服すればフェティシズムに立ち返ることができる。ところが、『資本論』（一八六七年）に至るマルクスの認識では、疎外の比喩的表現として、あるいは疎外そのものとしてフェティシズムがあった。したがって、疎外を克服すればフェティシズムをも克服することができる。

かように、「商品のフェティシズム的性格」を重視するマルクスにとって、フェティシズムは克服・否定の対象であって、ネガティブ（転倒現象）なのである。だが、「経哲手稿」（一八四三〜四四）以前の初期マルクス、とりわけ「ボン・ノート（Bonner Hefte. 一八四二年四〜五月）」に含まれる「フェティシズム・ノート」（またの名を「ド＝ブロス・ノート」）、およびそのノートをもとに執筆した『ライン新聞』記事（一八四二年五〜一一月）におけるマルクスにおいては違っていた。ラス・カサス『インディアスの破壊についての簡潔な報告』（一五五二年）に由来する史料であるキューバの先住民の儀礼を引き合いに出した箇所である。そのときのフェティシズム評価はポジティブ（正立現象）なのだった。関係個所を、『ライン新聞』第一九一号（一八四二年七月一〇日付）から以下に引用する。

フェティシュ崇拝者は、欲望の幻想にあざむかれて、「生命のない物」が人間の欲情をかなえるためにその自然な性格を捨て去るかのように思い込む。フェティシュが、フェティシュ崇拝者の粗野な欲望を最も忠実にかなえることをやめるときには、崇拝者はそのフェティシュを破壊してしまうのである。[☆02]

神を攻撃するという、このようなポジティブな評価は「経哲手稿」以後に姿を消し、ネガティブな評価は『資本論』段階まで継続する。だが、最晩年の一八八二年一〇月から一一月にかけて、ジョン・ラボック著『文明の起原と人類の原始状態』（ロンドン、一八七〇年）の読書ノート（いわゆる「ラボック・ノート」）を執るに至って、ポジティブなフェティシズム評価がマルクスの脳裡に復活する。関係個所を以下に引用する。まずはラボック原文の翻訳。

偶像崇拝を下位の人種に一般的な宗教と見做す誤認が主として、偶像とフェティシュとの混同に起因してきたことは疑いない。しかしながら、フェティシズムは神への攻撃であって、偶像崇拝は神への屈服なのである。

次にマルクス摘要の原文。

The error of regarding Idolatry as the general religion of low races, has no doubt mainly arisen from confusing the Idol and the Fetich.〈石塚注記：マルクスはThe error 以下を削除し以下のように書き換えている。Sind nicht zu verwechseln mit Fetisch;「フェティシュと混同してはならない」〉Fetichism〈同：アンダーラインを引いている〉,however,〈同：削除している〉is an attack on the Deity, Idolatry is〈同：isを削除している〉an act of submission to him ;[☆03]

「ラボック・ノート」は、その大半がたんなる摘要で、評注らしきものは少ない。だが、マルクスが語らずして語っている内容を、この独文まじりの摘要から十分読み取ることができたと言えよう。ラボックの英文を自ら独文に要約して、イドルを「フェティシュと混同してはならない（Sind nicht zu verwechseln mit Fetisch.）」と記すマルクスは、ここですでに摘要以上の行為をしている。「ボン・ノート」時代にシャルル・ド＝ブロス『フェティシュ諸神の崇拝』（一七六〇年、その一七八五年ドイツ語訳から摘要）読書で知った〔神への攻撃〕というポジティブな崇拝形態を、ちょうど四〇年後に、再び捉えたのだった。「宗教的世界の夢幻境」としてのフェティシズム世界で現代人以上にすぐれた「野生人の推理力」を見いだすに至ったマルクスは自らの一生を貫いてan sich（ド＝ブロス読書）→für sich（『資本論』執筆）→an und für sich（モーガン・ラボック読書）を実践したのであった。

一方、マルクスとは相対的に別々の歩みの中にあったフォイエルバッハは、『キリスト教の本質』（一八四一年）以後の、いわゆる中期フォイエルバッハは、フェティシズムに対して終始ポジティブな評価を維持する。その事情について、私は半世紀に及ぶ研究歴においてたくさん執筆してきた。[☆04] ここでは、フォイエルバッハの論稿から少しだけ引用する。例えば、一八五一年刊の『宗教の本質に関する講演』では、次のように力説している。

〔引用一〕あらゆる対象が人間によってただ神として、または同じことですが宗教的に、尊敬され得るだけでなく、実際にも神として尊敬されます。この立場がいわゆるフェティシズムです。そこでは人間はあらゆる批判と区別立てとを抜きにして、人工物であれ自然物であれ可能なかぎりすべての対象・事物を己れの神にするのです。

〔引用二〕そうです、ちょうど異教徒たちの願望が何ら世界外のまた超世界的な存在ではなかったのと同様に、彼らの神々もまた何ら世界外のまた超世界的な存在ではありませんでした！ 異教徒たちの神々はむしろ世界または世界の本質と同一のものでした。

〔引用三〕最古の神、第一の神、または道徳的および精神的な神以前の神、道徳的および精神的な神の背後の神は、物理的な神なのである。（中略）父である神は物理学または自然の本質が神化されたもの以外の何ものでもないからである。

〔引用四〕もし有神論者たちが野生人たちに神学的な外交的区別立てをいい含め、野生人たちに対して、彼らは動物そのものを尊敬しているのでなく「本来は動物の中で神を尊敬」していると言わせるならば、それは真実に愚かなことである。人々は動物の中でその本性または本質性以外の何物をいったい尊敬しうるというのか？（中略）動物への尊敬の根拠は動物そのものの中に横たわっていないだろうか？

〔引用五〕神々を動物的に表象し模写している人は、無意識に動物そのものを尊敬しているのである。もっともその人は自分の意識および悟性の前ではそのこと

を拒否している。[☆05]

中期フォイエルバッハと初期マルクスの分岐、それはもう明々白々であろう。フェティシズムを人間疎外の反対物と見なすフォイエルバッハと、フェティシズムを人間疎外そのものと見なすマルクスへの分岐である。分岐点、あるいは分岐の道標となったのはフェティシズム理解であった。ただし、マルクスは死ぬ前年に「ラボック・ノート」を執って、没後一〇年を経たフォイエルバッハとの合流点に歩みをすすめたのだった。[☆06]

注

01 内田弘「初期マルクスの「社会的諸個人」把握—『経哲草稿』のマルクスは「人間」実念論者だったか—」、『専修大学社会科学研究所月報』第三二二号、一九九〇年、三頁。

02 *Marx-Engels-Werke*, Berlin, Bd.1, S.91. 同上、「『ケルン新聞』第一七九号の社説」、

03 John Lubbock, *The Origin of Civilisation and the Primitive Condition of Man*, Chicago and London, 1978, p.225. Marx's Excerpts from John Lubbock, The Origin of Civilisation, in *The Ethnological Notebooks of Karl Marx*, ed.L.Krader, Assen 1972, p.343.

04 さしずめ、直近の拙著のみを記す。『フォイエルバッハの社会哲学—他我論を基軸に』社会評論社、二〇二〇年。

05 *Ludwig Feuerbach, Gesammelte Werke*, hg. v. W. Schuffenhauer, Akademie-Verkag, Berlin, 1969. Bd6, S.201, S.259, S.330, S.365-366.

06 詳しくは、以下の拙著を参照。『マルクスの「フェティシズム・ノート」を読む—偉大なる・聖なる人間の発見』社会評論社、二〇一八年。

四　マルクスにおける〔物神（フェティシュ）＝商品〕と労働ガラート

ガラート（凝膠体）

問題の核心は以下のものである。マルクスによれば、植物などの自然物に人間労働が加わって生産物（糸や布）ができるが、そのままであれば使用価値（具体的有用性）が生まれるのみである。それは商品ではない。商品とは、偶

然でなく必然的に、当初から交換を目的に生産される価値（交換価値）を指す。人間労働は交換価値の生産であり、その過程を経て自然物（生産物）は商品＝価値となるのである。

　そのように、マルクスは自然物（生産物）に人間労働が価値として付着して商品となる場を問題にする。以下に『資本論』第一巻 (*Das Kapital Kritik der politischen Ökonomie*, Erster Band, Buch I) から関係個所を引用する。なお、術語フェティシズムについて、本稿で私はマルクスが一八四二年に学んだシャルル・ド＝ブロスのターミノロジーで議論していることを予めことわっておく。

> 　使用価値としての上着やリンネルは、目的を規定された生産活動と布や糸との結合物 (Verbindungen zweckbestimmter, produktiver Tätigkeiten mit Tuch und Garn) であり、これに反して価値としての上着やリンネルは単なる同質の労働ガラート (bloße gleichartige Arbeitsgallerten) であるが、それと同じように、これらの価値に含まれている労働 (die in diesen Werten enthaltenen Arbeiten) も、布や糸に対するその生産的作用によってではなく、ただ人間の労働力の支出としてのみ (nur als Verausgabungen menschlicher Arbeitskraft) 認められるのである。[☆01]

　この引用文には「労働ガラート (Arbeitsgallerten)」という表現が読まれる。大月書店『マルクス・エンゲルス全集』第二三巻aでは「労働凝固」と訳されている。「ガラート (Gallert)」とはゼリーや膠のようなゲル物質を指し、何かに付着すれば凝膠（ぎょうこう）体となる。ここでは生産物に人間労働が付着して凝膠体となることを意味する。[☆02] それから、「これらの価値に含まれている労働 (die in diesen Werten enthaltenen Arbeiten)」という表現が読まれる。ここに記された「価値」とは、「商品」と読み替えることができる。それらを考慮すると、次のようにまとめることができる。

第一、植物などの自然物に「目的を規定された生産活動」すなわち具体的有用労働が結合すると上着やリンネルなどの「結合物」ができる。第二、「布や糸に対するその生産的作用によってではなく、ただ人間の労働力の支出」すなわち抽象的人間労働が付着し「労働ガラート」ができると価値＝商品となる。

この際、「結合」と「付着」という表現の違いに留意してかからねばならない。植物などの物質と具体的有用労働が結合するということは、具体的なものの間に生じる出来事なり現象なりである。それに対して植物などの物質に抽象的人間労働が付着するということは、具体的な存在に抽象的な存在が添付する出来事なり現象なりを意味するのである。前者は自然物と自然人の結合であって、フェティシズムに相応しい。それに対して後者は、霊魂（アニマ）のごときが物体―自然物であれ自然人であれ―を出入りするアニミズム（憑依現象）に相応しい。

自然物に価値が付着して商品という物神（フェティシュ）になる、と見るマルクスの理解は混乱している。自然物や生産物に価値が「付着」したりそれと結合したりするのではなく、自然物（生産物）それ自体が端から価値として生産されるのである。そのような価値としての生産物を物神（フェティシュ）と見るのが正しい理解である。私にすれば、マルクスは、商品の物神的性格を、物体に霊魂（アニマ）が付着するアニミズムで説明している。それを指して「マルクスの理解は混乱している」と評価しているのである。まさか、マルクスはアニマ崇拝者だったのだろうか。

アンクレーベン（付着する）

マルクスは『資本論』第一巻第四節を「商品の物神的性格とその秘密（Der Fetischcharakter der Ware und sein Geheimnis）」とした。それは確かに適切なタイトルである。商品は物神に喩えられるものでなく、物神そのものだからである。しかし、『資本論』に記された「付着」表現はアニミズムの特徴である。「付着」発言について、以下に『資本論』第一巻からもう一例を引用する。

ここでは、人間の頭の産物が、それ自身の生命を与えられてそれら自身の間でも関係を結ぶ独立した姿に見える。同様に、商品世界では人間の手の生産物がそう見える。これを私はフェティシズムと呼ぶ。それは、労働生産物が商品として生産されるやいなやこれに付着するものであり（Dies nenne ich den Fetischismus, der den Arbeitsprodukten anklebt, sobald sie als Waren produziert werden.）、したがって商品生産と不可分なものである。☆03

マルクスがド＝ブロス『フェティシュ諸神の崇拝』

（一七六〇年）の「フェティシズム」を知った一八四二年当時であれば「付着する（ankleben）」という発想は浮かばなかっただろう。一八四二年の『ライン新聞』第三〇七号（一八四二・一一・三）に記した「キューバの野生人」（ド＝ブロスからの孫引き）が崇拝する諸物は、たとえ黄金であれ、フェティシュそのものである。フェティシュは霊魂ではない。物体である。野生人（先住民）にとっては、物体それ自体が聖なる存在なのである。そこに霊魂が付着しているわけではない。先住民から黄金を奪っていったスペイン人にとっても黄金はフェティシュである。[☆04] その黄金フェティシュは、ヨーロッパで商品や貨幣となっていくが、その段階で商品にフェティシュが付着するのでなく、商品それ自体が、生産開始前からフェティシュと位置づけられ、フェティシュとして生産されるのである。それこそが、商品の物神的性格なのである。

商品からフェティシュが剥離するという浮遊魂的事態はあり得ない。購買によって流通から離れた商品、それはもはや商品＝価値ではなく使用価値となっている。消費される元商品はフェティシュでないが、それが中古品マーケットに並ぶことになれば、それはそれで商品として復活する。そこで重要なのは、フェティシュの剥離した商品は存在しない、ということである。使用価値に価値が付着するという事態を想定するのは原理的にみて矛盾である。価値＝商品はまず使用価値として生産され、場合によっては価値が付着して商品に転じる、という考えはフェティシズムではない。フェティシズムであれば、自然物は端から価値＝商品として生産されるのである。

この疑問をわが国で最初に抱いた人物は、わが畏友やすいゆたか（保井温）である。彼の著作『人間観の転換――マルクス物神性論批判』（一九八六年、青弓社）ほかによると、マルクスは『資本論』で価値を「抽象的人間労働のガラート（膠質物）」と規定している。つまり商品を、労働時間が生産物に膠着した労働の塊として捉えているのである。また、やすいは言う。価値は労働のガラートであるから、労働によって作られた生産物が労働の塊だというのではない。それは使用価値の面でいえること。じつのところ、労働は効用つまり使用価値を生み出す具体的有用労働としては生産物になっているのだ、と。[☆05]

マルクスが商品を説明するのにフェティシズムを援用したのは、彼の慧眼である。商品は紛う方なきフェティシュだからである。しかし、商品のフェティシズム的性格をアニマの憑依もどきの現象として説明したのは辻褄が合わない。その辻褄合わせは、一八八二年のジョン・ラボック『文明の起原と人類の原始状態』読書において、フェティシュをイドルと混同するな、と書き込むことで果たされる。なお、この問題に関する私自身の議論は、一九九一年に刊行した『フェティシズムの思想圏―ド゠ブロス、フォイエルバッハ、マルクス』（世界書院）で公開した。[☆06] 学問のながい旅路を経てなお、いまだに学界で注目されたと言い難いので、ここに書き記しておく。

注

01　*Karl Marx-Friedrich Engels-Werke*, Band 23, Dietz Verlag Berlin 1962, S.59.
大月書店『マルクス・エンゲルス全集』第二三巻a（資本論、第一巻、第一分冊）、六一頁。

02　「ガラート（Gallert）」を引用する研究者の中には、独自の訳語を用いているケースがある。たとえば宮崎恭一は、一八八七年にイギリスで発行された版に基づく、として以下のように「泥団子」と表現している。「使用価値としての上着とリネンは、布と糸に、特別の生産活動を組み合わせたものであるが、一方、価値としての上着とリネンは、違いを取り除いた均一な労働の泥団子のようなもので、その価値に込められた労働は、布や糸に係わる生産的関係はかえりみられることもなく、まさに、ただの「人間の労働力」の支出である」。
https://www.marxists.org/nihon/marx-engels/capital/chapter01/index.htm

03　*Karl Marx-Friedrich Engels-Werke*, Band 23, S.86f. 前掲邦訳、98頁。

04　「キューバ先住民」の逸話は、ラス・カサス→エレラ→ド゠ブロス→マルクスへと伝えられた。詳しくは以下の文献を参照。ド゠ブロス著、杉本隆司訳、石塚正英解説『フェティシュ諸神の崇拝』法政大学出版局、二〇〇八年、巻末の「解題」（石塚正英）。

05　やすいゆたか「「疎外された労働」と「物神性」の関連―「物象化論」者への反証―」、『ウェブマガジン・プロメテウス』、二〇二〇年三月六日、参照。なお、やすいは「ガラート」を「ガレルテ」と表記している。
https://mzprometheus.wordpress.com/2020/03/06/sogairontobushinsei/

06　その後、拙著『マルクスの「フェティシズム・ノート」

を読む―偉大なる、聖なる人間の発見』（社会評論社、二〇一八年）の八五～八六頁に再録している。

五　Umwelt（環境世界）とHinterwelt（内奥世界）

二〇二〇年一一月付で刊行された『季報・唯物論研究』一五三号に掲載した拙稿「コロナ禍にみる呪術的闇と科学的闇―フレイザー『金枝篇』を参考に」について、友人の柴田隆行さんから、二〇二〇年末にメールで感想を戴きました。その中に、フォイエルバッハに絡めて以下のコメントがありました。

――先日公刊された大阪の『季報・唯物論研究』掲載の貴兄の論文で、ウイルスという自然が人間の心身共同の内的自然本性であることについて改めて認識し、「環境」という言葉が、ドイツ語ではUmweltとかUmgebungというのは不十分であるとわかりました。人間にとってのさまざまな環境、自然環境も社会環境も、けっして「um まわり」にあるのではなく、「自己の内なる他者」―フォイエルバッハや石塚氏が強調するalter ego―として捉えるべきではないかと思いました。

このメールを受け取ったころ、私はコロナ禍に関係した一冊の新書本を読んでいました。鴻上尚史・佐藤直樹『同調圧力―日本社会はなぜ生き苦しいのか』（講談社、二〇二〇年）です。「この『同調圧力』を生む根本に『世間』と呼ばれる日本特有のシステムがあります」とするこの新書には、「社会」と「世間」の違いに関する上記二名の対談がびっしり記載されています。それで、この新書を題材に「um まわり」に関連させて小論文を書きたくなり、柴田さんにこう書き送りました。

――この部分をぜひ『フォイエルバッハの会通信』に活用してみたいです。それで、このコメントを読んで、さらに私がリプライする形で短文を書いてみたいのですが、よろしいでしょうか。

その返事は快諾だったので、以下に記します。前掲新書には、例えばこういう記述があります。

①【佐藤】つまり「あなたと関係のある人たち」で成り立っているのが「世間」、「あなたと何も関係がない人達がいる世界」が「社会」です。（三二頁）

②【佐藤】「世間」と「社会」をごく簡単に定義すると、社会というのは「ばらばらの個人から成り立っていて、個人の結びつきが法律で定められているような人間関係」だと考えています。（三三頁）

③【佐藤】一方「世間」というのは、「日本人が集団となったときに発生する力学」と考えています。それはある種の人間関係のつくりかたのことなんですが、「力学」と言ったのは、そこに同調圧力などの権力的な関係が生まれるからです。（三四頁）

④【鴻上】政府ってのも大きな「世間」ですから、そっちに身を置いておくほうが安心するというのはあるでしょう。政府に注文したり、反対意見を述べたりするのは、共同体の感情を傷つけたということで、バッシングを浴びる傾向がありますね。（一四七頁）

⑤【佐藤】日本語というのは、基本的に「世間」の言葉だと思うんです。「世間」を構成しているのが日本語で、対して英語は「社会」の言葉です。英語で考えたときでは世界がまったく違う。英語で考えたときは「社会」がみえるし、日本語で考えると「世間」が現れる。（一七〇～一七一頁）

ながながと引用しましたが、ここに紹介した佐藤・鴻上二氏の議論にでてくる「社会」と「世間」を、柴田さんの感想、人間にとってのさまざまな環境、自然環境も社会環境も、けっして「um まわり」にあるだけではなく、「自己の内なる他者」としても存在するのではないか、という見方に関連付けましょう。

まず、①をみると、顔見知り関係＝世間、見知らぬ人関係＝社会、という対比が読まれます。なんとおかしな分類でしょうか。世界の総人口がたとえ八〇億であれ、みな何らかの関係性の中で空気を吸って水を飲んで、あるいは汚して、さまざまな資源を消費しています。現実の社会内で何も関係しない人なんて、一人もいやしませんよ。②と③をまとめると、ばらばらの個人を法律で結びつけるのが「社会」で、同調圧力などの権力的な関係が生まれるのが「世間」だとなります。「世間」には権力的な関係が生まれるとのことですが、これもおかしな議論です。なぜかというと、権力とは法や政治、あるいはそれらに支えられているもの、つまり「社会」にこそ備わるものだからです。

④と⑤は、これまたとてつもない極論ですね。政府は大きな「世間」だとか、英語は「社会」的言語で日本語は「世間」的言語だとか腑分けしています。ついに政府までもが「世間」に括られました。何をかいわんや、です。

それから、この対談者二名は英語（正確には英会話）で考えることができるから、だから日本語で考えたときとの差異を実感するのでしょう。むろん、そこまでならOKですよ。しかしながら、ここまで非和解的な極論を開陳されるとさらに異論をさしはさみたくなります。この対談二者は、英語をしゃべれない人は「社会」人ではないと言わんばかりの意見を共有しています。そればかりか、この本の読者に対して二者への「同調圧力」をかけているようにすら感じます。

さて、上記の引用とコメントを「um まわり」に関連付けます。対談者二名にとって、「社会」は制度的な、合理的な「um まわり」で、「世間」は、寄合的な、共感的な「um まわり」であるように、私には思われます。けれども、政府や国民言語まで「世間」に組み入れる対談者二名に対して、私はこう言いたい。第一、「世間」は日本的だと二名はいうのだが、それは、接触的・対面的であろうが非接触的・初対面的であろうが、だれにとっても「um まわり」として変わりはないです。どちらも社会なんです。

だいたい、社会一般を、対談者二名のように「社会」と「世間」とに区別する気のない私ではありますが、彼らの土俵に少しだけ乗って、こう区分しておきます。①中心にいて「um まわり」＝「世間」から獲得した要素要因でオリジナルなイメージを形成する私、これは内在的な、あるいは内向的な私です。それと、②中心は存在せずもっぱら「hinter うしろ」＝「社会」に依存し、そこで「hinter うしろ」から沁み入る要素要因でオリジナルなイメージを受け取る私、これは外在的な、あるいは外向的な私です。私の無手勝流でさらに議論を込み入らせると、①内在的な私にとって「um まわり」は自己の Umwelt（環境）であり、中心にいる自己が Umwelt から要素要因を獲得します。②中心を欠いた外在的な私にとって「um まわり」はあり得ず、いわば胎盤のような Hinterwelt（内奥）があるだけです。いずれのケースにおいても、自己に入り込む「環境」あるいは「内奥」という、「自己の内なる他者（Welt）」を意識せざるを得ないわけです。

ここに言及した「他者（Welt）」には、自然（事物）・社会（人間）・時代（時間）などが含まれますが、今回は特に「事物」を例に話をすすめます。身体の事物化・手段化がすすんで、対談者二名のいう「世間」の中に事物としてのロボットや人工頭脳、私の造語では「機械身体」、それと、手段としての人間身体、私の造語では「生肉身体」が入り込んできています。他者を手段・踏台にして出世する話は昔からありますが、ここでは自己を手段、取替物とみなすレベルです。「um まわり」には他者でなく自己も存在するようになっているのです。

この、自己の他者化・手段化を第一段階とし、その自己との共感によって成立する世界、「あなたと関係のある人たち」の世界つまり「世間」を第二段階としましょう。「自己の内なる他者」は、ロボット工学や情報工学、先端医療工学の連携で形成されるマトリックス上に輪郭をあらわしてきています。そうなってくると、もはや「世間」は知らぬ間に、あるいは突然、「社会」に転化し、またその逆も生じることになります。対談者二名のいうような区別立ては限定的にシュリンクしていくでしょう。

かくある「私」は、私であって私でない。「um まわり」の立場で私を捉えると私は Welt の中心に陣取り顕在する。しかし、「hinter うしろ」の立場で私を捉えると私は Welt に潜在し埋没する。大乗仏典『般若経』のたとえで表現すると、人は多くの因縁に依存して生起し存在している。自分の身体は、そうであってそうでない。自分の精神は、そうであってそうでない。そうであるともいえるし、そうでないともいえる。現実に存在するものすべては相互関係の中にあり、すべてのものは「空」であって「色」でもある。色即是空。

人の世をかように捉える私であれば、人の環境を「社会」と「世間」に区分する発想は意味をなさないのです。

最後に、Hinterwelt について、説明を補足します。ここに記す Hinterwelt は、ニーチェなどが使用した同一用語とは相違します。ニーチェの場合は概ね「背後世界」と翻訳され、キリスト教的な価値や精神世界に関係し、ネガティブに扱われます。けれども、私の用法ではポジティブに扱われます。

私は、柴田さんが「環境（Umwelt）」という言葉は人間の「um まわり」だけにあるのではない、と疑問を投げかけたところに強く反応します。それで、人間を人間に育て上げる環境、子宮や胎盤のような環境をなんとかドイツ語で表現したくなったのです。胎児から幼児、児童へと発達する身心を育む環境として、第一に挙げられるのは母親です。母胎は、胎児にとって紛れもない Hinterwelt です。そこから転じて、人間が後天的に自我、人格を形成していく要素要因としての社会もまた、Umwelt であるよりも先に Hinterwelt なのです。社会は、その中で成長する人間に必要な要素要因を提供してくれる母胎なのであって、人間が要素要因を獲得する猟場ではないのです。さらに転じて、さまざまな環境、自然環境も社会環境もまた、Umwelt であるよりも先に Hinterwelt なのです。

そう考えつくようになった私の思考的輪郭は、すでに拙稿「環境の凝固結晶としての人間身体」（『理想』第六九一号、二〇一三年）に示されています（☆注記）。フォイエルバッハ思想に深く関わる本稿から必要部分を引用して、この小論文を擱筆します。

> これまで、身体（身体観）の変化を考察する場合、身体は環境（社会・自然）に向かって、内部から外部へ拡張していくように理解してきた。「道具・機械も身体の一部」という発想がそれである。いうなれば「内発的身体」である。しかし、本研究では考察のベクトルを反転させ、環境から身体論を構築する。身体の変容は、それが環境へ拡張することによって生じるのではなく、環境が人間身体に吸収され凝固・結晶することによって生じるのである。そのような人間身体を、本稿では「外発的身体」とも表現することにしたい。

☆注記：本稿は、以下の拙著に採録した。石塚正英『身体知と感性知―アンサンブル』社会評論社、二〇一四年、二一一～二三五頁。引用箇所は、同書、二一一頁。

なお、本稿執筆の動機を与えてくれた柴田隆行は、二〇二一年一一月に甲武信岳付近の十文字峠で遭難し、行方不明となった。きょうもまだ生存は確認されていない。二〇二二年四月一五日。

六　ヘルダーとフォイエルバッハ
——感覚・感性・感念

西洋思想史上で、ヨハン・ゴットフリート・ヘルダー (Johann Gottfried Herder, 1744-1803) は、カント (Immanuel Kant, 1724-1804) の二〇歳年下であるものの同時代人として多大な影響を受けたとされる。けれども、その内容というか姿勢は、かならずしもカントを継承したものでなく、むしろ逆らっている。その印象を、私はフォイエルバッハ研究の道すがら感じてきた。キーワードは"Sinn""sinnlich"である。

先ずはカントから見よう。カント『純粋理性批判』には、上記の用語に関係して次のような文章が読まれる。

> ところで感性的衝動によって(durch sinnliche Antriebe)のみ、換言すれば感性的にのみ規定せられる意志(Eine Willkür)は、単なる動物的意志"bloss thierisch (arbitrium brutum)"である。これに対して感性的衝動にかかわりなく、理性の指示する動因によってのみ規定せられる意志は自由意志"die freie Willkür (arbitrium liberum)"と呼ばれる。[☆01]

読んで字のごとく、カントにとって"sinnlich"は動物に係るのであって、人間にはふさわしくない。

次にヘルダー『言語起源論』に目をやってみよう。ただし、この著作については二種の邦語訳を並べてみる。①大阪大学ドイツ近代文学研究会訳『言語起源論』(法政大学出版局、二〇一五年)、および②宮谷尚実訳『言語起源論』(講談社、二〇一七年)である。

> ①自然界全体が音を発するのであるから、自然が生きており、言葉を話し、行動するということは、感覚をもった人間に(einem sinnlichen Menschen)とっては当然のことである。かの未開人(Der Wilde)は、みごとな梢をもった高い木をみて驚嘆した。「梢がザワザワといったぞ。神がここにおられるのだ。」未開人はひざまずいて祈りを捧げる。ここに、感覚をもった人間の歴史(die Geschihte des sinnlichen Menschen)が、動詞から名詞へが生まれる不思議な絆が、つまり、抽象化へのごくかすかな歩みが見られるのである。

> ②自然全体が鳴り響くことから、感性的な人間にとっては、自然が生きており、話し、行動することほど自然なことはない。かの未開人は見事な梢をもった高い木を見て感嘆した。梢がざわざわした！　これぞ息づく神性だ！　その未開人はひれ伏して崇める！　ここに見よ、感性的な人間の歴史を、動詞〔Verba〕から名詞〔Nomina〕が生じる暗き絆を—そして、抽象化へのきわめて軽やかな足取りを！☆02

　読んで字のごとく、ヘルダーにとって〝sinnlich〟は人間—Wilde—に係るのである。この比較をもって、私はヘルダーのカント理解を、「カントを継承したものでなく、むしろ逆らっている」としたのである。ヘルダーは一八世紀後半の時代思潮を身に背負って、非ヨーロッパ諸民族を〝Wilde〟と表記している。ギリシア語のバルバロイに通じるもので、文明化されていない人々、という意味である。翻訳は二点とも「未開人」としている。たとえ一八世紀当時の「常識」であろうが、ヘルダーにとって「未開人」あるいは彼らの〝Sinn (lichkeit)〟は人間に関係している。
ヘルダー著作の翻訳について、もう一言。それは〝sinnlich〟の訳語である。①は「感覚をもった」とし、②は「感性的な」としている。一般に「感覚」は人間のみならず動物一般に適用するが、「感性」は文芸的、すなわち人間的な用語として多用される。

　それはそれとして、次にフォイエルバッハ最初期の小品「奇跡に関して」（一八三九年）から引用する。

> 　人々が信じているものは、人々がそのものを見る前にすでにあらかじめ事実（Faktum）すなわち感性的確実性（eine sinnliche Gewißheit）なのである。人々が昆虫たちは腐肉と汚物とから発生すると信じていた限り、その限り人々はまた実際に昆虫たちが腐肉と汚物から発生するのを見ていたのである。☆03

　この引用文はフォイエルバッハの思想的生涯を貫く内容を秘めている。彼はカントと違って、〝sinnlich〟を明白に人間に備わるものとしているし、ヘルダーと違って〝sinnlich〟を「未開人（Wilde）」のみならず、人類全体に適用している。ただし、フォイエルバッハはむろんカントにもヘルダーにも学んでいる。そのうち、ヘルダーとの関係について、我が国におけるフォイエルバッハ研究の第一人者である川本隆の著作『初期フォイエルバッハの理性と神秘』（知泉書館、二〇一七年）から引用する。

> トマソーニは、ベーメやロイヒリンなどの研究によって、フォイエルバッハが「人間および現実性の神秘的な面を暴露するようになる」点に、反ヘーゲルの因子を探っているようである。トマソーニの文献的配慮は広く、この引用のすぐ後の箇所ではヘルダーの影響が注目されている。「神的なものが人間的なものから切り離されてはならず、人間的なもののなかで神的なものが認識されるべきである」、「最古の歴史の自然な真理には、ただ単純で無邪気な子どもの心情Herzだけが接近できる」等のヘルダーの言葉が引用され、フォイエルバッハがこれらヘルダーの判断基準に魅了されていたこと、『ヘルダー書簡』から『新約・旧約聖書』にかかわる思想を入念に抜粋していた事情などが指摘されている。☆04

そのようなフォイエルバッハの感性哲学――自然をももう一人の私と見る〔他我“alter-ego”〕――を、私は半世紀近くにわたって追究してきた。その成果を『フォイエルバッハの社会哲学』（社会評論社、二〇二〇年）にまとめた。さらに、コロナ禍まっただなかの今月（二〇二一年九月）、『歴史知のオントロギー』（社会評論社、二〇二一年）において、かようなフォイエルバッハ思想をベースとしたさまざまな論稿を発表している。キーワードは「感念“Sinn”」である。関係個所を以下に引用してこのエッセイを書き終わることとする。

> 「理念」は「感覚」に「適合していない」という主張は、物事の反面しか知らない者の言い分である。先史人でなく「古代人」つまりグレコ・ローマン時代人からポジティブな歴史を語り始めるヘーゲルには、「理念“Idee”」は理性・理性知と切り離せない。しかし文字をもたないケースもある非ヨーロッパ諸民族の数千年にわたる〔身体知〕〔感性芸術〕の成果、それを理念と呼ばずに何と呼べばよかろうか。理性知と一致する「理念“Idee”」ではなく、感性知・身体知と一致する概念の命名である。あえて私の造語で言えば、「感念“Sinn”」――感性知・身体知すなわち感念――を想定する新時代に来たって

いるのである。ドイツ語の"Sinn"には、当たらずとも遠からずの概念が備わっていると思っている。それらを連合させれば「感念」を表現できるだろう。精神に発する理念に対する、身体に発する感念という捉え方の重みは「感」にあり、身体を介さず心に強く思うだけで物事を動かす「念力」とは違う。遊行聖一遍に共鳴した仏教詩人の坂村真民（一九〇九～二〇〇六）は「念ずれば花開く」と言ったが、こちらの「念」はドローメノンとレゴメノンすなわち感性知・身体知に関わる。☆05

注

01 web版：Immanuel Kant *Sämtliche Werke*, Erster Band. Kritik der reinen Vernunft, Leipzig Verlag von Felix Meiner, 1919, S.664, B830.（一七八七年第二版、八三〇頁）
(https://archive.org/details/kritikderreinenv19kant/page/n5/mode/2up)

イマヌエル・カント、篠田英雄訳『純粋理性批判』岩波文庫、下、九五頁。

なお、カントは、主語「意志（Eine Willkür）」のあとに thierisch を形容詞（述語）として使っている。それに対して、並列的に出てくる die freie Willkür は名詞として使っている。前者には冠詞がなく、後者にはそれがあるわけである。カントは、前者に Willkür をつけるとその語が重なり、トートロギーみたいになると判断したのかもしれない。篠田は、両方をそろえて、thierisch に Willkür を付けて訳しているのである。私はそう理解している。

02 Johann Gottfried Herder, *Abhandlung über den Ursprung der Sprache*, Berlin, Christian Friedrich Boß, 1772, S82.
①ヘルダー、大阪大学ドイツ近代文学研究会訳『言語起源論』（法政大学出版局、二〇一五年）、六一頁。②ヘルダー、宮谷尚実訳『言語起源論』（講談社、二〇一七年）、七四頁。

03 L Feuerbach, Über das Wunder, Reclam, in *Ludwig Feuerbach Gesammelte Werke*, Bd. 8, Kleinere Schriften I (1835-1839) ,hg.v..W. Schuffenhauer, Berlin, Akademie-Verlag, 1969, S.309. 船山信一訳『フォイエルバッハ全集』第一五巻、宗教小論集、福村出版、一九七四年、一九頁。

04 川本 隆『初期フォイエルバッハの理性と神秘』知泉書館、二〇一七年、二四八～二四九頁。

05 石塚正英「感性文化と美の文化―バウムガルテン・ヘーゲル・フレイザー」、同『歴史知のオントロギー』社会評論社、二〇二一年、二七四頁。

七　フォイエルバッハの術語「擬神化（Vermen-schlichung）」と縄文土偶

フォイエルバッハの文章：「人間は、自然が創造と破壊をなすかぎり、または一般に自然が人間に対して畏敬の念を起こさせる威力という印象を与えるかぎり、自然を人間化して全能な存在者にする（zu einem allmächtigen Wesen vermenschlicht）」。『宗教の本質に関する講演』に対する補遺と注解・上（一八五一年）、*Ludwig Feuerbach Gesammelte Werke*, Bd.6, S.360. 自然を人間化して全能な存在者にする、という行為を解釈すると、実は自然の「人間化」でなく、形像のうえでは自然を人間化するものの、内実としては自然を「神格化」「神霊化」することを意味している。

Vermenschlichung の意味：人間化（擬人化）、神の人格化、人間化、神人同形同性観。一見すると自然（風や樹木、小鳥）の擬人化に思うが、時と場合によって、擬人化でなく擬神化と解釈する必要がある。人は、自然をあたかも人間と同様・同等であるとみなすが、その自然が神である世界では、人は自然を人間化することにより、自然を神となし、人間自身をも神となすのだ。よって、そこでは〔擬神化〕という表現自体が矛盾となる。出現・実現であって、模擬・演技ではないからである。（参考：石塚正英『フォイエルバッハの社会哲学』社会評論社、二〇二〇年）

ここに、江戸時代から頸城野に伝わる風神の石造物を紹介する。この造形は、暴れん坊の風——よく「風の三郎」と呼ばれる——を懐柔して立ち退かせることを目的にしている。農民は、暴風を自分たちの姿に似た像に作りはするが、自分たちと同じ人間を作っているのでなく、つまり風を擬人化しているのではなく、神として作っている。つまり風を擬神化しているのである。（参考：石塚正英「風の神とその儀礼」、頸城野郷土資料室編『「裏日本」文化ルネッサンス』社会評論社、二〇一一年）

植物フェティシュたる土偶

本書第三章で縷説してあるが、最近、興味深い著作竹倉史人著『土偶を読む』（晶文社、二〇二一年）が刊行された。その「はじめに」にこう記されている。

土偶は縄文人の姿をかたどっているのでも、妊娠女性でも地母神でもない。**〈植物〉の姿をかたどっているの**である。それもただの植物ではない。縄文人の生命を育んでいた主要な食用植物たちが土偶のモチーフに選ばれている。…（引用者による中略）…

ではなぜわれわれは一世紀以上、土偶の正体がわからなかったのか。

それは、ある一つの事実がわれわれを幻惑したからである。すなわち、**それらの〈植物〉には手と足が付いていた**のである。

じつはこれは、「**植物の人体化**（アンソロポモルファイゼーション）（anthropomorphization）」（ギリシア語で〝anthropo〟は〝人間〟を、〝morph-〟は〝形態〟を意味する）と呼ばれるべき事象で、土偶に限らず、古代に制作されたフィギュアを理解するうえで極めて重要な概念である（p.005）。

この〝anthropomorphization〟は「擬人化」と訳されもする。〝Vermenschlichung〟の意味と類似している。その側面ばかりを強調すると、竹倉は土偶が縄文人の神であることを忘却してしまったかのように思われる。〝anthropomorphization〟は「擬神化」という意味・内容をもっているのである。そのあたりの考察を、私は①フォイエルバッハ研究において、②フレイザー『金枝篇』研究において、深めてきた。近いうちに、その詳細を解説できれば幸いである。要点は、上記の「擬神化」、それから植物を育む「土」である。土偶はまずもって土塊だということ。どちらも本書には欠落している。

「土塊」について補足する。土偶は土塊すなわち大地の一片である。したがって、大地を崇拝する者にとって、土偶は崇拝の対象である。たとえ粉々に砕かれても、それはむしろ大地に戻っていること、大地への帰還を意味する。大地は女性と遇されることが多いので、崇拝対象としては大地母神と意識される。植物と意識されようが大地と意識されようが、いずれにせよ物質そのものなので、そのような崇拝対象を私は「フェティシュ」と称している。それには霊魂が潜み、人は霊魂の方を崇拝している、となれば、そのような崇拝対象を私は「アニマ」と称している。

（二〇二一年八月三一日脱稿）

八　ギュウバトン——文化で食べる・文化を食べる

まぼろしの〔ギュウバトン〕編著企画

一九七〇年前後の大学生時代、『思想運動の論理（今日の状況叢書Ｉ）』（芳賀書店、一九六四年）ほかを読んで以来身近に感じていた社会活動家・哲学思想家の津田道夫（一九二九〜二〇一五）に、一九九〇年代末、私は一つの共編企画を伝えた。「ギュウバトン」である。「津田先生、牛・馬・豚、それに山羊や鶏や、さまざまの家畜を社会思想史的に論じる、というのはいかがでしょうか。社会評論社にもギュウバトン企画として話をしてありますが?」「いいですね、馬頭観音なんか、入れてもいいんでしょ?」「ええ、産業動物や動物愛護について論じるほか、民俗儀礼、競馬・闘鶏などのアミューズメントまで、さまざま考えられます」。

そのとき、私個人のテーマは、スペインのイベリコ豚や中国長江流域の麻鴨（マーヤー）と総称されるアヒルを考えていた。前者は、たしかアリストテレスの『動物誌』にもその飼育方法が書かれてあったと記憶しているが、野生のドングリや、オリーブ園の収穫の残り、麦畑の刈跡などをブタの餌として消費地まで放牧飼育を行うもので、後者は、同じように放し飼いをしつつ田んぼの落穂や雑草を食べさせ、ついでに害虫を駆除し、糞尿で田を肥やす、また糞が水中の魚の餌にもなるというものだ。自然の循環を共に生きる人と動物、この企画を津田に話したら、たいそう気に入ってくれた。『ギュウバトン―生きとし生きる自然の恩恵』という書名まで考えたのだったが、畜産学、家畜行動学など学際的に幅広く協力体制を構築できず、けっきょくは実現しなかった。

今回、本誌『季報唯物論研究』一五三号（二〇二〇年一一月）で〔食の思想〕企画の予告に接したので、これに応募する形で津田と夢見たあの当時を小規模に再現したく思う。今回の応募にはまた、二〇一九年末から世界大で猛威を振るっている新型コロナウイルス禍による食文化の破壊作用も影響している。

文化で食べる

食は栄養摂取（生存一般の要件）を超えて身心摂取（個的実存の要件）である。また、文化は風土や歴史によって培われるが、食はまさにそれである。振舞いとしての食（文化で食べる）と、人間形成としての食（文化を食べる）、この二つである。

その確認を忘れずにおきながら、とくに動物肉食をテーマとすると、これは洋の東西でかなり違った動物観を念頭におくことになる。例えば、旧約聖書には「動いている命あるものは、すべてあなたたちの食糧とするがよい」（創世記九―三）とある。[☆01] 旧約の世界はいまだヨーロッパ世界が誕生する以前ではあるが、旧約の文化は紛れもなくヨーロッパ文化を形成する土台である。これと古典古代思想、とくに人間と動物との間に共通の正義はあるか、ロゴスはどうか、霊魂はどうか、という議論を併せると、[☆02] ヨーロッパの諸民族・諸文化は宗教的、倫理的にみて、動物肉食を概ね是認してきたことがわかる。

それに対してアジア世界では、動物肉食を宗教的、倫理的な観点から概ね忌避してきた。その一例は、古代インド思想の「輪廻」にうかがわれる。永遠の輪廻転生にあって、人はその行ないに応じて動物に生まれ変わることもあるからである。紀元後に登場してきた大乗仏教、その経典の一つ「般若心経」を見ると、感覚器官的味覚に先立ち、人（五蘊）として受け入れ可能かという文化相対的味覚が問題にされていることがわかる。あるいは、冒頭で述べた栄養摂取（生存一般の要件）を超えた身心摂取（個的実存の要件）のレベルが問われることになる。食は儀礼と深く関係している。臨済宗僧侶で芥川賞作家の玄侑宗久は、『現代語訳般若心経』にこう記している。

〔引用一〕それ（五蘊―引用者）は、私たちの身心を構成する五つの集り、色、受、想、行、識を意味します。
〔引用二〕誤解を避けるためにも、自己のことを私は「我」と云わず「五蘊」と申し上げているのです。「蘊」とは「集まり」のことです。たまたま縁起によって集まったからだと精神機能の集合体が「私」であり、それは絶えず無数の関係性のなかで変化しつづけています。いわば「五蘊」としての「私」は、常に世界に開かれているのです。
〔引用三〕たとえば「識」の集合体が、なんとなく「この人、嫌い」と告げていれば、その人の作った料理だって「ありのまま」の味はしません。いや、「ありのまま」の味など、初めからないのです。嫌いな人の作った料理にはどうしても批判的になりますし、好きな人が作れば闇雲に美味しく感じられたりします。つま

り、「受」にさえ客観性などない、と云えるでしょう。[☆03]

玄侑のいう「ありのまま」の味はおそらく感覚的味覚をさし、「識」を経緯した味は、五蘊に叶うか否かという、いわば儀礼的文化で食べる味だろう。それは味があるともいえるし味がないともいえる、大乗的に文化相対的な〔味なき味〕なのだ、と私は考える。

『般若心経』の本文に記された「空の中には、色もなく、受も想も行も識もなく、眼も耳も鼻も舌も身も意もなく、色も声も香も味も触も法もなし」とは、玄侑のいう「ありのまま」の否定であり、大乗的文化の表出であり、原文にある「呪」(真言・マントラ)を言い当てている。そうであれば、「味」は五蘊文化で食べる味、実体なき味、「物質的現象もなく、感覚もなく、表象もなく、意志もなく、知識もない」故の味ということになる。[☆04]『金剛般若経』にはこう記されている。ある時ブッダは「朝の中に、下衣をつけ、鉢と上衣とをとって、シュラーヴァスティー大市街を食物を乞うて歩かれた」。「食事が終わると、行乞から帰られ(云々)」。[☆05]〔文化で食べる〕行為に関する説明サンプル中、ブッダによるこの食事は際立っていよう。その行為は、日本の食文化における自然(神)への感謝「いただきます」に引き継がれている。

そのほか、動物一般を忌避するのでなく、文化の言いわけ・言葉わけで判断するという食文化も存在する。その好例は日本の肉食文化に見られる。仏教伝来以前の列島住民はたしかに動物を食していた。生きとし生けるものの殺生を禁じる仏教が伝来すると、今度は言いわけしつつ、食べ続けたのである。兎を一羽、二羽と獣でなく鳥のように数え、猪肉を牡丹、馬肉を桜とかと植物に関連付けて呼ぶといった擬制である。そのような擬制を通じて、これは食べられる、これは食べられない、という〔文化で食べる〕観念が成立した。

食文化とは少しずれるが、南方熊楠が注目した魚「コノシロ」は擬制の変種である。擬態と称してもよかろう。以下に引用する。

かつての日本では、次のような和歌がよく歌われた。
(中略)下野の室のやしまに立つ煙かが子のしろにつなし焼くらむ
言い伝えによれば、これは次のような物語だという。

昔むかし下野の殿様が、ある娘を妻に娶ろうとした。娘が心底嫌がっているのを知った父は、彼女が突飛に死んだと称して偽りの葬式を執りおこない、遺体の代わりにツナシというイワシとニシンによく似た魚（中略）を焼いた。これを焼くと、死人を火葬するときのような臭いがするといわれていたのである。魚は、この言い伝えがもとで「コノシロ（子の代）」と呼ばれることとなったという。

この逸話に感服するか気味悪く思うかして、聞き耳を立てる人にとって、寿司ネタ「コノシロ」の味は微妙に、あるいはドラスチックに変わることだろう。ちなみに、酢〆たコノシロは私の好物である。☆06

文化で食べる事例の一つに、例えばカレーライスのような諸文化混淆の料理がある。聖なる牛の肉をルーにまぜたビーフカレーは伝統的なインド料理であるはずはない。もしマクドナルドがインドで営業したければ牛肉抜き、チキンなどでの代用が前提だろう。また、日本料理の特徴として主食（ごはん）と副食（おかず）の区別がある。つまり、日本料理には一種の型がある。韓国も日本同様に主食と副食とに分かれている。とにかく、我々はフランス料理であれ、イタリア料理であれ、もしそれらを主食・副食を意識しながら食べたなら、それはもう日本料理を食べたことになる。あるいは少なくとも作法とレシピの諸文化ミックス料理を食べたことになる。食の思想はこうして、肉・魚介・芋・麦・米やその発酵物など固有な素材とレシピ、マナーなど様式・作法との混淆の場に醸し出されていくものなのだ。

本節の最後に、文化としての食人習に言及する。南方熊楠は、大森貝塚の発見者エドワード・モースの日本食人論に絡めて、食人に関する英語論文を『ネイチャー』に発表したが、その項目は以下のようだった。一、習慣（動物肉と同様の食用）。二、飢饉（飢餓状態）。三、怒り（殺しても収まらず）。四、屍愛（ネクロフィリア）。五、呪術および医薬。六、宗教（人身供犠）。その各々に取り上げられた事例の信憑性は措くとして、分類項目が興味深い。最初の三項目は食用ないし感情表現ではあれ儀礼的ではない。よって、積極的に〔文化で食べる〕事例には加えられない。対して、あとの三項目は〔文化で食べる〕事例であろう。これこそ、食人習という儀礼文化で人肉を食する事例である。☆07

文化を食べる

〔文化で食べる〕という表現だと、文化は振舞いとしてあり、様式や方法としてある。それに対して〔文化を食べる〕という表現だと、文化は端的に食べ物である。そのような食べ物の思想を古代ギリシアに拾うと、その好例はプラトンの次の言葉に示される。「知識は魂の食べ物です（Knowledge is the food of the soul.）」[☆08]。プラトンにあっては、霊（spirit）はそれだけで存在できるが、魂（soul）はなにか食べなくてはならないようである。では、知識はどのような食べ物なのか。栄養摂取（生存一般の要件）の対象か、それを超えて身心摂取（個的実存の要件）の対象なのか。いずれにせよ、この世界で生きていくために必要なことだけは間違いない。私なりに整理すると、人はまず情報を仕入れ、それを知識として整える。次いで、知識を知性に深める。そして最終的に知恵に昇華する。その過程で知識は、きっと、イデアに受け入れられるのだろう。

それでは、食材としての文化とは何か。野に生えている植物や野を駆け回る動物は文化ではなく、端的に自然物だ。現代風に表現するならば、その中に人間も含まれる生態系の構成要素である。狩猟採集を日常とする人々であれば、ある意味で生態系の一部と見なしうる。ただし、彼らのうち、衣食などを念頭にして意識的・恒常的・系統的に動植物を獲得する場合、その行為とその成果は文化となる。これを〔使用文化〕と呼んでみる。やがて資源・産物という概念が出来上がっていく。そしてついに、農耕牧畜を組織するや、第三者のための生産、あるいは価値（商品）の生産が恒常化しだす。その行為とその成果は文化となる。これを〔価値文化〕と呼んでみる[☆09]。〔使用文化〕のキーワードは〔自然〕〔生態〕〔共生〕などだ。〔価値文化〕のキーワードは〔資源〕〔産物〕〔価値〕などだ。

それに合わせて、食の文化にも二種の類型を設けることにしよう。狩猟採集に限定せず農耕牧畜をも含めるものの、大地（生態系）からの恵み（天地人）に満足し、生きとし生きるものの命を戴きつつ、自給自足を基本とする食文化は〔使用文化〕である。対して、生産量を拡大するために大地と品種を加工し、第三者との交換（商品生産）の拡大を基本とする食文化は〔価値文化〕である。

かつて、畜産学専攻の正田陽一は、『家畜という名の動物たち』において以下の主張を為していた。

畜産という仕事は、土地の持つ生産力と家畜の持つ生産力とを有機的に結びつけて、自然界における物質循環に少しばかり人手を加え、人間生活に有利なように加工し、利用する産業ということができる。自然を離れ、自然を無視して行える業ではない。[☆10]

正田がここで主張している内容を私なりに特徴づけると、畜産という仕事は食の〈使用文化〉に沿うべきであり、それを離れ、無視すると食の〈価値文化〉に陥る、となる。彼がこの警告を発したのは一九五八年だが、その後一九九〇年代に至って、「自然を離れ、自然を無視」した産業動物生産が、ついに〈自然の逆襲〉を招く事態を引き起こした。それは牛海綿状脳症（BSE、通称「狂牛病」）の突発である。厚生労働省ホームページには以下の解説がある。

牛海綿状脳症（BSE）は、牛の病気の一つで、BSEプリオンと呼ばれる病原体に牛が感染した場合、牛の脳の組織がスポンジ状になり、異常行動、運動失調などを示し、死亡するとされています。かつて、BSEに感染した牛の脳や脊髄などを原料としたえさが、他の牛に与えられたことが原因で、英国などを中心に、牛へのBSEの感染が広がり、日本でも平成一三年九月以降、平成二一年一月までの間に三六頭の感染牛が発見されました。[☆11]

BSEが世界大で大問題となった二〇〇〇年代に、私は勤務校（東京電機大学理工学部）で担当していた講座「技術者倫理」で〈ギュウバトン〉を縷々解説しながら、以下の試験問題と模擬解答を用意した。

［問］技術者倫理が問題となる背景について、具体的な事例を引いて説明せよ。

［答］科学技術の安全性を巡る問題は、大きな事故や不良品による被害が出るたびに話題となってきた。最近では例えば、輸入肉骨粉使用によるBSE（狂牛病）発生、中皮種を引き起こす可能性をもつアスベストを使用した建築物における被害の続出などがある。こうした事件が発生すると、きまって企業の管理責任問題（企業倫

理）が取り沙汰される。それに比べて、その事件のもとになった新技術の開発現場には、あまり視線がとどかない。個々の技術を開発した技術者個人の倫理を検討することは少なかったのである。

例えば、自動車の開発では、人体に有毒な排気ガスを少なくする技術は、自動車の性能アップの点では意味がないし、利益の点ではマイナスに作用する。したがってその技術開発は遅れをとる。上記のアスベストにしても、代替材料が考案されない間は、倫理を後回しにしてこれを製造・販売し続ける。ＢＳＥにしても、有害な肉骨粉を生産していない国や企業から飼料を買い付けるものの、その飼料販売企業自体が有害な輸入肉骨粉を使用している点を無視する。ここに技術者倫理（工学倫理）が問題となる背景が潜んでいる。

〔文化を食べる〕と聞けば、多くの人はフランス料理や中華料理、エスニック料理などを思い浮かべるだろう。しかし、このフレーズで私はあえて、狂牛病・鳥インフルエンザ、遺伝子組み換え食品など、つまり先端科学技術による不自然極まりない食文化に批判的な眼差しを向けたいのである。

注

01　創世記のほか、以下の文献を参照。柊暁生「『食べてはけない』（旧約）から『取って食べなさい』（新約）へ」『藤女子大学キリスト教文化研究所紀要』七巻、二〇〇六年、五一頁。

02　例えば、アリストテレス『政治学』第一巻の動物観を引用した以下の文献が参考となる。山川偉也「アリストテレスとディオゲネス」、『桃山学院大学総合研究所紀要』第三三巻第一号、二〇〇七年、一三八頁、参照。山本光雄訳『政治学』（岩波文庫、一九〇四年）、から当該箇所を引用する。「もし自然が何ものをも無目的に、或は無駄に作るものでないならば、人間のためにそれら凡てを自然が作ってくれているのでなくてはならぬ。それゆえに戦争術も亦自然によって、或る意味では獲得術に属するであろう（何故なら狩猟術は戦争術の一部であるから）、そしてそれは動物に対し、また人間のうちで支配せられるように生れついたものでありながらそれを欲しないものに対して用いられなければならない、何故なら、この戦争は自然によって正しいものと考えてよいからである」（同上、五〇頁）。

03　玄侑宗久（げんゆうそうきゅう）『現代語訳　般若心経』ちくま新書、二〇〇六年、二八、五四、六〇頁。

04 中村元『般若心経・金剛般若経』岩波文庫、二〇一五年（初一九六〇年）、一〇〜一五頁。

05 同上、四三頁。

06 南方熊楠「日本の記録に見える食人の形跡」、南方熊楠著・飯倉照平監修・松居竜五ほか訳『南方熊楠英文論考［ネイチャー］誌篇』集英社、二〇〇五年、二九三〜二九四頁。これには以下の注記が付せられている。貝原『大和本草』一七〇九年、一三巻三一丁表。寺島『和漢三才図会』一七一三年、四九巻、同綱目〔コノシロ〕。新井〔白蛾〕『牛馬問』一七五五年、一巻二五章。

07 同上、二八四〜二九七頁。

08 *Plato's Protagoras*, 313c. プラトン『プロタゴラス ソフィストたち』藤沢令夫訳、岩波文庫、一九八八年 、二三頁。ただし、どういうわけか、この訳本では Knowledge is the food of the soul が「もろもろの学識だ。」と翻訳されている。「魂の糧食となるのは」という主語が省かれているのだろう。私はギリシア語原典に当たっていないので、その理由や根拠について、なんとも言えない。

09 文化を二種に区分して考察することを、私はすでに以下の論文で果たしている。「CULTUS——儀礼と農耕の社会思想史」『社会思想史の窓』第一二〇号、一九九八年。本稿は以下の拙著に再録してある。『母権・神話・儀礼—ドローメノン〔神態的所作〕』社会評論社、二〇一五年。それに合わせて言い換えるならば、〔使用文化〕は〔文化の第二類型〕となり、〔価値文化〕は〔文化の第一類型〕となる。

10 正田陽一『家畜という名の動物たち』中央公論社、一九五八年、一五頁。

11 厚生労働省ホームページ（ホーム＞政策について＞分野別の政策一覧＞健康・医療＞食品＞牛海綿状脳症（BSE）について）二〇二一年三月四日アクセス。https://www.mhlw.go.jp/stf/seisakunitsuite/bunya/kenkou_iryou/shokuhin/bse/index.html

九 木島平「三韓土器」の発見と科学研究の陥穽

科学研究の前提条件は科学的パラダイムとエビデンスの存在である。科学的な自然観や社会観、合理的認識とそれを支える物証である。今回のテーマについても、その指摘は妥当する。古代日韓文化交流の基本線は三韓（一〜三世紀）・三国時代（四〜七世紀）の朝鮮半島諸勢力と北九州・

畿内の日本列島勢力との交流である。そのうち日本列島側に関して、北九州・畿内以外の地域についてはエビデンスを欠くか極めて乏しい。したがって、私が注目する古朝鮮文化の信濃川流域遡上説は科学的・客観的な物証を得ていないとされ、したがって通説となってはいない。また、文化の流れは高き中央から低き地方に（半島→畿内→関東）、という観念をもつ人々にとって、私の発想は受け入れられない。

　けれども、私が注目する以前からこの説を有力視してきた研究者はいる。その代表は考古学者の森浩一（一九二八〜二〇一三）とその教え子にあたる川崎保である。ほかの大半の考古学専門家は信濃川流域遡上説を承認していない。多少前向きな研究者でも、可能性の範囲にとどめている。しかし、比較民俗学・生活文化論を専門とし、その眼力でつとに古代日韓文化交流史に関心を持って来た私としては、古朝鮮生活文化の信濃川流域遡上説は至極当然の結論であると認識している。

　その私の学問的営為にとり朗報となるニュースが、つい先ごろ飛び込んできた。「東日本初「三韓土器」、長野北部の根塚遺跡で出土　朝鮮半島と交流？」（朝日新聞デジタル、二〇二一年一二月二一日）である。対象の遺物が紀元前一世紀〜紀元後三世紀に朝鮮半島南部で制作された土器であるから、北九州・畿内の勢力は未だ成立しておらず、したがってかかる地域からの運搬物ではない。信濃川・千曲川を経由して日本海からダイレクトにもたらされたと判断できる。私はそう考え、ＳＮＳを通じて知人友人に以下の書き込みを発信した。

> 　みなさん、私は昨日からとても気分がいいのです。数年前から主張してきた古朝鮮文化の信濃川遡上説に動かしがたい物的証拠が、ついに出たのです。古朝鮮由来の「三韓瓦質土器」が一〜三世紀に信濃川流域の木島平に来ていたんです。この時代は弥生期なので、まだヤマト政権は生まれていません。つまり、ヤマトから離れて、越後沿岸に朝鮮半島との交流があったという証拠なのです。私は考古学の専門家でないので信濃川遡上説は相手にされなかったようですが、この三韓瓦質土器は縄文弥生の基準だけでは分類できない、という事実から再評価が始まり、いよいよ考古学者が信濃・千曲川の文化交流を認めてくれるようになりました。

この指摘は、じつは今から二〇年以上前に、同じ木島平での発掘調査結果についてなされてあった。アサヒグラフ編集部編『古代史発掘 一九九六～一九九八』（朝日新聞出版、一九九九年刊、四五頁）にその記録が残っている。以下に引用する。

桑畑から鉄剣が出た。しかも、柄などに渦巻き文の模様が付いていた。発掘を担当した木島平村教育委員会の吉原佳市さんは、「肉眼で見れば、単なる鉄の塊。ところがエックス線撮影をしたら、大変な文様があり、驚きました」と、語る。（中略）渦巻き状の装飾は三世紀後半から七世紀にかけて、朝鮮半島南部の伽耶で流行し、鉄剣以外にも使われていた。韓国の同時期の良洞里墳墓群からも、突起こそないが、二つの渦巻き文が付いた鉄剣が出土している。「当時の日本に、これだけ高度な鉄の加工技術はなく、今回の鉄剣は、朝鮮半島から持ち込まれたと考えられています」と、吉原さんはいう。日本海ルートで、この信濃に流入した可能性もあるようだ。

古来、人々は、日本列島と朝鮮半島とをよく行き来していた。けっして偶然の波任せではなく、意識的に波を利用して、両地域の人々は相互に往来していたのである。私は、その歴史事象を、数次にわたる現地フィールド調査を踏まえて、信濃・上野古代朝鮮文化の信濃川・千曲川遡上・峠越えというテーマで考察している（石塚正英「信濃・上野古代朝鮮文化の信濃川水系遡上という可能性」、拙著『地域文化の沃土 頸城野往還』社会評論社、二〇一八年、一八～二八頁）。

私は、古代日韓交流時代には、半島南岸・東岸から海流に乗って日本海を横切り、能登、佐渡、越後地方へと沿岸の港や汀を結ぶ渡航ルート（汀線航路）があったと考えている。さらには、現在の新潟市に河口を有する信濃川や上越市に河口を有する関川をはじめとする越後沿岸の河川を遡上して関東地方に向かう列島横断峠越えルートを予測している。以下にその根拠を列記する。

① 新潟県胎内市の宮ノ入遺跡（かつては信濃川から加治川へ遡上、朝鮮半島の新羅で作られた陶質土器）

② 長岡市姥ヶ入南遺跡（朝鮮半島東南部で三韓時代に製作の鉄斧と判断）

③ 新潟県南魚沼市六日町の飯綱山古墳群（信濃川の支流にあたる魚野川流域、朝鮮半島由来の可能性が高い鉄鉾、砥石、馬具）

④ 魚沼市根小屋の古林古墳群（銀象嵌の大刀、越後における百済・加耶系工人ネットワークの存在）

⑤ 長野県木島平の根塚遺跡（三韓土器、渦巻文装飾付鉄剣、鍛造の高度技術と共に、渦巻文装飾から考えて朝鮮半島の伽耶方面）

⑥ 長野県長野市の大室古墳（高句麗の墓制積石塚、特徴的な合掌形石室は百済の墓制と関係）

⑦ 長野県須坂市の八丁鎧塚古墳（高句麗の墓制積石塚、半島南部に由来する鍍銀銅製獅噛文板）

⑧ 長野県千曲市埴科の高句麗人名（「真老等は須々岐」に改名、『日本後紀』桓武天皇延暦十八年）

⑨ 長野県千曲市の翡翠（円光坊遺跡や屋代遺跡群で出土した翡翠は、汀線文化の一つとして信濃川を遡った）

⑩ 長野県松本市の針塚古墳（積石塚墓を造った人々が五世紀初から住みつく）

⑪ 長野県上田市の武石古墳（九州北部の弥生時代集落吉野ヶ里で作られた巴形銅器のうち、あるものは北陸沿岸を経由して北信濃の武石へ、海をわたって韓国南部の伽耶へ、それぞれもたらされたのだろう）

⑫ 群馬県渋川市の金井東裏遺跡（六世紀に榛名山の噴火で埋没した人骨、父親が渡来集団の一世で、男性は日本で生まれた二世なのかもしれない。いずれにせよ渡来して間もない。信濃川遡上の有力な根拠）

⑬ 群馬県高崎市の保渡田古墳群（金銅製飾履は半島南部、伽耶・新羅に由来）

⑭ 保渡田古墳群の周辺には下芝谷ツ古墳という、高句麗に起源を有すると推測できる方形積石塚

⑮『続日本紀』霊亀二（七一六）年五月一六日に、駿河、甲斐、相模、上総、下総、常陸、下野から高句麗人一七九九人を武蔵国に移し高麗郡を設置したとの記載（同地方には八世紀以前から、越後沿岸→千曲川→碓氷峠→群馬→埼玉へのルートで朝鮮半島民が波状的に移り住んでいた）

「三韓土器」出土という今回のビッグニュースは、じつは新たな発掘によるものでなく、すでに一九九六年～二〇〇〇年の発掘で出土していた遺物の再調査によってわかったことなのである。三韓土器が東日本、それも日本海側で発見されるなど、大半の考古学研究者には想定外だっ

た。だから、二〇年以上のあいだ分類不明の括りでペンディング処理されてきたのである。長野市付近の千曲川流域で発見されている高句麗系ないし百済系の積石塚遺跡について、私は自身の調査研究をもとに、これを日本海経由と結論づけている。長野市教育委員会が二〇〇七年に編集した『大室古墳群調査報告書』には、「積石塚は高句麗の墓制と、特徴的な合掌形石室は百済の墓制との関係を指摘する意見もある」（九頁、写真は同古墳群）とあるものの、そこに渡来のルートは記されていない。ただし、同書には以下の記述も読まれる。「尾根を隔てた保科川扇状地には、縄文時代中期末から晩期にいたる宮崎遺跡が所在している。特にサメ椎骨製耳飾りとトレンチ内から出土した銛頭は、海岸部の人々との交流を物語る重要な資料である」（一四頁）。

二〇一七年六月、長野市付近の積石塚遺跡について、その文化伝播経路を長野市教育委員会埋蔵文化財センターにメールで問い合わせたところ、返信はあったものの私の注目する信濃川遡上説に関する肯定的な情報は記されていなかった。同じ問い合わせに対し、長野県埋蔵センターからは有力な情報を受け取った。その情報提供者こそ川崎保である。川崎は言う。「信州で交通というと古代東山道や近世中山道といった陸上交通路に目が行きがちであるが、それと同じくらい、いや対外的な流通や文化の流入を考えると千曲川の果たした役割は、非常に大きいことを確認しておきたい」（「遺跡から見た古代・中世の千曲川の水運」、信濃史学会『信濃』第五七巻一二号、二〇〇五年一二月、三二頁）。

政界財界と同様、往々にして学界も派閥で縛られている。考古学界も例外ではない。その権威筋では、古代日本文化、

その基本はすべからく九州または畿内から発することと相場が決まっている。かつて考古学者の小林行雄は一九六一年刊の『古墳時代の研究』でこう主張していた。「地方における古墳の出現が、大和政権の勢力範囲外においても生じえたのではないかという推論は、実証的にはいちじるしく可能性を欠くものといいうるのである」（小林行雄『古墳時代の研究』青木書店、一九六一年、一五一頁）。小林にとっては大和政権が紀元であるようだ。古墳時代や弥生式時代は紀元前、飛鳥時代や奈良時代は紀元後だ。それはちょうどキリスト教徒にとってイエスの出現が紀元であるのと同類だ。地方における古墳の発生を大和政権の地方官である「県主」と結びつけ、政権の承認を前提にした、という小林行雄の理解は、古墳時代を大和時代と言っていた頃の名残りであろう。朝鮮半島南端の伽耶地域を「任那日本府」と称していたのと同類の歴史観に支えられている。

二〇二二年一月二六日付『新潟日報』（魚沼面）に「銀象嵌の大刀〝発見〟魚沼・古林古墳群から県内二例目」と題する記事が掲載された。魚沼市教育委員会が、一四〇年ほど以前に発掘されていた遺物を再調査して判明した。銀象嵌とは金属に線刻を施しその溝に銀線を埋め込む技術を指し、百済や加耶から伝わったものと考えられる。完成品が半島から伝播したか、工人が列島に渡来してもたらしたか、その点は定かでないようである。記事によると、「銀象嵌の大刀」は「当時の大和政権が権力を示す『威信財』として地方の勢力に贈っていたとみられる」し、「古墳時代の大和政権の勢力が及んでいた地域を示す貴重な発見」とみられる。

さて、私にすれば、それは考古学的な通説の解釈であり、それとは別の金石学的な革新の解釈が成り立つことを強調したい。つまり、銀象嵌を大和政権との結びつきを示す威信材とみるのでなく、朝鮮半島と日本海側地域のダイレクトな交通を裏付ける史料と捉えるべきだということである。私の説は、すでに拙著『地域文化の沃土 頸城野往還』（社会評論社、二〇一八年）所収の「信濃・上野古代朝鮮文化の信濃川水系遡上という可能性」で公開してあるが、銀象嵌に特化するならば、金跳咏「象嵌技術からみた百済・加耶と倭の交渉」（総研大日本歴史研究専攻、国立歴史民俗博物館『歴史研究の最前線』二一巻（古墳時代における日本列島と朝鮮半島の技術交流）二〇一九年三月）に金石学的な考察がある。金は、金石学者鈴木勉の『三角縁神獣鏡・同范（型）

鏡論の向こうに』（雄山閣、二〇一六年）を参考に、象嵌の模様や文字でなく象嵌を彫る技術に注目しており、「王権とは別に自由に動いていた渡来系工人ネットワーク」の存在を指摘している。象嵌は「大和政権の威信材」であり、大和政権からの賜りものと位置付けた新潟日報記事とは大きな開きがある。金跳咏論文や鈴木著作は、結果的に私の信濃川水系遡上説をバックアップしていることがわかる。

古朝鮮文化の信濃川流域遡上説は、つねに権力関係からしか歴史と文化を理解しないこうした非科学的で権威主義的な学説への痛烈な反論を含んでいる。と同時に、森浩一の次なるまっとうな主張へのオマージュである。「ヤマト朝廷の力によって一度人や物などが難波やヤマトに集められ、やがて各地に分散するという図式が考えられがちですが、それよりも、朝鮮半島の諸地域から日本列島の諸地域に直接来る、あるいは往来する場合も多かったのではないかと、私は考えています」（森浩一「信濃の馬、積石塚と渡来人」、川崎保編『「シナノ」の王墓の考古学』雄山閣、二〇〇六年、二三二頁）。

本節の表題に記した「科学研究の陥穽」とは、じつのところ科学者倫理にかかわる陥穽なのであり、その指摘は人文・社会科学以上に先端科学技術研究の分野にこそ妥当する（石塚正英「新たな科学論の構築へ向けて」、「人間学的〈学問の自由〉を求めて」、ともに拙著『学問の使命と知の行動圏域』社会評論社、二〇一九年、一一〇～一五〇頁、参照）。

十　上越地方の葬送儀礼〔焼香銭〕

上越市の町家交流館高田小町で二〇二一年一一月一三日に開催された第四三二回【くびき野カレッジ天地びと】で、私は「日本における食人習俗遺制の探索―フレイザー『金枝篇』を読む⑥」を講義しました。話題の一つとして葬式まんじゅうを「膝かぶ」と称した新潟市の事例と、棺に三途の川の渡り賃として穴開き銭を入れるという長野県北小谷村（姫川流域）の事例を紹介しました。そのことについて、フロアーから類似の事例紹介がありました。福島県の親戚では、棺に百円玉を入れ、火葬の後一枚を戴いて来た、というものです。その方（米山康久さん）は普段から本講座に時おり参加され、地域の歴史や民俗に関心おありなのですが、ほかにご自分の体験と比較したり関連付けたりするところはフィールドワーカーでもいらっしゃるわけです。

さて、そのコメントに接して私は、「あっ、そうだったのだ！」と脳裡にピンとくるものを感じました。そのピンとくるものとは、浄土真宗の盛んな上越地方や北陸に多く残る「焼香銭」のことです。おもに自宅の仏前で行われる四十九日や三回忌などの法要で、僧侶による読経の最中に、正座して正信偈（しょうしんげ）を唱和する会葬者の間を小さな香炉が回されます。それを受け取った人は銘々の焼香とともに百円玉をお盆に置きます。施主あるいは喪主がそれを集めて僧侶に渡します。昔は参列者銘々が蠟燭や線香を持参したが現在は施主や寺院あるいは葬儀社が用意するので、そのかわりに百円を添える、といった根拠が挙げられています。私自身もながく体験してきましたし、コロナ禍の発生する数年前に参列した葬儀では、セレモニーホールで香典をお供えした後であったにもかかわらず、通常の焼香台の脇に回し香炉が置かれ、そこに百円玉を置きました。自宅での法要では当たり前でしたが、葬儀会場では初めての体験でした。

さて、この焼香銭は、たとえば棺に入れる小銭、三途の川の渡り賃とどう違うのでしょうか。前者は蝋燭代だとか線香代だとかの理由づけをするので、この世の者たちの交流手段でしょう。後者はこの世とあの世の架け橋である可能性が大です。けれども私は、前者もまたこの世とあの世の架け橋である可能性を見出します。銭は、生産物の交換という経済的役割以外に、いや、それ以前に、人の生死の交換をつかさどる儀礼的役割があったのです。

かつて土葬の時代、遺体を埋葬するに際して鋤や鍬が用いられました。また火葬に際しては遺骨を砕くのに鋤や鍬が用いられましたが、その鋤や鍬はのちに銭の漢字を用いるようになっていきました。銭と鍬・鋤とは同じ意味をもっていたので、鍬の形をした貨幣が出現しました。それから、貨幣の「幣」と御幣の「幣」との共通性、それは「ヌサ奉る」の「幣（ヌサ）」であり、立てて祀るもの、神への捧物（幣物）だった点です。「幣」は、あるいは神の憑代、さらには神そのものを意味したことでしょう。そのような背景をもとに推理して、焼香銭は生と死の交換儀礼に相応しいのだろうと、私は思っております（次頁写真：上越市寺町3、曹洞宗長徳寺境内の「賽の河原」）。関連する考察については以下の URL をクリックし拙稿「身体内共生儀礼としての食人習俗」をご覧ください。
https://www.jstage.jst.go.jp/article/kfa/5/19/5_1/_article/-char/ja

最後に一言。私は一九九〇年代から上越地方を中心に民俗調査を継続し、二〇一〇年からはその成果をもとに市民講座を継続しています。双方ともに指摘できるのですが、一般市民の間で行う民俗学の調査は汲めど尽きせぬ泉に手を突っ込んでいるようなものです。(二〇二一・一一・一五)

十一　ルポルタージュ映画の創始者・羽仁進
——not 演技 (drama)but 自然所作 (dromena)

ルポルタージュ映画の概念

先般(二〇二〇年五月九日)、羽仁進監督の記録映画『教室の子供たち』(一九五五年公開)、長編劇映画『不良少年』(一九六一年公開)等がつくりあげられていく過程を描いた番組「ETV特集▽映画監督　羽仁進の世界～すべては〝教室の子供たち〟からはじまった～」を鑑賞して愉しんだ。NHKのホームページにはそのようなタイトルが記されていたが、放送日の毎日新聞番組欄には「ETV特集　羽仁進・記録映画の革命児九一歳▽是枝裕和が読み解く」とあった。

この番組は、カンヌ国際映画祭審査員賞を得た映画監督是枝裕和が処々で感想や意見を述べながらすすむ。その中で、羽仁はあるところで次のように語った。

〔発言一〕ぼくは最初からね、そんなね、だってみなさんの言ってる『記録映画』と『劇映画』どこが違うかというとね、練習して記録映画をやっているんなら劇映画やっても同じじゃないですか。ぼくは練習のない劇映画を撮ってるようなものなんですよね。これしかない、この〝瞬間〟しかなかったと。だってお芝居って何べんもやり直しするでしょう。こんなこと、人生なんてやり直しなんてできっこないですよ。

〔発言二〕いろいろ思い出してみるとね、ぼくは子どもたちの今ある、あるがままを写すんじゃなくて、そこからちょっと飛び出す、その人自身も知らなかった〝生の瞬間〟みたいなものを撮りたいわけですよね。ふだん何も言わない、黙っているような子どもの中に何かあると、ぼくは勝手に決め込んで、一緒に協力して、その人の持ってる、隠れてる、自分でもわからないもの、それが出てくる瞬間を写したい、と思うわけです。

この言葉に接して、私は、記録と報道を目的とするドキュメンタリー映画とは明らかに違うルポルタージュ映画の概念を提起したい気持ちになった。それは紀行映画とも違う。撮影する者と撮影される者の映画製作関係者全体の自然な成り行きを記録している。そのような意味でのルポルタージュ映画の概念を、はっきりと認識できた。

眼前に生起する現象をフィルムに刻印するのではない。これから生まれ出ずる現象を、それが生じるに先立って、経過ともども逃さず記録し、撮影される子どもと、撮影するスタッフの双方が新しいなにものかを意識し創出するのである。スタッフは、演技指導などの介在しない、自然のままの子どもを撮る、という立ち位置にありながら、子どもと共にある新たな自分を発見するである。

not 演技（drama） but 自然所作（dromena）

何も練習したり撮り直したりしないような方法ではよい映画作品はつくれない、といった疑問や批判をよそに、羽仁はオリジナルの手法を貫いた。撮影に先立つ成り行きはこうだ。教室に置かれて回っているカメラを児童は意識しなくなる。それはスタッフの作為でなく児童の自然な日常行為として生じてくる。カメラマンに撮影されているという意識が遠のくまで、時の経過をやり過ごした。こうして羽仁は、日常に限りなく近い学校生活のシーンを黒衣に徹して撮り続けた。彼が作品に求めたものは演技（ドラマ）ではなく、自然所作（ドロメナ）なのであった。彼の作品は、

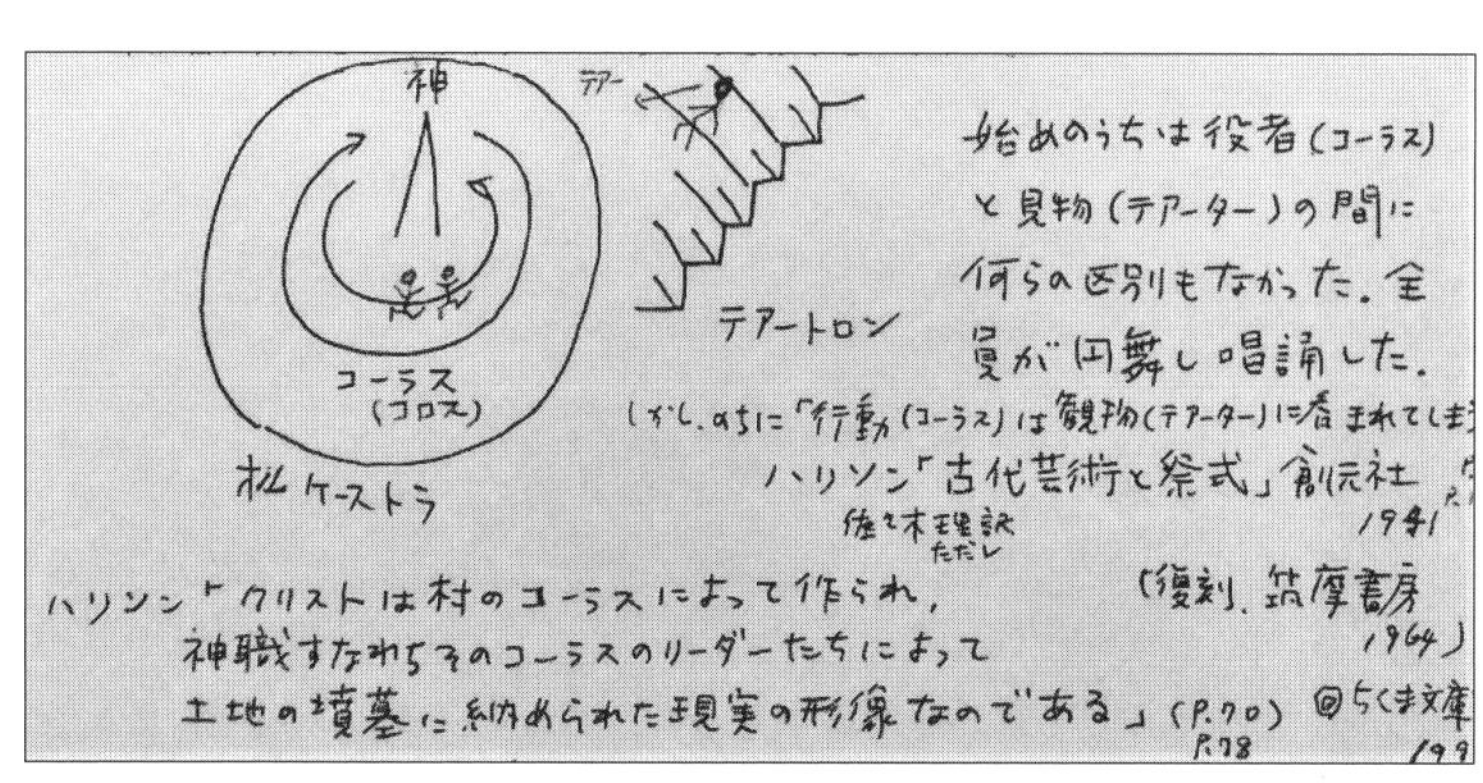

外部に被写体を見いだすドキュメントでなく、外部の変化を通して内部の推移をも経験する、あるいは内外があい呼応して成立するルポルタージュなのである。

ここでいうドラマ（drama）は措くとして、ドロメナ（dromena）とは何か。それは古代ギリシアの儀礼的演劇に関係する。ギリシア本土やその周辺地域に建設された野外劇場では、しばしば神々に捧げる儀礼が挙行された。それは、劇場があるなしにかかわらず、もともと不要不急の演劇でなく生活儀礼、農耕儀礼だった。日本的に言い換えれば、鎮守の森の祭礼であった。ギリシアの先住民、たとえばペラスゴイ人は、儀礼の場で呪文を唱えつつ円を描いて踊り、身体を通して神々と交信した。その行為をドロメナ（複数形はドローメノン）と称する。その場には儀礼を行う住民がいるだけである。他人に見せるものではない。その地に、やがて征服民のギリシア系諸民族がやってきて、先住民の儀礼を見つめ鑑賞し、やがて自らも神々創出の儀礼を模倣するにいたった。先住の神々そのものをも模倣して取り込んだ。模倣と取り込みから演劇は始まった。

文明人であるギリシア人はミミクリー（模倣）により、先史人であるペラスゴイ人はミメーシス（なりきり）により神々と交信した。ミミクリーはフランスの多才な研究家ロジェ・カイヨワの用語とのことだが、もとはミメーシスというギリシア語からきている。ミメーシスというギリシア語はやはり模倣という意味があるが、先史の段階のミメーシスはなりきってしまうことだった。イギリスの神話研究者ジェーン・ハリソンは明確に論じている。彼女によれば、先史人は神を模倣しているわけではない。神になりきっているのだ。☆1

ドロメナに関する説明をこれ以上続けることはやめよう。[☆2]要点は羽仁進の映画監督としての姿勢である。彼が言う「ぼくは練習のない劇映画を撮ってるようなものなんですよね。これしかない、この〝瞬間〟しかなかった」は、私にすれば以下のように解釈できる。〝生の瞬間〟にこだわる羽仁の態度は、ドラマでなくドロメナに近い。映画と演劇の差異を無視しているように思われもするが、少年院から出所してきた少年をも起用して、一回こっきりのようにしてつくった『不良少年』はドラマとドロメナの境界に位置しているように思えてならない。ドロメナであれば、ヴァルター・ベンヤミンのいう〝アウラ〟を放つ作品であるはずだ。

一回性を撮影する目撃的描写

ドイツの文芸批評家・哲学者ベンヤミンのいう〝アウラ〟は複製できない。彼は二〇世紀前半の同時代において、子どもたちの世界には未だアウラを発するような遊びが存在しているように考える。そうであるから、一九二九年から三二年にかけてベルリンとフランクフルトのラジオ局から、ドイツ中の子どもたちに向かって非キリスト教的な、異教的な雰囲気の伝承や風習、歴史的事件を熱っぽく語るのであった。その話題は、例えば魔女裁判、ドイツの強盗団、ファウスト博士などだった。ラジオで子どもたちに話しかけるベンヤミンは、有名な著作『複製技術時代の芸術』でこう主張している。「古代ギリシア人が知っていた芸術作品の複製技術の方法は、ふたつだけであった。鋳造と刻印である。ギリシア人によって大量生産された芸術作品は、ブロンズ像、テラコッタ、硬貨だけであった。その他はすべて一回かぎりのもので、技術的に複製することができなかった」[☆3]。

ベンヤミンは、その著作中で写真や映画の複製技術に言及し、それらによって作られた作品にはもとのオリジナルに備わっていた「アウラ」が減少ないし消滅している、と主張した。ここにいう「アウラ」とは、ベンヤミンの言うところでは「どんなに近距離にあっても近づくことのできないユニークな現象」[☆4]となる。これを私なりに解釈すると、先史の儀礼的世界に関連し、自然神の身体から発散される一種の「気」のようなもの。それは神と人とが互酬の原理に即して生活しているかぎりでもっとも強烈に発散される。発散は、そのような相互的・交互的な関係を前提にしている。また、発散は本物からしか生じない。羽仁進がフィルムに収めようとした対象は、まさに教室の中で本物の、日常そこにいる子どもたちから発散するアウラだったのだろう。アウラは、いま、ここにしかない一回性をもっているのであり、そうであるからアウラは練習によって強まるわけではないのである。

一回性を撮影する目撃的描写に関連して、今一つの表現作品を紹介する。それはオックスフォード大学のジョン・ウィラー゠ベネットが著した作品『悲劇の序幕—ミュンヘン協定と宥和政策』☆5である。ウィラー゠ベネットは、専攻からいえば、歴史学者ではない。しかし、彼には幾冊かの歴史書がある。本書は、古典的ではあれ、宥和外交史の経過を史料をふまえて克明に綴ったものとして白眉のものである。ことにその叙述スタイルは、目撃的叙述法というべきか劇作的叙述法というべきか、まさに悲劇への序幕としての事実経過を、生々しく表現するスタイルをとっている。ウィラー゠ベネットは、あたかも一九三八年九月のミュンヘン会談をはじめとする歴史の現場に居合わせたかのような表現を叙述に絡ませるのである。

今回は、ルポルタージュ映画の創始者・羽仁進と題して短文を綴ってみたが、私はこれをもって新たな芸術論を提起するつもりはない。先日、たまたま「ETV特集 羽仁進・記録映画の革命児九一歳▽是枝裕和が読み解く」を見てしまったがため、長年にわたって関わってきた私自身の学術研究テーマ〔価値転倒の社会哲学〕、〔歴史知の百学連環〕に多少とも絡ませて一文をしたためてみたい気持ちが湧いてきただけのことに過ぎない。映画監督や映画批評の専門家の向こうを張るなどと大それたことを企図したものではないことを、最後に付言しておく。

注

01 cf. Jane Ellen Harrison, *Ancient Art and Ritual*, Home University Library, 1913.
02 石塚正英『儀礼と神観念の起原』論創社、二〇〇五年、参照。
03 ヴァルター・ベンヤミン、佐々木基一編集解説『複製技術時代の芸術』晶文社、一九七〇年、一〇頁。
04 同上、一六頁。
05 酒井三郎訳、日本出版サービス、一九七二年、原書一九四八年刊。

Ⅳ.研究生活五〇年記念

第十四章

〔講演〕

歴史知の知平あるいは〔価値転倒の社会哲学〕

――研究生活五〇年記念

【講演関連情報】
講演機関　歴史知研究会 第六四回例会
講演会場　立正大学 品川キャンパス
講演日時　二〇一九年一二月一日一四時～一八時
＊録音データの文章化にあたり参考資料の注記や内容の補足を行っている。

あいさつ

みなさま、本日は日曜の休日であるにもかかわらず、私の記念講座にお越し下さいまして、まことにありがとうございます。

さて、その昔、織田信長でしたか、人生五〇年とか人間五〇年とかいっていました。あの人は本能寺の変で明智光秀に攻められて自害したのではありますが、それでも、昔は五〇歳にもなると大体よぼよぼのじいさん、ばあさんになっていたのですね。でも、私は研究を始めて五〇年なので、生きている年限はそれ以前に二〇年あるから、いま七〇歳です。

視力は白内障が進んでうまくないので手術しましたが、今はいたって健康で教育と研究に勤しんでいます。退職を記念して何かをする気は全然ないです。退職と引退は別のことですから。そうではなく、研究生活五〇年という意味でなら、おおいに意義を感じます。還暦を祝うとか古稀を祝うとか、そういう意義もあるけれども、きょうの講義は、研究生活を五〇年全うしてきた節目を画するのだと私自身は位置付けております。そこはどうぞご了解戴きたく思います。

それでは、これから四部に分けてお話ししたいと思います。スクリーンをご覧ください。資料トップページに「Ⅰ．学問する社会運動家」「Ⅱ．学問する社会思想家」「Ⅲ．学問するマガジンエディター」「Ⅳ．学問するフィールドワーカー」とあります。ⅠとⅡを最初の一時間ぐらいでお話しして、一〇分ほど休憩をいただき、その後、Ⅲ、Ⅳと進んでいこうと思います。

私はいま七〇歳ですが、いつしも、人の運命は時代に翻弄される、あるいは人は時代を肥やしにして生きる、どちらもあり得ると思います。たまたま私が高校を卒業し大学に入学した頃、一九六八年、一九六九年の頃は、当時の意識ある学生たちからすると大学は最も躍動的なときでした。しかし、大学を管理する側の人たちから見ると、最も危機的なときでした。

具体的な例を出しましょう。昨今の香港です。犯罪容疑者の中国本土への引き渡しを認める「逃亡犯条例」への抗議に端を発する学生中心のヴァイオレンスです。今年の香港で起きているのと似たような事態は、一九六八年一〇月二一日に新宿の東口広場で生じていましたね。国際反戦デーのこの日、新宿駅周辺をデモ行進し機動隊と衝突する新左翼各派の学生たちの行動を指して、マスコミは新宿騒乱事件とか書いていました。広場から歌舞伎町に行く辺りの道路では火炎瓶が飛び交っていました。必ずしもそういう暴力的なことだけではなく、価値や基準が、いろいろな領域で大きくうねっていました。

一九四〇年代末の第一次ベビーブームに生を受けた私たちの頃は大学生の数が桁違いだったこともあるので、マンパワー、文字どおりそういう言葉が当てはまるような時代でした。別段、学生運動とか政治的な闘争というだけではなく、いろいろなところにそういう力が突出していました。その頃に大学生だったことが、ひとつの運命的なものではないかと思うのです。自分が時代の何かを選ぶのでなく、時代がしゃにむに自分に迫ってくる。今の大学生に向かって、昔の俺はこのようにしたのに、今のお前らは何でやらないのだ、へなへなしているんじゃないよ、という説教は、時代が違うから一概に妥当しません。

一九九〇年代になってからですが、私はよく自分の講座の学生に、「君にとっての現代史はいつから始まったの？」と聞くようにしてきました。私にとってはいま言ったように大学に入る前後、六八～六九年の頃が現代史の開始です。以後、そこを基点にしていろいろなことを企図したり決断したりしました。

しかし、今ここにいるみなさん方は、例えば三〇歳代の方にはそんな時期を基点にして決断はできないわけです。三・一一が基点の人もいることでしょう。だから、自分の基点と石塚のように六八～六九年ごろに大学生になった者の基点の比較など、してもらわなくていいのではないか。自分にとっての現代史はいつ始まったか、そのヒントのように思ってもらうと、私はこれから説明しやすいです。

一　学問する社会運動家

二〇歳(はたち)の自己革命

「学問する社会運動家」に入ります。私は一九六八年、長野市で浪人していました。大学受験に失敗して、どちらかというと理系の自然科学、地学とか生物学とか、そういう分野で研究したいと思っていたのですが、六八年に長野の予備校の寮に入ったら、東京から聞こえてくるわけです。ヨンニッパー、四月二八日は沖縄デーとか、ロクイチゴ、一九六〇年六月一五日は安保闘争の渦中で樺美智子さんが虐殺された日だとか、ジッテンニイイチ、一〇月二一日は国際反戦デーで、全国的にというか大都市が中心だと思うけれども、抗議デモがあるとか、聞こえてくる。いろいろな大学でいろいろな問題が起き、いろいろな事件が起きているのが、長野にいても聞こえてくる。

私は理系の勉強をし始めたのだけれども、そういうニュースを聞きながら社会に関心を強めていきました。「ちょっと皆さん、これからラジオを聞いてください。生の放送です」と予備校の講師がいって、ソ連軍を中心としたワルシャワ条約軍がチェコに侵攻していくというチェコ事件を、予備校の授業を中断しながら聞いているのだからね。その先生も聞きたかったのでしょう。信州大の教員で予備校では英語の先生でした。英語の音を出すために持ってきたテープレコーダーがラジカセだったのかな。とにかくラジオも聞こえるわけ。「ちょっと英語の授業は中断。今からものすごい臨時ニュースを聞いてもらうから」といって、戦車がチェコに入っていくところですよ。そういうものを聞いていますから、運命的な面があるのですよね。

その間に私は歴史学とか哲学をやりたくなりました。それで一九六九年、二〇歳（はたち）になる年に大学の入学試験を受けたのだけれども、受験勉強は全然していません。三里塚に関する映画を見に行ったり、当時は森山良子がデビューしており、フォークソングのライブを長野市の城山公園という市民憩いの場でやったり、そういうのを聞きにいったりしました。

受験勉強しなければいけないというので本屋に行くのだけれども、行くとアルベール・カミュとかジャン・ポール・サルトルとか、そういうのばかり買って読むわけです。今ある自分は何なのか。自分を崖っぷちにアンガジェ、投企しなければいけない。サルトルの実存主義ってすごいなとか思いました。カミュの『シーシュポスの神話』とかを読むと、ものすごくむなしいことを強制されるのに出会うよね。シーシュポスは神様に命じられて岩を山の上に持っていくのですが、持っていくと、また落とされしまうわけです。またそれを持っていく。永遠にこういうことをやる。不条理のカミュはそれが人間を鍛える運命と言いたいのですが、それはアウシュビッツと似ているな、と私は思いました。

アウシュビッツという個別の収容所とは限定できないのですが、ナチスがユダヤ人やスラブ系の人たちを収容所に入れると、官吏たちは、午前中は「あそこにある土砂をみんなこっちに運べ」と言います。それで一生懸命、土砂を運ぶ。そしてお昼になる。「さあ、みんな。午前中にここに運んだものを、午後はまた元に戻せ」とやるわけです。そのようにして人間を精神的に破壊していく。全く意味のないことだよ。お前たちは全く意味のない人間なんだよ。だから浪人生活にあって、私はすでに研究心が芽生えていたんです。歴史学、哲学が面白くなってきました。

立正大学に入学したときに、いちばん興味・関心を持ったのは、実は講義の内容ではありませんでした。当時は一〜二年を熊谷市の教養部で過ごします。今ここで講演をしている品川キャンパスは、当時は大崎キャンパスと称しておりましたが、教養部所属生の入学式は熊谷キャンパスでありました。式典前にヴィヴァルディの「四季」が流れていました。その日に入学式粉砕闘争が私の目の前で起きたわけです。私は新入生です。でも、在校生によるデモンストレーションはうれしかった。それを見てやや興奮しました。

普通は、何ていう暴力学生だ、ゲバ棒を持って暴れてやがる、と腹が立ってもいいのだけれども、私は矛盾とかそういうものを自分で引き受け、何かしていかなければいけない、という気持ちが強かったですね。サルトルやカミュの読書家だったわけです。それで、後に名付けることになるのではありますが、「二〇歳(はたち)の自己革命」というイメージが心中に起きているのを自覚します。

だいぶ後になり、『二〇歳(はたち)の自己革命』という本を書きます。一九六九～一九七〇年の出来事を一九九六年に、二五年ぐらいたってから書いて社会評論社から刊行しました。これはそのときの書き下ろしではありません。ドキュメントの編集です。私は予備校の寮で生活しだした一八歳から日記を綴り現在に至っております。フォイエルバッハやマルクス、ヴォルテールやロマン・ロラン、ドストエフスキーやトルストイの名が記されています。また、二〇歳(はたち)のころ学生運動をやっていたので、今風に言うとハンドルネームというか、「上条三郎」という名前で学生新聞とか集会パンフレットとかにたくさん論説を書いていました。まずは、しだいに落ち目になって弱体化していく学生運動を論評するわけです。でも執筆活動はそれで終わりませんでした。自分は学問をしに大学に来たのだから、学問をどのようにしていくべきか、そういう論説をも書きました。学問論を構築していく論文が主となり、時事的な評論のほうは、だんだんなくなるわけです。自分が大学に来たのは学問するためだからと、そちらのほうにシフトした論説が多くなっていくのですね。それをまとめたのが、『二〇歳(はたち)の自己革命』です。

これをまとめたくなったのは、その頃アメリカのコロンビア大学で実際にあった学生運動を題材にして一九七〇年につくられた『いちご白書』という映画を知ったからです。これは面白かったです。学生運動をやっている連中は反体制の実力行使もすれば真剣に恋もするわけです。熊谷キャンパスで入学式粉砕闘争をやっていた人たちも似たような振る舞いをしていたんです。熊谷警察署からみると威力業務妨害、公務執行妨害、道路交通法違反、はては凶器準備集合罪にあたる、そういうことをやっていた。ところが活動する学生たちにすれば、そこには正義、大義があるわけです。大義があるので、自分たちは犯罪などもってのほかだ、示威行動は必要悪なのだ、革命的なことをしているのだ、というわけです。

その当時、平岡正明という評論家というか思想家がいて、あらゆる犯罪は革命的である、という名の本を出版しました。好きな人たちの間だけのことかもしれないですが、売れに売れたというか、ね。私はそういう全共闘的時代傾向の中で、逆転したものの考え方、転倒した表現とか思想、これはすごく面白いなと興味をもつようになります。そのときは現在のように〔価値転倒の社会哲学〕なんてテーマ付けはしていませんが、そういった辺境への越境みたいな眼差しで研究生活に入っていきます。

　それで、とりあえずは勉強しなければ先に進まないということで行動にでます。神田の神保町に古書店街がありますが、そこには新刊本屋もあるし、それから洋書販売の北沢書店とか極東書店の販売窓口みたいな洋書センターとかもありました。私はドイツの労働運動を調べようと思ったので、一九七〇年からしきりにドイツ語の復刻文献をあさりに行くわけです。

　ただ、時代の運命だったのでしょうね、結局、そういうものを買うのと同時に、時代を批評する論説の並んだ雑誌を探して買いまくります。例えば『情況』、それから『現代の眼』『構造』『現代の理論』『思想』、お金はあまりないのだけれども、そんな雑誌を買いました。そして、その号を読むと次の号も買いたくなるから、また神田に行ってというようにして、今でも私の書庫にずらっと並んでいます。

　それを読んでいく間に、廣松渉という思想家の書いた文章がえらく気になるようになります。この人は一九九四年に六〇歳代で亡くなるのですが、一九六七〜六八年から七〇年代の半ばぐらいまで、文筆活動を通じて活動家の学生たちに相当影響をもっていたのですね。

　私は何に引かれたかというと、この人は、物事は関係によって決まるという関係論の議論をする人でした。物事の実体的なことより関係的なものが意味をもっていて、その典型は、例えば神だよね。神様は人々に変更できないものとしてあるのだけれども、廣松渉さんの議論の中では、神を否定するしないではなく、その神と向かい合う。キェルケゴールのようなものです。キェルケゴールという人は、神と自分の間、その関係で物事を考える。神は絶対的なものでもあるかもしれないけれども、その神の前に立つ自分がいる。だから、類推的な議論をしますと、自分というものが別のものと関係すれば、また別の自分が出てくるわけです。

　例えば、いま私はここで皆さんにお話ししている、大学の教師だったりしている。そういう関係でここに今いるでしょう。でも、家に帰れば父親です。それから、これからいくつか話をする場面があるけれども、私はいろいろな関係の中で生きているので、一つの関係で生きていないので、総体は決まらない。どの関係も自分の現実ですよね。それを特定のものに絞ったりしないわけだよね。

廣松先生が面白いのは、そういう関係論の中で、全部フィフティ・フィフティの議論をするところでした。どこか中軸を持ってきて、それをもとに話をする人ではない。ただ、マルクス主義者、唯物史観の議論をする人なので、あらゆる存在、すべてのもとになるのは、あるいは自分が何であるかというのは、何を生産しているかにかかわる、というマルクスの議論が土台にあります。

しかし、土台、ベースにあるものと、それをもとにどのように人と関係するかは、ある意味、相対的に別物ですよね。少し高じすぎて、あの先生は自分が気に入った人が現れると、ものすごくプッシュしてくる。私も一時期ものすごくプッシュされました。ちょっと用件があり先生に電話をすると、「待ってください。こちらからかけ直しますから」と言って、ガシャンと電話を切って、かけてきます。その頃はダイヤル式の固定電話の時代です。びっくりしますね。「いや、先生、私が、私が用事あって電話をしているのだから、私のほうからかけたのですよ」。「いや、そうじゃないです。かけ直します」。そう言って切られてしまったらそれっきりでしょう。そういう、ちょっと意外だなというところはあるけれども、彼のそういう行動は後でよく分かるようになりました。

話を戻すと、二〇(はたち)歳の頃に私は関心の赴くまま、手当たり次第に雑誌を読んでいったのですが、それは全部、自分にとってはフィフティ・フィフティでした。ある人は、例えばそれは革マル系の本だからやめろとか、これは民青だからやめろとか、これは黒ヘルのアナキストの本だからやめろとか言う人がいました。でも、私はどれもまだ読んでもないのにやめる筋合いもないし、読んで自分と違うものがあっても、やめる筋合いはない。だから、そういう意味でそういうセクト的なものにかかわらないで、どことも距離を同じように取りながらやっていたのですね。

そういうグループのことを、セクトにこだわらないので「ノンセクト」といいました。「ノンセクトラジカル」というくくりでいたのですね。私の言い分からすると急進的な行動派でしたが、警察のほうから言うと過激派でした。

そのラジカルな活動中でいちばん必死になってやったのは学問論です。学問論を構築すればそれなりに誰とでも議論できる。石塚にとって、何がベースになるかというと学問論だ、と思いました。それで「学問とは何か」ということを、一生懸命文章にしました。そのときに役に立ったのは、浪人している頃に読んだ本です。

浪人している頃に読んだ本はロマン・ロランなどフランスもの、ドストエフスキーなどロシアもののほか、今お話ししたように実存主義的なものと、それからマルクス主義的なものです。人間を扱った梅本克己の本だとか、いわゆる人間論とか唯物史観とかです。あまり実証的なことではなかったです。でも、立正大学に来てから、ここで何をやろうかと思うときに、例えばドイツ労働運動史をやるかな、明治維新をやるかな、立正大学は仏教の大学でもあるから印哲をやろうかな、とか思わなくもなかった。でも、そういうのは分野でしょう。

学問論の構築へ向けて

そうではなく、そういうことをやること、学問することは、自分にとって何なのか。学問は自分にとって何か、あるいは学問の役割は何かということを並行して議論していかなければならないと二〇歳（はたち）のときに思いました。それで『立正大学学生新聞』に「学問論の構築に向けて」というのを書きました。原稿用紙で五〇～六〇枚ぐらいあったか、記憶は定かでないけれども、三回連続で掲載しました。

スクリーンを見て下さい。これが一回目です。一九七〇年一二月二五日号です。このときは先ほど言った上条三郎という名前です。「学問について」というテーマと、「科学としての学問」「科学の幻なる『中立性』」というので始まるのですが、私は政府がその頃に言っていた、原水爆禁止運動の人たちでも言っていた、科学そのものが中立であるというのは絶対うそだと思いました。うそというのは、真実か偽物かというよりも、その議論が眉唾だと、そのように思ったのですね。そのときどきの学問には時代思潮というか思想的文脈が介在しているはずだ。あるいは、個人レベルでも、何かの思想的動機のもとに研究がなされるはずだ。それを抜きに学問が成り立つわけはない。

例えば、きょうは結構寒い日です。例えば、ここにストーブがあったとします。そうしたら、皆さん、うれしいでしょ

立正大学学生新聞

ルに関する
極く個人的なノート
その1

学問論の構築へ向けて（上）
上条三郎

I 学問について

II 科学としての学問

III 科学の幻なる「中立性」

IV 科学と

ブティク＆スナック
SAI-VON

う。いまエアコンで空調しているからなくてもいいのですが、あればうれしい。それが真夏の三〇度、この頃、四〇度近くなるときもありますよね。そういうときに、ここにストーブがあったら、皆さん、うんざりするでしょう。見たくもないでしょう。そこには思想、観念が介在しているのです。これは要らない、これは欲しい。火がついていなくても抱きつきたくなるとか、物事はすべて、何かの思想、観念により、そこに存在意義をもっている。意義、意味は関係の中で決まるわけです。

銚子の犬吠埼にあるホテルで教え子の結婚式があったときのことです。まだ時刻が早かったので、灯台のところから真っ青な海、真っ白な雲を眺めていたら、その近くに若い男女、たぶん恋人同士がやってきて、私のほうを見る。そこに思想が読まれたのだけれども、その二人は私に間違った思想を読み込みました。「あのおじさん、危ないな。失業したのかな、倒産したのかな」。要するに、これから犬吠埼から飛び込むと思ったらしいです。

私は教え子の結婚式でもあるし、銚子の犬吠埼で、若山牧水ではないけれども、海の青、空の青にも染まず、白を自己主張している水鳥かなんかが飛んでいたり水面にいたりするわけです。「ああ、いいな」と思い、確かにジッと一点を見てたのでしょう。でも、私の思想はピンク色に近いような青だった。教え子が結婚する日だから。

たぶん、その二人もラブラブだったと思うので、彼らも真っ青な空を見て、ピンク色に見えていたと思うよ。二人はその後、チュッとしようと思ったぐらいだったと思うよ。でも、横を見たら、つらそうなおじさんがいるな、と見るわけです。それを、文脈ともいうし、コンテキストともいう。でも、そういうものは関係性の表れでもある。

私の『二〇歳の自己革命』はまさにそれで、大学に入って普通の人だったら、例えば歴史学の場合だったら、西洋史を選ぼうかな、日本史にしようかな、考古学にしようかなと、そういう議論でしょう。そうではない。学問をするって何かなということを考えないと進まないのが、私の第一の印象だった。

私の意図をパンフレットかなにかで読み知った立正大学学生新聞会の編集人、彼は深田卓といいます。その後、独立してイザラ書房という出版社から『インパクト』という月刊誌を発行しました。その後、『インパクション』という名前に変わるのですが、インパクト出版会というのを創立します。雑誌は休刊となっていますが、出版社は今もあります。

その彼が編集する学新に私の学問論が連載されたのですが、第二回（一九七一年一月二五日号）のリードに〔「関係」としての思想〕とあります。これは私が書いたのではなく、深田卓編集長が書いた。彼も私も、廣松さんの影響をはっきりと刻印しています。そのとおりです。そういうことを明確にしていったのは私であると同時に、この時代です。この時代、例えば立正大学の学生運動が、私という人間をつくり出したのです。それはいま振り返ってみたら、「そうだ、一人でできるようなことではない」と思う。

そして第三号（一九七一年二月二五日号）には、私の記事の右に面白い人間の記事が載りました。中村禎里さんです。立正大学の自然科学、生物学の教員です。一九七四年に『ルイセンコ論争』を出版した方で、科学哲学、科哲と言ってもいいかもしれません。この方の原稿がたまたま私の第三回目のところに載りました。

彼の議論は「近代科学の成立」とか「生物工学の思想」で、私の三回目は社会科学「批判」といって、科学は批判されなければいけないという論調で、これを読んだ中村禎

立正大学学生新聞

自然科学と近代合理主義

中村禎里

近代合理主義とは

近代科学の成立

生物工学の思想

II部学費闘争 中間報告

大崎

学問論の構築へ向けて（下）

上条三郎

I、社会科学「批判」

(1)対象としての社会「批判」

(2)運動としての「批判」

里さんは、私が学生で彼の授業を受けたりして優良可とかもらっているわけですが、筆者が上条三郎というペンネームですので、しばらく分からなかった。

私は史学科に入ったのですが、大川富士夫という東洋史の先生がいらして、この方が五〇歳過ぎたぐらいで急死してしまいます。そのお葬式のときに寺に行ったら、鉢合わせになったわけ。それで白い歯なんて絶対に見せてはいけないのに、「石塚と会えた、うれしい」。

「先生、わたしゃ、記事が一緒に並んだときはびっくりしたよ」と言ったら、「あれ、石塚君だったのか。いや、ませている人間がいると思ったのだけれども、そうか、そうか」と、愛着をもって私に言って下さいました。この方はこのあいだ亡くなりました。生きていれば私よりも一五歳ぐらい上で、八五、八六歳になる人ですが、死ぬまで私の議論を見守ってくれました。没後の二〇一七年に『日本のルイセンコ論争』の書名で復刻が出ました。

とにかく面白いよね。「大学で学問するとは何か」というのをやったときに、こういっては何だけれども、まっとうな先生は私を相手にしません。「石塚君、お前はまだ若いから、そのうちに分かるよ」「一生懸命勉強していなさい。

そのうちに学問とは何か、研究とは何か、分かるから」とおっしゃるわけです。

しかし、研究職のことを私は言っているわけではないです。准教授になり、教授になっていく、そういったことを言っているのではない。「学問するとは何か」というのは、私生活といっては言い過ぎだけれども、生活過程でつかまなければいけない。学問が生活なんだから。学生をやめたら、大学をやめたら研究をやめるというのではないです。でも、多くの先生は大学をやめると同時に本をどこかに寄贈したり古書店に売ったりしてしまう。体力的なこともあるから、リタイアせざるを得ない部分もあるだろうけれども、そうではない。

そうではない教員が私の恩師にはいました。骨太というか、すごい先生がね。具体的なことはあとで紹介しますが、亡くなるほんの数日前まで一緒に教育問題を考えた酒井三郎、酸素マスクをしながらでも一緒に翻訳したりした大井正、脳梗塞になってもベッドに本を置き、危篤で私が飛行機で病院に駆けつけ、その先生の手をさすっていたら、「あっ」と気が付いてくれた布村一夫。そのとき布村先生はなぜ私に気が付いたかというと、彼が生涯をかけて研究したテーマを私が何度も口にしたわけです。ペンだこのある右手を一生懸命さすったら、周りで見ている関係者の人たちが、「石塚先生、右手はもう感覚がないですよ」という。けれども、私にやれることはそれしかないから、「先生、先生、モルガン、モルガン」と連呼しました。モルガンというのはアメリカの比較民族学者です。そうしたら「あっ」と目が覚めましたよ。それこそが研究者の意識でしょう。

簡単に言うと、歴史学は何かとか、民族学は何かと言わなくても、その人の生き方を見ていれば分かる。二〇歳（はたち）の頃に「学問をするって何なのか」ということを先生に問い詰めてくる学生と、膝を交えて議論しなければ、その先生は教育者としては不適格ですよね。その呼吸が合ったというか、適格者の一人が、さきほどお話しした中村禎里さんです。ほかにもいます。わが恩師五人です。

私は学部の時代から、いえ、浪人当時から決めていました。卒業論文を書こうなんて、意識にないです。卒業論文ではなく、自分の学問をする。それで私がいちばん関心をもったのは、ドイツの職人運動です。一九世紀の半ばぐらいになるとしだいに滅んでいってしまう手工業職人の研究をしました。

なぜか。その時代、一九世紀の中頃になると、いわゆる賃金労働者が増えてきて、旧来のギルド、ツンフト、手工業は組織もろとも潰えさるというか、そういう階層でしょう。だから、結社をつくって革命を起こします。昔のものを壊されたら自分たちは生きていけないから、後ろ向きの革命を起こすわけ。ただのノスタルジアではないです。なぜかといえば、これが私にはものすごくビビッと心に刺さった。ただのノスタルジアではないです。なぜかというと、昔のところのほうに、むしろ現実有効性はあるだろうからです。賃金労働者になり、近代的な階層になっていく人たちに託すのは、一面、もちろん意味があります。それはカール・マルクスが『資本論』まで推し進めた理論に出てくるプロレタリアートという存在です。

しかし、私は一九六八、一九六九年のころに学生になった。そのころフランスのパリをはじめとして、各地で学生反乱が燎原の火のごとく広がったわけです。でも、そのとき欧米の組織労働者たちはほとんど何も動かない。でも、いわゆる第三世界といって、アジア、アフリカ、ラテンアメリカの未組織労働者たちは動いた。動いたのは、賃金労働者とか近代的な労働者とは言えないほうの人たちでした。

先ほど香港の話をしたけれども、香港の人たちだって本当は暴力なんて振るいたくないと思っているよ。でも、あれだけいろいろな問題で中国政府が後ろにいて、香港政府が北京から指令を突き付けられ、ああやって弾圧しているのを見たら、普通の市民だって学生を支援したくなる。血を流すのはいやだけれども、そうせざるを得ないのは理解できる。そういう市民というか民衆の心の動きは、むしろ滅ぼされていくほうにあるということです。そのような問題意識でもって、私は学生時代にドイツ手工業職人のヴァイトリングを徹底的に調べていきました。

叛徒と革命

そうしたら面白いことがたくさん出てきて、二〇〇枚ぐらいの論文になりました。その途中で大学四年生になったので、一六〇枚ぐらいで卒業研究を仕上げたのですが、私はそのためにやっていないわけだから、それからあと二年ぐらい続け、四五〇枚ぐらいになった。そのときに先ほどお話しした、学生新聞の編集長をしていた深田卓君に話をして、彼はそのころ大学を終わってイザラ書房という出版社の社員をしていたのね。それで、「石塚君、うちで出せるよ」と言ってくれました。そして、二五歳のときにイザラ書房からヴァイトリングの本を出すのだけれども、書名は『叛徒と革命』としました。それで、叛徒というのは「反」でなく「叛」にしたかった。叛乱の叛。良家のお坊ちゃまが付けるような名前ではない。ちなみに、イザラの顧問は清水多吉先生で、私の原稿を査読してくださった。

書名を「叛徒」としたからといって、それは学問などしたくない、政治闘争がいい、というのとは全く違う。学問とは何かということを考えれば、当然「叛」だろうね。ヴァイトリングは手工業職人という階層の利益を考えれば、それを壊しにかかる資本家と徹底的に闘ったわけだよね。それはよく分かる。でも、「君たち、手工業職人は滅びゆく階層だから、ジタバタしても駄目。時代がお前たちを乗り越える。だから、もうあきらめて普通の賃金労働者になりなさい」というマルクス流の説教など、できません。みんな家族を抱えているし、自分だって生活ができなくなるでしょう。だから、「叛徒」というのは別の見方をすると、その時代を最も素直に生きようとする人たちではないか。

香港の話ばかりを出してしまいますが、叛徒の暴力を抑える力を私はforce（フォース）としています。抑止力といえば聞こえはいいですが、実際は鎮圧力です。それに抵抗していく力、叛徒の暴力をviolence（ヴァイオレンス）としています。武力抵抗を含みますから過激なので、violenceというのはまっとうな市民は嫌う。でも、居ても立ってもいられなくて、forceに対し抵抗していこうとする人たちは、violenceに打ってでます。そこのところが、このヴァイトリンクはすごいのだね。組織力がすごい。

これは、イザラ書房から出したその本の表紙です。私の最初の作品として、これはうれしいということのほかに、学問とはこうなのだ。学問をやろうと思ったら、こういうものになるのだという、一つの証のようなものでもあります。

当時のイザラ書房を紹介します。私が本を出した一九七五年の頃、どんな本を出していたか。宣伝広告を見てください。『クーデターの技術』、そうかと思うと『キルケゴール』『革命とコンミューン』。これは『ヘッセンの急使』を書いたゲオルク・ビューヒナーという農村で徹底的に抵抗する人。あとは『攘夷論』とかね。著者の片岡啓治さんはシュティルナーの翻訳者です。マックス・シュティルナーの『唯一者とその所有』を訳した人です。関心のおおらかさが分かるでしょう。攘夷論とアナキズムのとりあわせ。

学問の使命と知の行動圏域

私は来年二月に民俗学のフィールドワークをするために済州島(チェジュとう)に行きます。あそこの漁師は海に潜ります。日本では海女といいますが、その海女さんの生き様、生活文化を調査に行きます。海女さんといえば、私は日本の志摩半島の海女さんなどしか知らないけれども、昔から済州島の海女さんたちは日本沿岸に潜りにやってくる。ものすごく安い賃金で働かされます。でも、この人たちはどこでも行く。それでも済州島では労働主体ですし、この島は母系社会です。

この済州島は、韓国本土とはまた違う歴史をもっているのですが、それだけに、屈折しています。先ほどの攘夷論ではないですが、島の人たちは抗日運動を徹底的にやる。日本に対し戦うのだけれども、何をまもるためなのでしょうか。李氏朝鮮のころは、朝鮮国王のことをチョウナといい、その上に支配者の中国皇帝、ペーハーがいます。尊王攘夷を思いやると、済州島の人どころか、韓国、李朝の人たちはみんなチョウナでなくペーハーをまもることになります。朱子学をベースにした事大主義です。こんな矛盾したこと、ないでしょう。韓国の旅行も今度行くと七回目になるのですが、それをけっこう感じています。朝鮮本国における事大主義の傾向は、李朝支配階層の両班(やんばん)の流刑先であった済州島にはいっそう屈折し転倒した歴史が刻まれます。

私の学問とは何かというときに、必ずそういう屈折、転倒が出てきます。右へとベクトルを進めているはずなのに、どういうわけか左へと進むよう運命づけられるような、そういうテーマがあります。イザラ書房はこの後、方向が変わっていきます。人智学運動や自由教育推進で知られるルドルフ・シュタイナー関係を扱うようになり、イザラは私のような「叛徒」を扱わなくなる。社長も代わっていくのだけれども、そういったイザラの展開を見据えて、時代が変わっていくな、と思いました。

そういう中で、私にとって一九九六年に社会評論社から刊行した『二〇歳(はたち)の自己革命』は、私の学問研究における第一段階、「学問する社会運動家」という段階の総括本のようです。つい先月に社会評論社から刊行した『学問の使命と知の行動圏域』、そこに『二〇歳の自己革命』に載せておいた論文の多くが採録されています。第一部の前半は、「二〇歳の自己革命」（第一章）、「学問論の構築に向けて」（第二章）、「学問するノンセクトラディカルズ」（第三章）、ここまではいま私がお話ししたものです。後半の最初は「戦争と学問」（第四章）で、私の恩師に関する学問論です。布村一夫、大井正の二人は、戦争中に国策会社の満鉄（南満州鉄道株式会社）に勤めていた。ロシア語の読める布村先生はマルクスの著作、とくに土地制度とか資本主義的生産に先行する諸形態などをロシア語で読みました。それから大井先生はインドネシアの民族誌研究をさせられる。インドネシアに日本が侵略しようとしているから、そのための調査です。けれども、ヘーゲル哲学者の大井先生もしたたかに専門の哲学研究と関連させていきます。布村先生はマルクス主義の文献をロシア語で読めと言われ、大井先生はインドネシアの生活、農耕儀礼を研究しろと言われ、「はい、はい」と言いながら、実は自分に役立つものを一生懸命研究している。

その次の「新たな科学論の構築へ向けて―フクシマ以後における」（第五章）というのは、二〇一一年三月一一日に福島原発が電源を喪失して爆発した事態を受けて、その事故を、私の学問論・科学論にいっそうの確信を植え付ける素材にした論文です。それは見たことか、言わんこっちゃない、核科学というのは必ず思想を含んでいるのだ。思想を抜きにして核技術は語れない。だから、そういう意味で福島以後は新しい学問論の構築が求められるのだよ。石塚は二〇歳のころから言っているのだけれどもね。ということで、序文の文章は、私が一九七〇年執筆の「学問論の構築へ向けて」で学問の中立というか無謬性は幻想だと主張してあった、との指摘から始まっています。

第六章「人間学的〔学問の自由〕を求めて」はついこの間、書いたのです。いま政府は大学に軍事研究を押し付けてきます。しかも、科学研究費の分配という兵糧をちらつかせながら。先月には千葉市の幕張メッセで国内初の武器見本市が開催されました。私たちの意識の中に軍事が当然のような雰囲気を醸し出しています。そういう時代に今はなった。

私の勤めている東京電機大学の研究者、技術者の中には、「石塚さんはそう言うけれども、私なんかいろんな企業と共同研究をやっていて、その中には軍事技術や武器の部品もあると言われます。だから、研究してはいけないと言っても無理だよ。否が応でもそうなっていく」と言います。私は、その現状をダイレクトに批判してはいないよね。そういう方向を受け入れる大学の在り方を倫理問題として考えなければいけないということを書いた。それが第六章です。

第七章は先ほど言った「フォースとヴァイオレンス」。私は『叛徒と革命』では、革命を弁護しています。もっと言うと、「革命的暴力」を支持すると記しています。ただ、その内容の詰めがあまかったので、ずっと悩んできました。だって、字面だけ読んだら、石塚は暴力主義者だと思われるでしょう。思われても仕方がない文脈なわけです。

だいたいその頃は中東のアラブ諸国に日本赤軍とかが行き、いろいろな国際的な事件を起こしている時代だったのね。だから、その行動を擁護すれば、当然、過激派中の超過激派のように私は思われる。けれども、いや、そうではない、私が支持したのはフォースでなくてヴァイオレンスだよ。ヴァイオレンスはフォースに強いられなければ発生しない。だから、フォースがあってのヴァイオレンスというのを私は研究しているということです。それを自分なりにはっきりと整理して発表したかったのです。それがこの第七章です。

この著作は七〇歳の区切りと思って、つい先月出したのだけれども、よかったな。これを読んでみてくれれば、石塚さんの暴力論、その真意が分かりますよというわけです。以下、第二部はエッセイがたくさん並んでいるのですが、読んでみてください。そういうことです。

二　学問する社会思想家

次に「学問する社会思想家」に進みます。この段階で私は研究者になっていくわけです。社会運動家というよりは、大学院に身を置いていっそう学問するようになります。それでどんなことを研究したかという内容を概略紹介したいと思います。

ブランキ「計画としての陰謀」

これはすでに説明済みですが、『叛徒と革命』で提起した事柄です。研究上、ルイ・オーギュスト・ブランキはよく陰謀家と称されます。暴動を起こすのにはまず主観的に陰謀を計画し、陰謀に賛同する連中だけで主観的にふつふつと気持ちを高揚させていき、煮詰まったときに「それーっ」と少数者の暴動を起こす。そういうのをブランキズム、ブランキ主義といってきました。こういったステレオタイプを定式化したのは、マルクスと歩調を一緒にしていたエンゲルスです。

でも、ブランキを読めばすぐ分かることですが、彼はまずは絶対に計画を知られないように綿密に立てなければいけない、陰謀を悟られないために、秘密でなければいけないといっています。スパイが入り込んできて、バレたらどうにもならない。バレないためにはお互い同士まで連絡を絶ちます。トップの人がいたら、その人と二人の関係しか知らない。そのトップの人に部下が五人いれば、トップだけがその五人を知っている。そして、絶対に横の連絡をとらない。そのように組織をつくっていきました。

それは間違いなく陰謀です。「陰謀」というのは日本の言葉だと悪い意味でしか使わないし、今はあまり使わなくなった言葉かもしれませんが、そういうものは革命を起こそうと思ったら当たり前で、それを肝に銘じるよう誓い合っただけです。でも、エンゲルス、あるいはその後の社会主義者は、こういう陰謀をめぐらしていたら市民との結びつきはなくなるから、こんなのは駄目だという。ですが、皆さんご存じのようにロシア革命も陰謀中の陰謀で起きてきます。

ロシア革命では、革命派はどうにもならなくなった議会を現実に軍事占拠し、そしてつぶしていく。暴力革命を起こすのだよね。でも、レーニンたちのやったことを、その当時は「陰謀」とは誰も言わない。ボリシェヴィキの革命は、用意周到に訓練された労働者革命家とか職業革命家などがつくっていき、そして工場労働者とかが蜂起する。だから、そういう意味で言うと、蜂起を組織するという観点でもって行動している。

だから、「ブランキストを非難するとして、非難しているあなたもブランキストですよ」というのが私の言い分です。マルクスにもエンゲルスにもレーニンにも、みんなブランキストの要素はある。みな結局、間違いなく陰謀をめぐらすのだから。そして、それをポジティブに考えればいいわけです。

一九世紀を通じて豊かな事例を産みだした革命結社があります。マルクスもかかわって一八四八年革命直前に結成された共産主義同盟、これは紛れもない革命結社です。現代から逆読みする人がいるので困りものですが、国民政党の先駆ではありません。

私の信念から結論しますと、権力を目指そうとする力はみんな腐敗する。虐げられているときは、ヴァイオレンスでやります。でも、権力を握ったら、やがてフォースになる。それは二〇世紀の中共革命もベトナム戦争も、みんなそうです。権力をめざし、国家権力を握るとヴァイオレンスはフォースに転落する。中国のチベットとかウイグルとかへの弾圧政策、今すごいでしょう。あれはフォースです。香港は間接的だけれども。

そのように権力を握ると、フォースになります。でも、ヴァイオレンスのときの陰謀と、フォースのときの陰謀は違う。陰謀は陰謀で同じといえばそうだけれども、私はそれを分けます。そして、ブランキはヴァイオレンスの陰謀をめぐらしていたのです。現実的にはぶん殴れば痛いし、血も出るし、同じ現象です。でも、ベクトルが違う。

これは私が一九九〇年代に長く一緒に活動した白川真澄さんが『ピープルズ・プラン』八三号(二〇一九年二月)の記事「革命的暴力と抵抗の暴力」で一生懸命言っており、面白いと思いました。その白川さんは、「石塚さん、私も六〇年代から闘ってきているけれども、どこがどのように整理できるかというと、権力を取らないということで、最近、自分ははっきりしてきているのだ」とじかに言ってくれました。私もほぼ同じ意見に達していたのですが、彼も同じころに文章に書いていて、それが【計画としての陰謀】の中に入ってくるのでしょうね。ブランキがそこまで考えていたか。「お前、ブランキに会ったことないだろう」と言われれば、そのとおりですけれどもね。

ヴァイトリングの社会的盗奪

そのブランキに影響された面もあるヴィルヘルム・ヴァイトリングも、また面白いところがあるのだな。社会的盗奪(Sozialbandit)、これは日本的に言うと、義賊・匪賊です。支配者が労働者あるいは農民をギューギュー搾り、年貢、税金をたくさん取って蔵に納めたとしましょう。そうしたら、蔵の中身は本来、農民、労働者が産み出したものだから、取り返していいんだよ。

地主や資本家が農民や労働者から搾り取るのはプライベートな行為、つまり私的な盗奪だ。しかし、農民や労働者がやるのは社会的な盗奪だ。個人に奪われたものを社会へと奪い返せ。社会的盗奪はヴァイトリングが活動した一九世紀の中頃まで、けっこうな勢いで実際に存在しました。スイスアルプスからボーデン湖とかあの辺をずっと流れて下るライン川のようにいくつかの国をまたぐ地域で社会的盗奪は出没します。

その時代的現象を知って戯曲を書いた文学者がいます。ゲーテと並ぶシラーです。シラーは『*Die Räuber*』という戯曲を書きます。Räuberというのは盗賊、強盗の複数形で、盗賊と言ったら身もふたもないのだけれども、日本では「群盗」と訳しています。ロマンチックです。シラーが見たのは、これです。やられたらやり返せ、奪われたら奪い返せ。

それをヴァイトリングは一八四〇年代中ごろに革命手段として採用するわけです。でも、同時代人のマルクスたちは相手にしない。泥棒を奨励するような職人なんて、はなから相手にするなと言います。時代はそうではない。フランスの民法とか刑法とか、ナポレオン法典というか、要するにああいう近代法がモーゼル川を通じてドイツに入ってきているので、泥棒は泥棒でしかないのだというわけです。

でも、マルクスも若い頃、ちょっと悩みました。一八四二年頃、社会的盗奪に同情します。今は私的所有の時代です。自分の土地、自分の財産が法的に決まっているでしょう。その昔は、日本では入会地といったのですが、ナポレオンがやってくる前のドイツ西部では、農民が共同で用役をしていい耕地、牧草地とか森林とかがあった。例えば牧草地に自分の飼っている山羊や牛を連れていき、草を食わせる。落ちている枯れ木、生えている木でもいいのだろうけれども、それを取ってきて、自分の家の煮炊きに使う。こういうことは慣習法的にオーケーでした。

ところが、あるとき禁止され始めるわけ。それは例えば一八三〇年代、モーゼル川の領域で起きてきました。その現象をマルクスのお父さん、ハインリヒ・マルクスが見て、農民の弁護を一生懸命します。農民は悪くない。彼らは入会権を行使しているだけだ、悪くない。その息子のマルクスも『ライン新聞』の論説委員として、一生懸命書きます。そのときのマルクスは、社会的盗奪の歴史的意味が分かっていた。でも、その後、彼はそうした所有論から距離を置いていきます。

このあいだ、マルクス生誕二〇〇年を記念してつくられた『マルクス・エンゲルス』という映画を、今この会場に

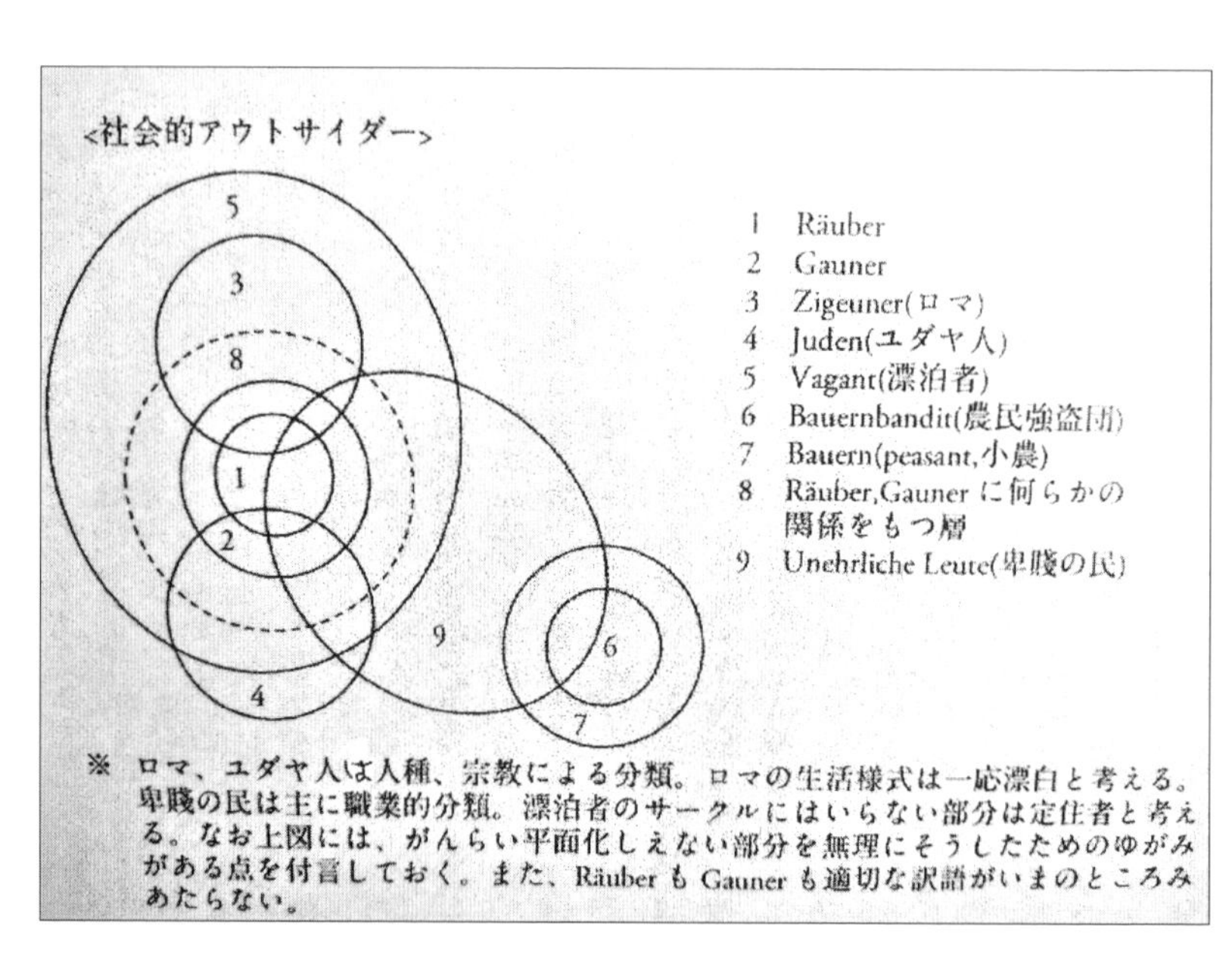

いらっしゃる中島浩貴さんから借りてみたのですが、それをごらんになった人は思い出してください。冒頭、農民が森の中で警察に追われて捕まっている場面です。あれが入会権を行使した農民が蹴散らされる場面です。モーゼル川近辺の農民たちがその辺で焚き木を取っていて、官憲に追われている。冒頭から、いい場面で始まったなと私は思った。しかし、マルクスはそういう議論にはその後加わらないようになっていきます。でも、そういう価値転倒の現場に私は関心を持った。だから、今にして思えば、私の「価値転倒の社会哲学」はここにルーツをもっていると思うね。これだ、近代人には相手にされない転倒の手工業職人を研究したい。こちらのほうをとことんやっていきたいと思いました。

上のコラムは、その泥棒団の図解です。ある著作（C.Küther, *Räuber und Gauner in Deutschland, Das organisierte Bandenwesen im 18. und frühen19. Jahrhundert*, Göttingen 1976.）を読んで私が独自に描きました。1から9まで番号があり、1はRäuberで、いちばん真ん中、盗賊です。2番はGauner、訳せば強盗。同じようなもので、1、2が並ぶでしょう。3番目、Zigeuner、これは今までジプシーと訳されてきたのだけれども、今は「ロマ」といっています。人間という意味です。5番目、Vagant、漂泊者。要するに、居住地を定めないで、漂泊している人たち。中近世の日本でも飴売りとか薬売りとか、たくさんいました。昭和の前期、いや戦後でもまだ魚売りとか、行商している人たちはたくさんいたけれどもね。

6番のBauernは農民です。英語で言うと、peasantです。Bauernといっても農場主farmerではないです。農場を持っていない貧農peasantです。ミレーが「落穂拾い」を描くでしょう。あの慎ましい世界です。落ち穂を拾っている農民は気の毒なのだよ。ファーマーが刈っていった後、もう見捨てた、もうどうでもいいと思った残りかすを拾って生活している。それがpeasantなのです。あと7、8番は盗賊世界に何らかの関係があるというか、こういう図を描きました。

ヴァイトリングはこういう人たちを革命に動員しようとするわけ。こういう人たちの思いをヴァイトリングは汲んだというか、本人もそういう生まれだけれどもね。彼自身、フランス革命のときに、フランス兵とマクデブルグの洗濯労働女の間に生まれました。ヴァイトリング自身はフランス人でもあるしドイツ人でもある。逆の言い方をすると、どこにも居場所がない。漂泊です。そういうところから、こういう人たちと連携していくべきだとつかんだのでしょうね。

カブラルの【絶対文化】

暴力論でもう一つ、悩んでいた私をすっきりさせてくれた運動家に、一九八〇年代に出逢います。六〇年代から七〇年代にかけ、アフリカ西海岸のポルトガル領のギニアとカーボベルデという島があるのですが、その国をギニアビサウと言います。そこの独立運動を指導していた人物にアミルカル・カブラルがいます。一九七三年に暗殺されてしまいます。そのときは日本であまりニュースになっていませんが、この人の暴力論はすっきりしています。

カブラルは、自分たちの文化を大事にしなさいという。そして、小さい地域だけれどもギニアビサウには多様な階層がいることを問題にします。ポルトガル人は植民地の海岸でしか商売をしません。ドイツ人とかイギリス人は内陸を開拓するのですが、ポルトガル人は港でしか商売をしないから、港にいるギニアの人たちは頭がよくなります。お金が入るから、ずる賢くなるかもしれない。内部にいる人たちは中世的な農業を営む。もっと奥地の人たちは呪術的な、あるいは石器を用いた生活をしています。カブラルはポルトガルと戦争するときに、そういう様々な人たちを兵隊にするのですが、みんな文化が違うから困るわけです。

でも、彼らを総動員していかないと絶対に独立できないと思い、例えば一番奥地にいるアニミズムのような習俗で暮らしている人たちを戦争に行かせるとき、彼らにとっての分化である呪物、フェティシュを尊重します。呪物に祈願しないと戦争に行かないわけ。ワニの鱗でもライオンのしっぽでもいい、何らかの呪物を持って戦場に赴くわけです。当然、鉄砲、機関銃で撃たれるから手持ちの呪物では歯も立たない。そこで彼らは呪物をいっそう威力のあるのに取り換えます。「これからはあれが俺たちの呪物だ」といって、ポルトガル兵から鉄砲を奪い、それで敵を倒し、意気揚々と村に帰ると、元の呪物があった祠にその機関銃を置き儀礼をする。儀礼をしないと呪物神になりません。これを私はフェティシュ神としていますが、とにかく固有の文化を壊さないまま、自ら変革していく。そのような指導を自然にやってのけるカブラル、これはすごいことだな、この人はずば抜けているなと思ったものです。

ギニアの民衆は、もとは平和な闘争、独立運動をやっていたのだけれども、一九五三年にサントメ島で、一九五九年にはビサウ港のピジギチ埠頭でポルトガル軍による大虐殺が生じ、現地の人たちはたくさん死んでいった。それを見て、カブラルは、これは駄目だと意を決し、地下に潜って武装闘争を組織しだす。また、武装もするけれども、もう一つやったのは野営地というか戦争に向かうテントで、少年とか文字を知らない人たちに学習させます。戦場でも日々勉強して、自分たちの文化を大事にして、そして武器を持たせる。

そのときに捕虜になったポルトガル兵たちはそれを見ていてびっくりしました。ポルトガルはもともと二流、三流の資本主義国で、識字率はたいしたことないです。文字を読めないポルトガル兵が多い。それが捕虜になってくるでしょう。ギニアの少年は文字が読める。勉強している。それを見てカルチャーショックを受けたということです。そういう意味でもカブラルの指導力はすごい。

私はこのカブラル思想に接したおかげで、『叛徒と革命』を書いた頃の革命的暴力、それはヴァイオレンスと

カブラル・文化による抵抗
―エターナルアフリカ記念―
多摩美術大学美術館 20190727
石塚 正英

1. 私にとってのカブラル・アフリカ・地中海
2. 階級闘争がないから歴史がない？
3. インタートライヴの文化
4. アフリカ人の哲学世界観
5. エンクルマ評価―プラスとマイナス
6. ギニア社会の構造分析
7. 悪霊のすむ森、隠れ家の森
8. ポルトガル兵の文化的敗北

してきちんと議論していけば、メリハリがついていくのではないかと思ったのです。一一月に社会評論社から『学問の使命と知の行動圏域』を出版したとき、香港は若者によるヴァイオレンスばかりで、それを見聞きしてある読者なら、「石塚の議論も五〇年たった今となると、彼がフォースとヴァイオレンスに腑分けするのも納得できる」と言ってくれるのではないかと思います。

スクリーンをごらん下さい。これは、このあいだ六月に出版しました『アミルカル・カブラル―アフリカ革命のアウラ』（柘植書房新社）を記念して多摩美術大学美術館で講演しましたが、そのときのタイトルページです。

ド゠ブロスとフォイエルバッハのフェティシズム

私の研究の奥深いところというか、ベースには合理主義や科学知によって拒否された、先住民的、先史的な文化への接近があります。その代表がフェティシズムという人間精神・儀礼行動です。基本的には宗教前の儀礼ですが、これは価値転倒そのものの儀礼なわけで、善と思う基準、悪と思う基準は、ある儀礼により入れ替わってしまう。その儀礼をフェティシュという神を持ち出して執り行います。その人はフェティシュを崇拝し、信仰する。しかし、あるとき、役立たずになれば違うフェティシュに代える。その好例は先ほどお話ししたポルトガル兵の持っていた鉄砲です。ワニの鱗を機関銃に代えていく。フェティシュそのものの信仰は持っているけれども、フェティシュという神が、自分たちと相対していて使い物にならなかったら捨てていってしまう。

フォイエルバッハの社会哲学
―他我論を基軸に―
石塚正英

現代人であれば、これは善なのだという基準は決まっている。でも、フェティシズムの世界では入れ替わることがあるわけです。それが私の研究で土台になっているものなのです。来年五月頃に社会評論社から刊行予定の『価値転倒の社会哲学―ド゠ブロスを基点に』でまとめます。

それから、価値転倒の社会哲学の観点からもう一つ、フォイエルバッハの〔他我〕を説明します。これは基本的に自然もみんな人間と同じだという位置付けです。他我、alter-ego というラテン語です。エゴというのは私という意味だからね。自然であろうが、目の前に人間がいようが、それらはみな、〔もう一人の私〕だという位置付け。これは本質論からいくと、転倒が始まっています。来月つまり二〇二〇年一月に社会評論社から刊行します『フォイエルバッハの社会哲学—他我論を基軸に』で全面展開してあります。

いま私は一本論文を書いていて、来年六月頃に『理想』という雑誌に載せるのですが、西田幾多郎の『純粋経験』への眼差しです。その中で西田さんは本質論ばかりやっています。それを見て、日本の思想界は日本的な素晴らしい哲学者が生まれたといってきたのだけれども、彼は神と愛、それから人間、これを本質的に捉え、永遠不変のものとみなすのですが、私にすれば、それは違うのではないか。

神様も他我、神様ももう一人の私だ。永遠不変なものというよりは、私とあなたの関係がいろいろ変わっていく。その中で二者の関係がある、そういう関係は永遠不変だ。相手がどのようになるか、もちろん自然がきたり、別の人間がきたりという意味では、変わりますが、他我、我と汝、私とあなた、そして、私に対してあなたはもう一人の私という関係、これは不変だ。そういうことを受け入れると、ときどき転倒するでしょう。だって、あなたが私になったら、私はあなたになるでしょう。そのようにして、自分はある人の対象になるわけです。そして、逆のときは、相手が私の対象になるわけ。そのように主客が入れ替わる。攻撃と和解がこもごもに現象する。

西田さんはそれを否定した。西田さんは言いました。主客は同一、主客は統一されているものだ。知識がつくと分裂する。だから、それをもう一度、統一しなければいけない。統一は宗教にこそあらわれ、神がその統一者だ。主客というものは、もともとないのだ、分裂以前がもとなのだと主張する。私の論文の執筆目的は、その主張への批判ですね。

またフォイエルバッハにもどります。「我と汝」の他我論を彼はライプニッツあたりから拾っており、フォイエルバッハの造語ではないです。術語自体はラテン語で前から知っているのだけれども、中身、概念を入れ替えています。

エドムント・フッサールもこれを使っています。フッサールの現象学で、これは重要な概念です。でも、私はフォイエルバッハがいちばん気に入っています。自然も動物もみんな他我なのだ。痛いと感ずる動物、それが他我で、痛くない、痛みを感じない動物は他我でないという問題ではないです。森羅万象が他我です。でも、他我という概念をあまり抽象的には使いません。自分と相対したときに備わる。何でもかんでも他我というように、漠然と言っているわけではないです。

フォイエルバッハは一八五〇年代までに南米とかアフリカとか、そういう地域に関する博物学、人類学の報告書をたくさん読みます。それで知っていくわけ。アフリカとかアメリカの先住民の文化を知っていく。それで他我という議論をライプニッツ的な議論から、私がいま言っているようにオリジナルに変えていきます。ヘーゲル哲学の枠に収まる議論ではありません。とても面白いです。

バッハオーフェンの母方オジ権

さて、さらにもう一人。ヨーハン・ヤーコプ・バッハオーフェンの母方オジ権、これもまた一つの概念をひっくり返しています。私の話を聞くと驚くよ。結論を言うと、母も父だということ。問題は、父という言語 pater です。ラテン語の pater に、最初は「父」という意味などないです。日本古代の語彙でも妻は女とは限らなかったでしょう。妻はパートナーという意味でしょう。男も妻だよね。女も妻です。でも、その後、妻といったら、パートナーは女だけになっていった。

それと少し違うのですが、バッハオーフェンは一八六一年に『母権論』をバーゼルで出版するのだけれども、そこでの議論を紹介します。母権は物的な権力ではなく、どちらかというと心情的な権威のほうです。あるいはモラルというか。お母さんだけは自分の産んだ子どもを知っている。それから、氏族の中で子どもは育ちますが、お父さんは別氏族にいる。お父さんはときどきお母さんと子どものいる氏族にやってきて、夫婦の仲を契る。お父さんはまた元の氏族に戻っていく。

ならば、たいがいはお母さんが子どもたちの保護者でしょう。そして、ラテン語 pater の「pa」は保護、「ter」は人を意味します。「pa」する人で「pater」、保護人となります。お母さんが保護者だったころから pater という言葉はある。そのころはまだファミリーが生まれていない、あるいは確立していないので、お父さんは一緒に住んでいない。なので、子どもたちがお父さんに育てられること、保護されることはないわけです。言語学的にも社会組織的にもpaterという言葉が最初に当てはまるのは母たちです。私の独断のようなもので、みなに反論されるかもしれないけれども、もともとはお母さんがpaterであったこともある。

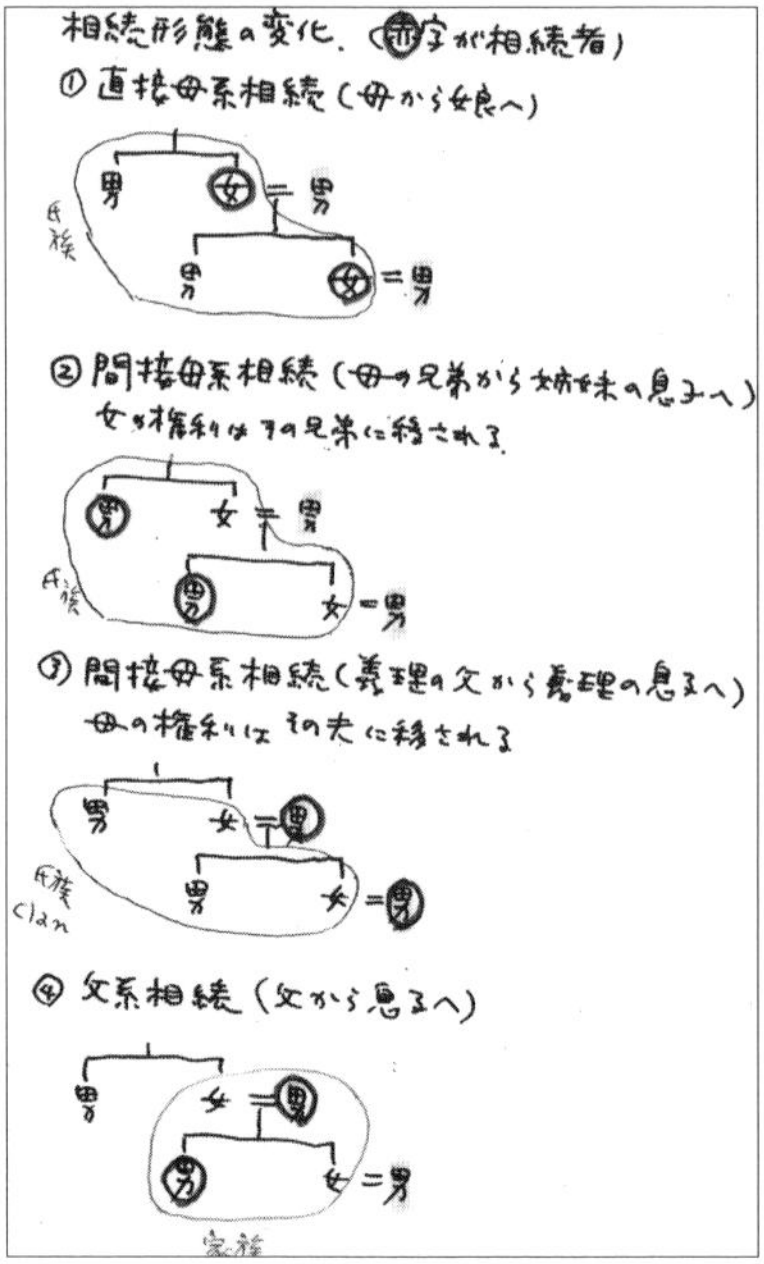

これは単純に描いた図ですが、一番上の第一段階は、赤い丸（太い丸囲い）が相続者ですから、お母さんから娘へと相続していて、青い線で囲ってあるのは氏族と書いてあるでしょう。clanのことです。その中にお父さんはいません。第二段階でもいないけれども、相続するのは女から男に変わっているでしょう。ここで男の時代に少し入りますが、まだ兄弟のことです。母方のオジ。その人たちにすると、この女の子、男の子にすると、お母さんの弟とか兄、母方のオジ、母方オジの力が非常に強い段階のことを母方オジ権といいます。第二から第三段階にかけて、そのころは母方オジがpaterです。これをバッハオーフェンは一八八〇年の死ぬ間際になり、ものすごく研究します。この存在が大きいです。

やがて第四段階になると、氏族を解体してポリスがどんどんできます。ポリスは政治国家だから、これはポリスの基本形です。お父さんが妻と子どもをみんな奪ってしまう。そして、元の氏族はないから、こちらは関係ない。母方のオジはもう関係なくなる。これがpater、お父さんが生まれる段階、すなわち家族の成立です。

そういうことで、paterには父親という意味の前に、母方オジもpaterだったし、母もpaterだったという議論をするといいのではないかと思います。旧約聖書でもヤコブがラケルという奥さんをめとるときに、ラケルのお父さん、ヤコブの義理のお父さんになるラバンのところで七年間働き、それで妻をめとって出ていくわけです。ヤコブはイサクとリベカの子であり、リベカの兄弟ラバンの甥です。つまりラバンはヤコブの母方オジなのです。一種の近親婚にも見えるけれども、そういうのは聖書の中を見るとあるんだよね。そうするとラバンさんって、強いよね。ラバンさんはある意味で〔氏族pater〕であり、その後の父、〔家族pater〕と戦うような存在なわけです。そのようなことを考えると、また聖書の読み方も少し変わるかと思います。

　前半の最後に、勝手な予告をさせて戴きます。私は、ただいまナイアガラ滝を表紙カバーにして【石塚正英ナイアガラ叢書三部作】を刊行している最中です。その「ナイアガラ」の意味をお話しします。叢書は以下の三点です。

① 学問の使命と知の行動圏域　（二〇一九年一一月）
② フォイエルバッハの社会哲学――他我論を基軸に　（二〇二〇年一月）
③ 価値転倒の社会哲学――ド＝ブロスを基点に　（二〇二〇年五月）

＊いずれも社会評論社刊

　次に、叢書名の「ナイアガラ」について説明します。アメリカ先住民の一つであるイロクォイ人はナイアガラ川の両岸流域に居住していましたが、米英戦争（一八一二～一五年）でアメリカ軍とイギリス・カナダ軍がナイアガラ川を境に激しく戦い、多くの先住民が犠牲となり、居住地区は両勢力によって分断されました。私

の社会哲学・社会思想史研究は、いまや、このイロクォイ人社会とその歴史に学問的な端緒を見出すに至っています。二〇一四年には観光船でシカゴ川からミシガン湖にいで、ナイアガラの滝近くに観光船で接近し、イロクォイ社会の息吹を肌で感じ、短編「母方オジ権と歓待の儀礼――ハイダ人社会とイロクォイ人社会」（世界史研究論叢、第五号、二〇一五年一〇月）を発表してもいます。

　これで前半を終了いたします。少し休憩させて戴きたいと思います。

三　学問するマガジンエディター

「社会思想史の窓」「クリティーク」ほか

では、後半に入ります。前半では、学問論の構築とその現場について話しましたので、後半は私の学問するスタイルや方法の話が中心です。

立正大学大学院を満期退学した後、一九八二年四月、指導教授の村瀬先生の推薦で私は立正大学文学部の非常勤講師に就任しました。そういう意味では三二歳で大学の教壇に立ちはしました。しかし、しばらくして五年を限度に非常勤を退職するよう告げられました。その時の理由は、大学院を終わった若い後輩たちに非常勤講師職を譲るべきだということでした。それで、そういうことになったわけです。文学部の非常勤講師ができなくなったことについて、つらかったけれども、しかし、そう言われればそうだなと思いました。でも、しばらくは教養部で講義し、けっきょく私は五〇歳になるまで、専修大学や明治大学で非常勤講師を続けておりました。その間、「常勤職に就きたいがなかなかなれない。つらい、どうしたらいいだろう」などとは思っていなかったです。それは有力な選択肢の一つであるし、生活はまちがいなく安定するだろうけれども、私の場合は職業としてでなく使命としての学問が肝心なので、安定を求めるあまり思うような研究のできない就職はかえってつらいのです。

経済的には、三〇歳代後半に河合塾という予備校に勤め小論文講師となりました。結構いい収入になりました。それで河合塾に一〇年以上いたのですが、研究はどうしたのかというと、自分で「社会思想史の窓刊行会」を設立し、ミニコミ冊子を編集し発行したのです。四の倍数になるページで月刊『社会思想史の窓』という冊子を作って封筒に入れて。その当時はコピーがいまのように便利で安価な時代ではありませんでした。当然全部自腹ですが、最初は二〇人くらいに郵送したら、同じ世代の大学院生がどんどん読んでくださって、一年の間に購読者数が一〇〇人以上になりました。その購読者の一人が、やがて私を東京電機大学の教壇へと導いてくれることとなるのです。

さて、ミニコミとはいえ、これは研究手段になる、と思いました。『社会思想史の窓』を読んでくださる人たちの間で交流をしていくことを目的にして、十九世紀古典読書会という研究会を作りました。古典読書というと枕草子とか源氏物語を読むような雰囲気がありますが、そうではなく、サン＝シモンとかヘーゲル左派など、一九世紀ヨーロッパの学術書、思想書を読むということで、交流を拡大していきました。とにかく共同研究の場を作ることだとの思いからこのミニコミを二〇〇九年の一五八号まで継続しました。

立正大学の大学院に進みつつ、指導教授の村瀬興雄先生は私の研究テーマを考慮して、私を明治大学大学院の大井正先生に預け、大井ゼミで三年間聴講するのですが、行くところ行くところ、出逢った方々に『社会思想史の窓』の読者になってもらった。読者になってもらえれば、ライターになってもらえる。そういうふうにしてやっていきました。どちらかと言うと、マガジンエディターなわけで、この第三部は学問するマガジンエディターという括りです。

『社会思想史の窓』編集中の一九八〇年代なかごろ、青弓社という版元の『クリティーク』という商業誌に関わりました。大阪の保井温（やすいゆたか）さんほか複数の編集委員でもって、言論界・読書界にクリティークつまり批判運動を巻き起こそうと企図したわけです。「マルクス主義の現在」（創刊号）、「現代思想家群像」（創刊二号）などを特集テーマに掲げますが、私には私なりの使命がありました。委員の一人、鷲田小彌太さんから「石塚さん、この雑誌の編集委員になってください」と頼まれましたので、私は「アフリカをやります。アミルカル・カブラルという人物。その方面の企画エディターとして招いてくれるのであればやります」と言いました。そしてただちに、創刊号に「アミルカル・カブラルのデクラッセ論とギニア・ビサウの現実」を掲載しました。

とにかく、しばらくはカブラルで突っ走ろうと思い、ほどなく特集「アフリカの文化と革命―カブラル」（創刊三号）を編集したのです。カブラル研究の先達だった白石顕二さんと組んで誌面づくりを行いました。そこにはカブラル翻訳をメインに、私自身の論考「アミルカル・カブラルのプチ・ブルジョワ論とアフリカ文化」を掲載しました。数は少ないけれども初めて知ったという読者から感想を戴き、やり甲斐がありました。この時に関係があった白石顕

二さんのアフリカコレクションが多摩美術大学に所蔵されているることでもあるで、ついこの間、七月二七日に多摩美術大学の美術館で、私はカブラル講演をしました。

さて、現代思想をかじっている人にアフリカ革命について質問しますと、フランツ・ファノンの名をあげます。アルジェリア革命というかアルジェリア独立運動の時に、精神科医のファノンはルポルタージュを書いて、作品を次々に出版していきました。でも、ファノン自身は指導的革命家ではない。アルジェリア民族解放戦線に従軍するけれども、どちらかといえばルポライターです。しかし、カブラルは、地下に潜行して以来、ポルトガルから命を狙われる戦闘指導者としてやっている。私はこれは決定的に違うなと思います。

ファノンのほかもう一人、カブラルとダブるのは、キューバやボリビアでゲリラを指導し命を絶たれたエルネスト・チェ・ゲバラです。ゲバラは一九六五年ころコナクリでカブラルと会談しています。ゲバラが暗殺されると、カブラルは「チェは死なない作戦」を展開してポルトガル植民地軍を攻撃したそうです。ですから、カブラルとゲバラは相性が合っていたと思います。

この三人、ことにゲバラとカブラルに共通するのは、何か構築したものに愛着するよりも、構築する過程にすごい情熱を燃やしたということ。カブラルよりも、それはゲバラのほうが典型でしょう。キューバ革命を成し遂げると、別のところボリビアに行って暗殺されるまで革命に奔走するわけです。ボリビア転戦に先立ち、彼はキューバ国家の大臣として日本に来ました。しかし、そういうフォース的なものを彼は本能的に嫌うんです。キューバという国をつくってキューバという国を安定化させることはカストロに任せればいいんです。そうではなくて、ゲバラは、まだ戦乱の渦中にある、これから革命運動つまりヴァイオレンスを構築していかなければいけないところに身を投じていくんです。この態度のゲバラとカブラルは私にとっては強烈だったので、その運動を『クリティーク』で紹介できるようになって、ものすごくうれしかった。

ところで、最初に紹介しました『社会思想史の窓』を、九〇年代に入って、私はいまここに参加していらっしゃる社会評論社の松田社長にお願いしてバージョン・チェンジしました。mook（ムック）を作りました。magazine と book のくっついたような名前のmook（ムック）を作りました。本のようで雑誌のようで、本当は本であって雑誌ではない。一一八号から一二三号まで、全部で六冊刊行したんです。

一一八号は『クレオル文化』。クレオルは中南米のクレオールにあやかりました。一五世紀末スペインがもたらしたヨーロッパ文化と先住民文化との混淆です。アフリカから奴隷として連れてこられた人たちがもたらした文化とも混ざり合う。そうした混淆言語はクレオル語。私はこれをポジティブに評価したいんです。欧米人はネガティブに扱うんです。二〇世紀初頭、ジャマイカあたりで流行りだしたレゲエ、あれはサブカルチャーにすぎない、といった具合。でも、アフリカ文化に由来するジャズとかを見ても分かるように、サブカルチャーはやがてスターダムにのし上がっていくわけです。文明から疎んじられていた辺境文化が、実は私たちの生活にも染み入っているんだという側面を炙り出したのが『クレオル文化』です。音楽から料理、医療、建築、文学ほか、クレオルのいろいろなヴァリエーションを座談会の形で入れ込んであります。

一一九号は『世界史の十字路・離島』です。離島というのは、世界史的な使命というか、世界史的な出来事で満ち満ちている。言葉もクレオルで面白い。特集『クレオル文化』とこの『離島』は、ある意味で姉妹編のようなものです。一二〇号『浮遊する農の思想』も追い込められる産業を扱うという意味で、サブカルなイメージを持ちます。宮城県の農村に行って、農業従事者にインタビューをしました。私はこの日のうちに仙台から新幹線で埼玉へらなければいけなかったのですが、ものすごく酔っ払って、その時にいろいろなことを学びました。「このお吸い物はうまいですね。これはうまいな」って言ったら、「これは田の草取りで働いてくれた合鴨の肉だよ」との返事でした。春に田植えをすると合鴨のヒナを放して、その合鴨が雑草とか食べてくれます。そして実りの秋、十分大きくなると人間がつぶして食べちゃうわけです。「生きとし生きた命を戴く。それが農業だ、農民だよ」と教えられた。その時に、農業は浮遊しているけれど、生きる現場での浮遊であって、糸の切れた凧ではない、あるいは新たな農業に向かって羽ばたく、そういう形で浮遊についてもう一つ別の読みをしていくことが大事なのではない

かと思ったわけです。

『社会思想史の窓』は、その後、私もインターネットというのをやるようになったので、社会評論社から刊行するのを止めて、誰かれ構わず覗いてくれるようWEBマガジンにしました。紙媒体でないのでレイアウトは違いますが、一五八号まで続けて二〇〇九年に終わりました。

それから九〇年代にもう一つ忘れられない、しかも、私の研究に深く根ざしている雑誌と関係しました。『月刊フォーラム』です。これはForum90's（フォーラム90）という運動体が編集する雑誌です。これは毎月刊行されますが、発売元の社会評論社で出版していたのです。これは私にとって、何よりも現代社会、現代思想を探究するのに役立ちました。ここにわずか三冊ですが紹介しましょう。まずは「地域は国家を包囲できるか」です。通常は国家が地域を包摂してくるわけですから、逆転した発想です。ほかに「インターネットは武器たりうるか」と「スポーツ〔動員〕という政治イベント」。こちらは一九四〇年幻の東京オリンピックをテーマにしています。物事をはっきり示すマイナーな運動体なんだけれども、その少数派が議論を世間に撒き散らせるかというようなことをやったわけです。私にとって忘れられません。

次は学会誌『社会思想史研究』です。私は、一九九〇年代は河合塾にいましたが、社会思想史学会という全国学会の常任幹事をやっており、年報の『社会思想史研究』を六年にわたって編集しました。これはアカデミックだから査読もあるし、大学院生がアカデミックポストを得る業績になるといった意味もありました。年に一度のシンポジウムをやって、その報告記事をトップにおき、討論の経過を載せていく雑誌なので面白かったです。けれども、二〇一一年以後、しばらくして退会しました。その理由は、三・一一

の東日本大震災があったことです。「この間の大震災以降、私は学会の席でなく、研究のフィールドを歩きたいと思います。なので、退会します」といった退会届を送りました。心の持ちどころとして、デスクワークの前にフィールドワークだなと。

ただ、インターネットの力には期待を寄せました。そこに飛び込んできたのが「ちきゅう座」というネットマガジンというか、WEBサイトです。私に参加を促した人は社会評論社の社長で、ここに参加していらっしゃる松田さんです。そこで、私は編集委員会に入りました。日本国内外のいろいろなトピックスをマスコミより早くアップする。左右いろんな傾向の記事をそれなりに拾い集めていく。私はいまは組織を退いていますが、サイト自身は昨日も覗きました。意味のある論説がたくさん載っています。大成功していると思います。これは私にとって忘れられないものです。

もう一つのWEBマガジン「プロメテウス」を紹介します。これは私の身近な研究仲間でありますやすいゆたかさんに誘われました。やすいさんに「石塚さんは『クリティーク』のときの共同編集人でもあるから、あなたと私のよしみだから、共同編集をやってくれ」と言われてなったんですが、記事といえば、ほとんどやすいさん中心になっていきました。それでいいんですけれども。いまはやすいさんの個人WEBになってます。それはそれでいいよね。二人が交互に書いても良かったんだけれども、そうはなりませんでした。

もう一つ、本当はあまり気が進まないんですが、昨年に加入した日本科学者会議というところから発行されている『日本の科学者』というマンスリーの編集人を今年の夏からやっています。これは編集人が二〇人ぐらいいて、二年任期で最長四年までやれるんだけれども、そんなにはやりたくないですね。上意下達のイメージが私には感じられます。

モバイル・エディター

ここから、いくつかの経験をもとに、私なりのエディター論を展開します。私はモバイル・エディターです。社会評論社とか青弓社とか、そういうところの社員として編集しているわけではありません。こういう雑誌の編集に参加しませんかと依頼されて「はい」と言ったのが、青弓社の『クリティーク』です。私が編集している雑誌を出版してくれませんかと私から頼んだのは社会評論社です。そのようにいろいろ経験したものを区分すると、四つに分かれると考えました。

一つ目、資金と販路の双方を持っている出版社が、編集スタッフとタイアップする雑誌、これが『クリティーク』です。これは青弓社のものです。二つ目、編集スタッフが出版社とタイアップする雑誌。これは、石塚が社会評論社とタイアップして作った『社会思想史の窓』。三つ目、Forum90's（フォーラム90）という運動体があって、90は一九九〇年代という意味ですが、これが社会評論社という出版社とタイアップしたのが月刊『フォーラム』です。それから、四つ目が、企業としての出版社とか商業雑誌ではなくて、学会が主体となり出版社とタイアップして作る雑誌『社会思想史研究』。最初の出版社は北樹出版で、のちに藤原書店にかわります。私はそのかわり目に降りていますので、藤原書店には馴染みがほとんどないです。この四つのほかに雑誌を出すとすればどうなるか。

五つ目、ネットマガジンです。出版社がWEB上で広告的に立てるネットマガジン。これは出版各社がよくやっています。本当は自社の出版物を売りたいんです。それから六つ目、WEB上の運動体が自己資金でやっていて、それが編集スタッフとタイアップするネットマガジン。発足時の「ちきゅう座」です。ちきゅう座は最初始まった頃は、有志的な、ボランティア的な人たちが自腹で資金を作っておいて、自己資金を用意してWEB上に載せて始めたんです。WEB上の運動体という意味ではそうですし、「ちきゅう座」はいちおう社会評論社に事務所を構えていますが、そこが編集局というわけではないです。

七つ目、WEB上の運動体がWEB上で個人サポーターとタイアップするネットマガジン。発展途上の「ちきゅう座」ですね。「ちきゅう座」はなぜ優れているかと言うと、いま現在、少なくとも自力で、パトロンを得るわけではなくやってきているから。しかも、up-to-date な時事問題を、いまいろいろなところで動いている人、書いている人たちにダイレクトに寄稿してもらっているので面白いと思います。

さて、ここで私の〝革命的ネットマガジン〟の七原則を披露しましょう。ブランキ的、秘密結社的です。最も確かな、経験に富み、鍛錬されたネットマガジン編集者たちから成る、緊密に結束した少数者の運営委員会を形成する。いわば秘密結社です。誰にも知られない、確固たる、継承性をもった編集者の組織がないなら、どんなネットマガジンも恒久的とはならない。コアになる者たちは、緊密に連携して、きちんと議論をする。民主主義的な議論では、なるものもならないことが多い。多数決では進まない。したがって、コアになるものは徹底的に議論をして、その中は完全民主主義で、五人がいたら五人が完全に一致するまで討論し尽くすが、それは結束した運営委員会において行う。そういうものがなければ長続きしません。

主要な諸地区にサポーター、特派員や提携者を持ち、できるだけネット空間だけに閉ざされない多くの組織、運動体と連携する。札幌とか鹿児島とか、いろいろなところに特派員を用意するわけです。あるいは、提携者、共感してくれる人を用意します。先程私は、東北の農民と座談会、討論会をやったと言いましたが、そういう農村の人たちに加わってもらったりするわけです。この人たちは、陰謀の中にはいません。明るいところにいます。そういう人たちと連携することで、初めて公開できるような記事、あるいは、マガジンになっていくわけです。

次は、これと運動で共振する紙媒体出版社に、サポーターになってもらって連携する。ネット上だけでは、ダメです。ネット上だけでもちろん議論は進みますが、それを歴史的に記録しておく必要があります。ネット上ではシャットダウンしたら全部消えてしまいます。その点で、国会図書館などに確実にそれが蓄積していけばいいわけですから、そういう意味で、紙媒体出版社と連携して、各地の図書館に蓄積していくような形をとる。その代わり、共振してくれた出版社には、いくつかネットマガジンでの広告という形で連携していく。

交換広告を載せあうことで、互いにギブ&テイクの関係を構築する。お金は介在しないが利益は交換できるということです。ネットマガジンは、共振してくれた出版社に対して、書評・新刊紹介という形でも営業活動を支援する。たとえば、社会評論社で新刊が出たら、それをネットマガジンで紹介を掲載するわけです。アマゾンのブックレビューには勝てないかもしれませんが、連携を拡大してやっていけばGAFAに対抗してカウンターレヴューを発信できるようになるかもしれません。むろん、連携する出版社は電子書籍も扱うこととしたいですね。

コアになる運営委員会、共振してくれる出版社、各地にいるサポーターとの間でネットマガジン電子マネーを発行し、ネット経済＝アソシアシオンを構築する。売買のWEB市場圏を作るわけです。現金は使いませんが、電子マネーで交換する。この団体に入った人たちは電子マネーは支払うけれども、現実の千円札とか一万円札でもって買わなくていい。電子マネーは地域通貨のような形で作っていき、サポーターというのはある意味読者でありますから、出版社とマガジンの運営委員会と、サポーターの間で、経済が成り立つ。サポーターが増えれば増えるほど、三者が連携していける。そういうネット経済圏のアソシアシオンということを、私はだいぶ前に提案しましたが、こんな提案は現実の中でもみ消されてしまったというか、誰にも聞いてもらえなかったというのは事実です。

ますます私の観念が肥大化しておりますが、そうしていくとモノとかユニとかの一元主義を越えて、ポリとかマルチとかいうふうにしていかなければいけない。そうすると、私は大学の研究者ですとか、私は雑誌の編集者ですとか、そういう単一の属性でなく複数連携させて、かつそれが全部自分のやりたいこととして収斂されていく。私は五〇歳までこのマルチ生活をやってきましたが、そのお陰で得たものは得られなかったものよりはるかにおおいです。

だいたい五〇歳くらいまでモノクロニックに生きてきた専門研究者は、そろそろマンネリ感情を抱くか、さもなくばルーチンに慣れっこになり、惰性の人生を余儀なくされます。あるいは反対に、自分の将来はこれしかないと思っている人が、その実現が困難とわかると、人格否定されたと思うのか、脱力してしまうのか、研究の場から去っていってしまう人がいます。しかし、マルチ的に研究テーマと収入源を得ている者はそういうふうに思わないですね。私は来年の三月で東京電機大学を退職しますが、それで自分の研究生活が終わるとはさらさら思わない。職業、ジョブとしての現場は去りますが、もともとそれを求めていたわけではない。私の学問は「百学連環」です。その意味するところは、研究領域の連環であるとともに、研究現場の連環、汎人間力の涵養でもあるわけです。

四　学問するフィールドワーカー

私は机上で研究することは嫌いではありませんが、しばしば野外にでて研究してきました。フィールドワークです。

去年、私は転倒して頭蓋骨と脳の間を出血してしまいました。硬膜下血腫というのです。それ以来フィールド調査にはでかけていないのですが、来年の二月には済州島に行きます。前々から「海女」や「巫女」の文化誌・民俗誌に関心があったのですが、いよいよ現場に立つことができそうで、まずは机上で資料を読み準備中です。日本の習俗にもおおいに関係しています。ワクワクしています。

　そういうわけで、来年はまたフィールドワークを復活させますが、平成年間に一五〇回はフィールドワークをしています。たくさんの人と行くときもあるし、一人で行くときもありますが、それをざっと見ると四つか五つに区分できます。

石仏虐待儀礼調査

まず第一、石仏虐待儀礼調査。これは、神様をぶん投げていじめる、新潟県上越地方で江戸時代からある。もっと前から行われていたかもしれません。長い間雨が降らないで農民が困ると、お地蔵さんに拝む。拝んでも拝んでも雨が降らないと、ついに祠に置かれてあるお地蔵さんをため池の端に持ってきて、縄で縛ってボーンってぶん投げるん

です。「雨を降らさないと上げてあげないぞ、いつまでもそうしてろ」とか怒鳴るんです。虐待してるわけ。こうした神仏虐待儀礼をフェティシズムと称します。

　私は新潟県上越市で生まれていますから、郷土のこの奇祭をことのほか気に入りまして、何度もフィールドに出かけています。普段はご利益を願って、祠で賑々しく拝む。なかなかご利益が叶えられないと、これを荒縄で縛ってため池にぶん投げて虐待する。一九九四年、平成六年だったか、干ばつだったので虐待儀礼が実施されました。その時私は、随行する老人にこう質問しました。「おばあちゃん、レプリカって言うんだけど、これと同じ形のお地蔵さんを石で作って放り投げ、その割れている古いお地蔵さんを引退させてあげたらどうですか」と言いましたが、「何言ってるんだ。ダメだ、ダメだ。このお地蔵さんじゃなきゃ、雨降らせてくれない」と言って叱られました。こういう本

物虐待をフェティシズムと言います。代理では効き目がない、ご利益が得られないんです。

　平成一四年にもやりました。祠にいる赤いちゃんちゃんこを着たお地蔵さんを池に連れてきて、おじいさんがボーンっとぶん投げています。このとき実は、この石仏が上越市の文化財になって、それを記念するためにやったので、本当は降らせる必要がないわけ。その証拠に、みんな雨傘さしてるでしょう（笑）。雨が降っているんだけれども、記念にやる日を決めてしまったから。石仏をボーンと投げて、何度ももて遊んでいました。やがて儀礼が終わったら、なんとパーっと晴れたんです。反対の効果も見込める？　どっちにせよご利益あるんだなぁ（笑）。

　もともと頸城野はフェティシズムの里です。荒っぽい。お地蔵さんをいじめたりする。そういったことがあるので、いくつかそういうものの名残があります。たとえば、秋に台風が来ると、暴風は嫌ですからこれを撃退します。しかし、春先に稲が受粉する頃、稲は風媒花ですから風が媒介しておしべとめしべが受粉する。ですから、風は絶対必要です。風は農民にとって大切なんですが、吹きすぎると嫌です。その両面性を体現して拝まれた自然神、それが〝風の三郎〟です。

　風の三郎は忌まわしい。こいつが来ると嫌なんです。風の三郎がやってくるとごまかすんです。「いゃあ、三郎さんいらっしゃい」。田舎の村のはずれに東屋というかボロな掘っ立て小屋を作っておくんです。「さあ、どうぞ壊してやってください」。風が吹くとそれが倒れるんです。「暴れることができてよかったでしょ、満足できたでしょう。さぁ、帰ってください」、「もういいでしょ、帰ってください、楽しんだでしょう」。風の三郎には来てほしくない。しかし、風には来てもらわないと困るんです。そういう転倒の精神構造をフェティシズムと言います。交互的に価値が転倒している。そういうものを新潟県上越市周辺の農村では、これまでやって来ていた。

　ところが、奈良、京都の風の神は逆です。びっくりものです。奈良、京都の風の神は、風の三郎をやっつける

ほうでしたから。暴風を退治してしまうのが風の神様なんです。とにかく暴風を、人間の為にならない風を鎮圧してくれるのが、風の神様になっているところがおかしいですね。畏怖するという言葉の意味は、怖れかつ敬う、ということです。風の神は畏怖の対象であって、怖れの対象である三郎をやっつける京都・奈良の風神は風の神には置けませんね（笑）。

マルタ島巨石神殿調査

私は本当は、まっさきに地中海で調査をしたかったのですが、そういう意味ではお金はありませんでした。しかし、五〇歳を過ぎて、東京電機大学の専任教員になったら、研究費から旅費を支出していいことになったんです。それで、二〇〇〇年と翌年に二回ほど夏休みを利用してマルタ島に行って来ました。

ここに行くと、先ほど皆さんにお話ししたバッハオーフェンの母権とか母方オジ権に関係する巨石遺跡があるんです。お母さんのことを英語でマザー mother と言いますが、ラテン語ではマター mater です。物質という意味のマテリア materia も同系統の言葉です。そこからマテリアリズム materialism（唯物論）という言葉も生まれていますす。materialist と言うと、現在では唯物論者と訳しますが、日本でも江戸時代は「材木商人」と訳しています。材料（material）を商っているから。そういうことを合わせて研究しながら、母権とか、母権社会とその文化を調査したかったわけです。

スクリーンにあるこの写真はマルタの巨石神殿ですが、遺跡の看板に Ġgantija Temples と書かれています。Ġgantija はマルタ語ですが、英語で言うと Giant（巨人）です。それはともかく、この神殿はお母さんの格好をしています。今から約五〇〇〇年ほど以前、マルタでは母というか母性が非常に大切にされていたわけですね。

マルタ島や隣のゴゾ島では、住宅の玄関に Mater Dei（聖母）というプレートが張り付けてあります。マルタ島の住民はキリスト教というよりもマリアを信仰しています。これは母権を調査する私にとって、非常に魅力的です。

日韓古代文化交流調査

ここからは、この五～六年夢中になっている韓国の話です。私は今年の五月二九日に、NHK番組「歴史秘話ヒストリア」をみて、びっくりしました。じつにおかしなことを解説するもんだ、と思いました。みなさん、前方後円墳という大きな古墳があるのは、もちろんご存知ですよね。どうしてああなったかと言うと、古代の朝鮮から軍隊が海上を渡ってきた時に、浜辺まで来ると、見たこともない巨大な建造物が目に飛び込んできて、威圧されてしまう。なるべく日本海側に多く作って敵軍を怯ませるために造ったんだと。それから、沿岸各地の豪族たちは、あれと同じ形の墳墓を造ることで、ヤマト政権と君臣の契りを交わす。そのような意図からヤマト政権に服従した人たちはみな同じものを造るようになった、という説明があったんです。

　その説明の根本にあるのは、朝鮮から来る人を敵だと解釈している点です。高句麗（コクリョ）とか、新羅（シルラ）、百済（ペクチェ）。ことに高句麗から来る人を敵とみなす解説です。目も当てられない観念です。いまヘイトだ何だと言って、日韓関係が冷え切っていると報道していますが、平気でそういうふうに思いたくなるような解説ですので、私は何か違うのではないかと思っております。

　次の地図を見てください。国家と国家ではなく、民衆と

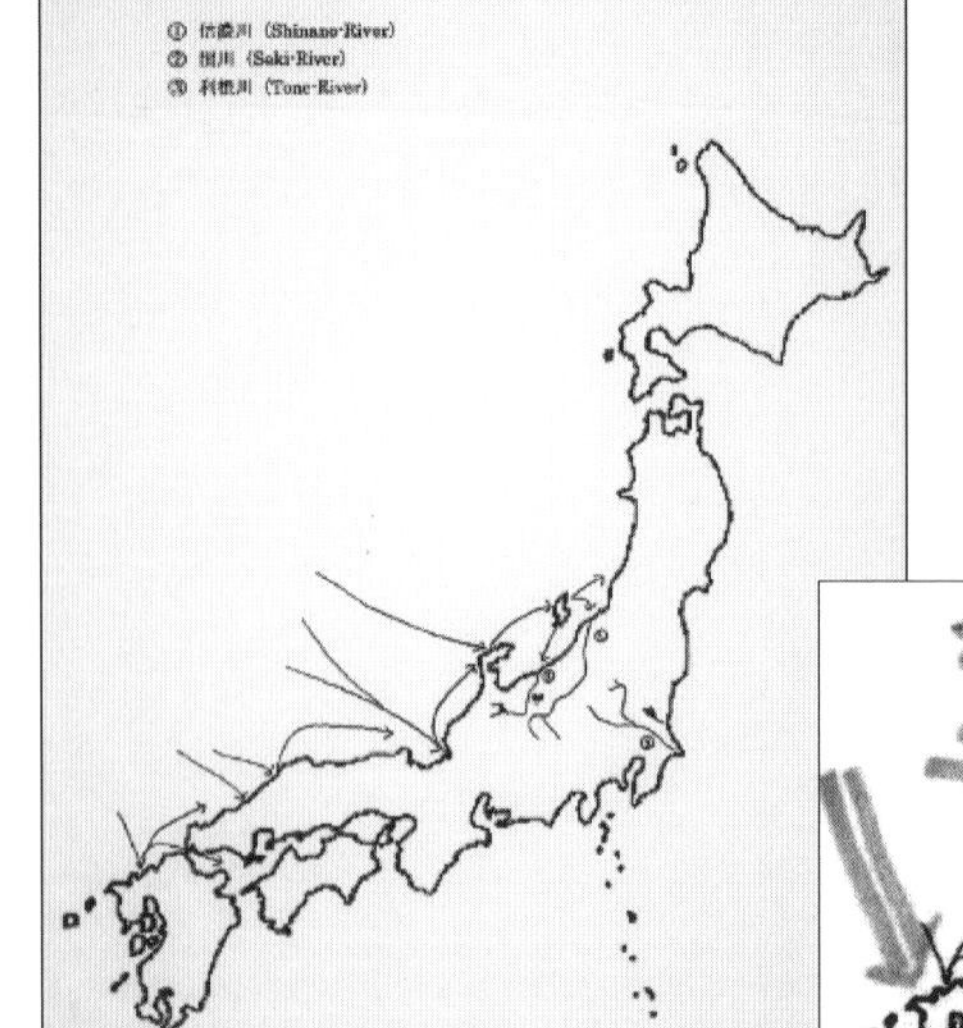

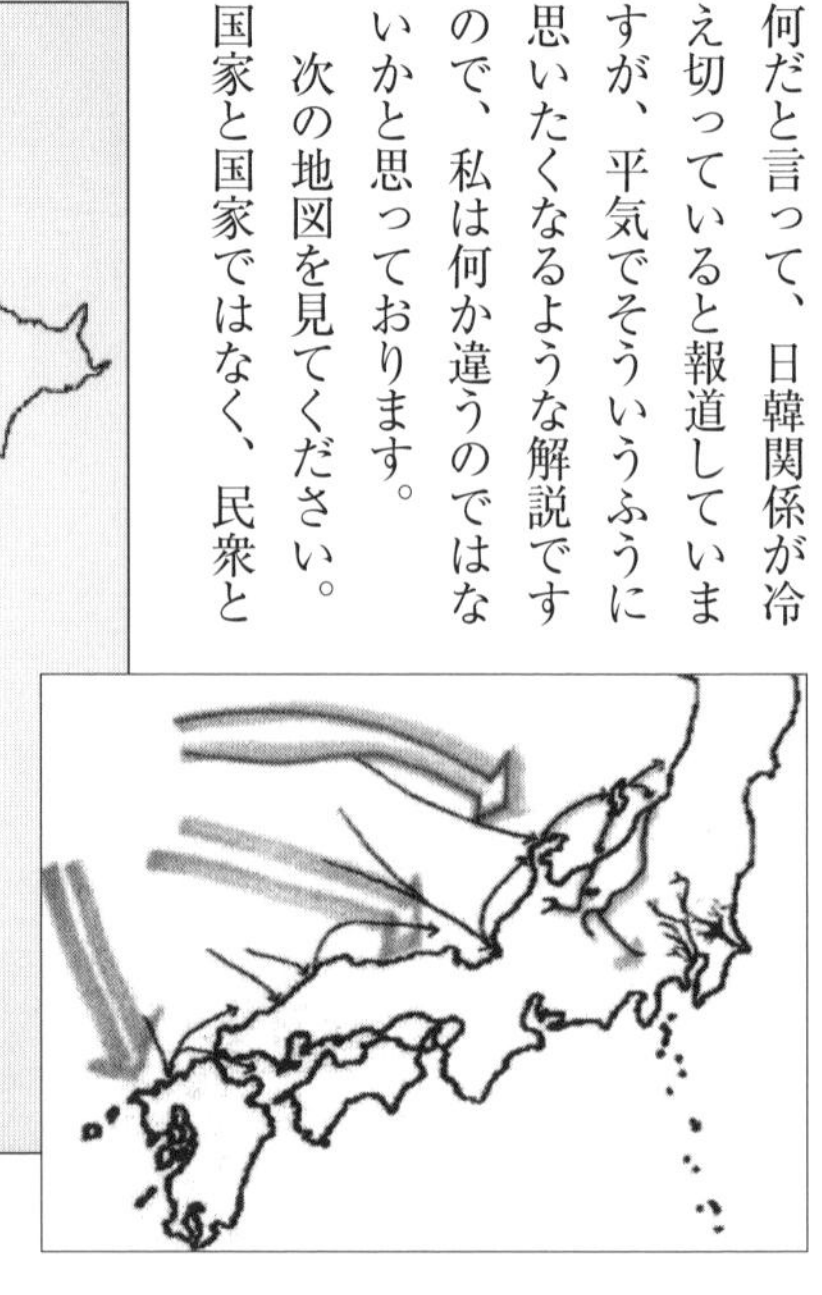

民衆の間の交流は確実にありました。国家と国家だから攻めてくるという考えになりますが、民衆は朝鮮半島沿岸各地から船を漕いで、能登とか佐渡とかにやってきます。地図にあるライン（能登半島に向かう⇒）は、私がある意味、自分の調査結果として描いていますが、このラインは国家が成立するよりも以前からあります。

少し話は変わりますが、昨今、北朝鮮の船が難破すると、このように新潟から秋田とか北海道沿岸に漂着します。ですから、漂流すれば玄界灘のほうには行きません。海流の影響で能登とか佐渡とか秋田のほうに行きます。そういう形で海流任せで日本列島に渡来した人たちは戦争しに来たわけではありません。私は、まずソウルの国立博物館とかにある地図を写真に撮ってきて、それに民衆渡航ラインを描きました。皆さん、これから一〇年後、このラインはソウルの博物館の地図にも付きます、きっとね（笑）。

信濃川沿いに証拠が点在します。信濃川を上っていくと、信越県境に高句麗の人たちの築いた墓が累々とあります。彼らはそのあたりに生活圏を見つけ代々居住し、老いて亡くなった。彼らの墳墓を積み石塚と言います。信濃川、千曲川の川原石をいっぱい拾ってきて積んで造る。彼らが固有の墳墓を造営しここに葬られたということは、皆さん、高句麗の人たちはここに長く生活していたからでしょう。ここに生活圏があったからでしょう。ですから、高句麗の人たちが軍事的に攻めてきたというわけではありません。

この様式の墳墓は沿岸のいろいろなところにありますが、一番奥まったところでは高崎にあります。高崎市保渡田古墳群の周辺には下芝谷ツ古墳という、高句麗に起原を有すると推測できる方形積石塚が遺っているのです。つまりそこまで、高句麗の人たちが移住して行って、生活していたということです。生活道具が発見されたのみであれば定住かどうかは分かりません。道具だけがあちらこちらから動いてきたかもしれません。そこに住んでいたかどうか分かりません。ですが、お墓という動かぬ証拠があります。そういう意味で、私はこの自説は大きく展開するのではないかというふうに思います。

そう見ていくと、民間ルートでは早くから日韓の交流があった。しかも、それが旅人としてやってきたのではなくて居住して、何代も日本でその人たちは暮らしてきているということです。そういった点から見て、これは歴史を見る価値の転倒というふうなことです。仏教が伝わったのは五三八年だとか、国家的な年号で歴史を刻んでいく、そんな官許声明だけでは見えてきません。はっきりは言えませんが、それ以前からこういう物的な証拠を残して渡来人は日本海沿岸各地に生活していたんだというのが、私の転倒の議論の第一です。

古代史の見方をそういうふうに転倒させるのは、ただ古代史の通説に異論を唱えるというのではなくて、いまのありよう、日韓関係がぶち壊されるような動き、これをしっかり吟味したいからなのです。私は韓国内を旅して何度も経験していますが、人々はものすごく温かいです。私たちのことを日本人と分かろうが、分かるまいが、いずれにしてもすごく温かく迎えてくれています。

私はある時、自分の研究心をさらに奮い立たせる資料に出逢いました。それは明治、大正時代までに、アジア一帯でフィールド調査に奔走した鳥居龍蔵という人類学者の著作です。彼は気の毒と言えば気の毒です。日本が日露戦争で領土を奪って、南満州鉄道株式会社をつくった。そして一九三一年以後日中戦争に入っていく。そういう侵略の歴史が一方にあるわけです。しかし、その領土侵略がないと彼は満州、モンゴルを自由に歩けなかったわけです。

この写真にあります書籍は、朝日新聞社から出ている彼の全集なんですが、これを読むと、間接的な侵略の記録だなと思えなくもないです。諸刃の剣と言います。一方では人類学のためになっていますが、もう一方では、日本が占領していたからできたのだろうと。

韓国もそうです。韓国にいま私が旅行に行くと、いろいろな石造物がありますが、一九一〇年に日本が韓国を併合した時にはもっとたくさんありました。例えば慶州の仏国寺にいま行くと多宝塔に獅子像は一基しかないですが、併合当時には、少なくとも二基はありました。日本の調査団が全部写真を撮ったので、その違いが分かるのです。韓国内の石造物は概ねきっちり撮影したようです。それは戦後に復刻されて、上越市の図書室に全巻置いてあります。それを見ると韓国の石造物に関する情報がいろいろ分かります。実測までしています。そうした資料報告書は、占領していなければ今日に残らなかったでしょう。

ですから、鳥居さんはそういうことになる前、倫理とか人権とか、そういう観念がまだ確立する前に調べたので、ある意味赤裸々に出てくる部分もあります。徳島にある鳥居龍蔵記念館に連絡し、龍蔵の息子さん、龍次郎さんに挨拶し、お父さんの業績を私なりにフィールドワークの中に使わせていただきますのでよろしく、とお願いしましたが、その時、龍蔵の文献をあくまでも学術的な目的をもって利用する、と申し上げました。その結果、どうぞ使ってください、となりました。龍次郎さんは先年に亡くなられました。

そういう調査結果をみんなまとめて、私は一昨年、著作『地域文化の沃土　頸城野往還』を社会評論社から出版しました。韓国と日本の間の文化交流、主に古代を中心に。それによって培われた、いわゆる〝裏日本〟と言われる日本海側の文化をクローズアップしてみたのです。日本海側の一地域が文化的に豊かな沃土、肥沃な土地ということです。頸城野を軸にして、いろいろな地域が往還しあっているのです。その一つが朝鮮半島なわけです。

ところで、先ほど説明しました高崎市には裸の古墳があります。土盛りして石で葺いただけなんです。何年かたって草が生えていますが、裸の墳丘に埴輪を立てています。ですから、造った当時の状況を見学できますが、墳丘の周りにもこっちを向いて、外側を向いてこの埴輪がいます。これを見て私はびっくりしました。これはレプリカですが、本物は博物館の中にありました。

皆さん、三角の模様が見えますでしょう。三角は結界と言って、あちらが神様の領域、聖なる場所、こちらが人間の領域、俗なる場所という際（きわ）を結界と言います。この埴輪はずっと並んで結界を造っているんです。問題は三角です。この三角模様は、結界を意味する石仏、石造物、古墳の石室・石棺にもよく現れます。

三角という形象にはいろいろな説があります。一つは蛇の鱗と言われています。蛇と言うと、神社にある鳥居にかかっている注連縄（しめなわ）、相互にぎゅっと巻いたような形象は蛇です。蛇を藁で模して作っているんです。鳥居の向こうは神の世界で、鳥居のこちらが俗の世界で、撚（よ）って蛇が二匹絡まっているんです。ですから、蛇が結界を表します。「注連縄」という字は難しいですが、古くからの思想を体現しています。三角模様は日本だけではなくて、中国にもあります。アジア共通の三角形です。仏教に関連して、蓮の花弁の形象、連弁を彫るのが下手なもんだから、三角になったんだという人もいますが、仏教が入ってくる以前の古墳の話ですから、蓮の花が三角に変化したのではないです。こういうことを考えると、高崎の古墳群には価値をひっくり返させるようなものがいっぱいあるな、と思いました。

フレイザー【金枝篇】中のフィールド

そういうことがたくさん書いてある資料として、フィールドワークをしなくても読める本に、ジェームズ・フレイザーの『金枝篇』があります。フレイザーは一九世紀の後半から二〇世紀の初頭にかけて生きたイギリス人で、人類学者です。

フレイザーは、儀礼で王がよく殺されるのはなぜか、なぜ最高権力者が殺されるのかに疑問を持ち、それでイタリアの神話的な風習を元にして、世界各地のそういう王殺しとか、あるとき転倒するような民俗文化をいっぱい拾って本に編集したんです。それが"*The Golden Bough*"で、日本では『金枝篇』と訳されています。私がこれをいま全巻の翻訳監修をしている最中です。

フレイザーはエドワード・バーネット・タイラーという人類学者の影響を受けたのですが、タイラーは先史人類の行動と精神をアニミズムで説明しました。アニミズムによると、霊魂は浮遊します。霊魂のことをアニマと言います。アニマは浮遊します。したがって、その霊魂が別のところに浮遊したら、その受け皿はその霊魂と一心同体となり、抜け殻はどうでもよくなってしまうわけです。浮遊に際して殺されてもかまわない。

でも、王を肉体的に殺さなくてもいいでしょう。王の中にいる霊魂を、若い王様にこれから王様になる人に移せばいいのです。殺すというふうになると、ちょっと不思議。つまり、霊魂には肉体が深く関係しているのです。両者は切っても切り離せない。そうなると、アニミズムでなくフェティシズムに近くなります。そこでフレイザーは、どうもタイラーのアニミズムを面と向かっては否定しないけれども、アニミズムの事例よりも、フェティシズムの事例をどんどん集めていくことになったんです。

彼はフェティシズムという言葉はもちろん知っていますし、ド＝ブロスの理論は知っていますが、あまり意識はしません。つまり、師匠のタイラーが言うアニミズムではなくて、ド＝ブロスの言うフェティシズムの事例を集める、とは言っていません。ですが、私が読むとそれがけっこうフェティシズムの解説になっているんです。ですから、このフレイザー『金枝篇』を翻訳してかかろうと思ったわけです。これまで七巻まで出ています。いま八巻目のゲラが私の手元に届いています。来年の三月くらいには八巻が出て、いずれ全部で一〇巻揃いまして、索引の別巻を加え、全部で一一巻になります。第一巻が出たのは二〇〇四年で、いま二〇一九年ですから長丁場です。

詳しい説明は省きますが、フレイザーの理論は、共感呪術と言って、さらに二つに分かれます。類感呪術と感染呪術。共感というのはシンパシーの意味です。同じようなことをすると、あるいは同じものを持っていると、目的が達成できるという仕儀です。

たとえば、きょう福岡からここにいらしている瀧津さんを普段から憎たらしいと思っていたら、瀧津さんにそっくりの藁人形を作って壁にかけ、釘でコン、コン打って、死ね、死ねって呪詛していると一〇日ぐらいで死んでくれます（笑）。瀧津さんに似たような人形にしないと駄目です。うっかり、そこにいらっしゃる杉山さんの恰好にして、死ね、死ねと言ったら、杉山さんが死んでしまいます。似たようなことに関係するので類感と言います。

もう一つは接触、感染。触ると感染します。彼女が大好きだと、彼女が持っていたハンカチとかを自分が抱いていると、彼女に想いが通じる。つまり相手が感染する、相手に接触することになる。『金枝篇』はこの二つで、日本も含め、古今東西から膨大な量の事例を集めています。

フレイザーの話は長くなりすぎるからこのへんで飛ばしましょう。今から一〇年ほど前に上越市に建てた私の図書室について話したいと思います。ここにいま言ったフレイザー『金枝篇』とか、とにかく一九六〇年代末から私が読んだり調べたりした文献、その関連資料、友人から贈られた図書、みんなここに置いてあります。いろいろな古文書とかも置いていますが、私の一番の宝はやはりこれです。わが読書ノート。私は、研究上で読んだ図書については、あらかたノートを執ってきました。その中にはヴァイトリングやヘーゲル左派関係の翻訳とかもあります。この図書室にどっさり入れてあります。学問とは何か、という問いに答えるに、いま振り返れば、学問の基礎は読書ノートだ、と言えるかもしれません。「石塚さんにとって学問って何ですか」と問われれば、「私の田舎の図書室に来てください。これです。このノートです」と答えて、実物を見てもらえばいいかな。我ながら、けっこう綺麗な字で書いてあるんです。

　私はノートを執らないと勉強が進みません。大学ノートがずっとあるのですが、今でも保存してあります。これを執らないと、体系的な研究にならない。それから、いろいろなところでコピーをとったものを系統的にファイルしています。今ノートやファイルは上越市のほうに移してあります。そのための図書室を建て、そこに並べてあります。今でもこれをよく使います。自分で書いたものだけに、けっこう頭に入っている。

　私は、一八歳から昨日まで毎日日記をつけています。一日として欠かしません。入院したり旅行したりして書けない日は、メモを取っておきます。家に帰ったら日記にそれを書き写します。日記は毎日つけていますが、この日記の活用については、きょうのこの講演の冒頭が、私の日記からの引用に発しています。『二〇歳（はたち）の自己革命』は私の一八歳の日記から始まっています。

さまざまなエピソード

　ついでに、エピソードとして、〝価値転倒の社会哲学〟に関係することをいくつか話します。

　まずは、秩父のオオカミ信仰から。この写真はセメント用の石灰岩を採掘している武甲山です。削りに削られて、てっぺんが尖っているものの、山の高さも低くなりましたし、山腹が平らになっているのは、トラックが行き来をして、ときどき発破をかけてぶち壊して運んでいるからです。そこの周りで農民たちは相変わらず五月の鯉のぼりをやっている。私は

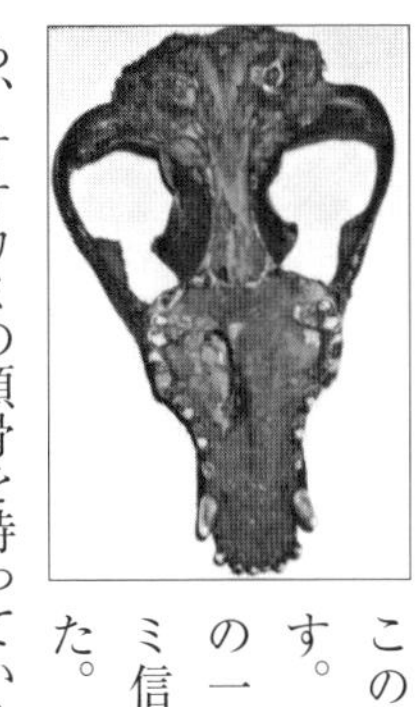

この風景を眺めて思ったのです。いまから三〇年くらい前の一九九一年、秩父でオオカミ信仰の調査を行っていました。そのときに村人に聞いたら、オオカミの頭骨を持っている家があるというのです。井上さんというお宅ですが、そこに行ってこのオオカミ頭骨の写真を撮らせてもらいました。これは裏から撮っていますが、表から見ると墨が塗ってあって、「これはうちの神様だから。あなたたちは調査だから見せるけど、これはうちの神様だよ」と言うので、「オオカミ信仰だからね」と私が言ったら、「うちの神様だ」と言うんです。

昔はときどき貸してくれという人が来るから貸し出していたけれども、もどってくると削られていたとのことです。骨を粉にして薬として飲んでしまう。滋養強壮剤。それで井上さんは、一計を案じて墨で塗った。そしたら削られたら分かる。皆さん分かるでしょ。私なら削ったあと、また黒く塗るよ。それで返すね（笑）。それから、先祖がオオカミを撃ち殺した村田銃だと言うのを見せてくださいました。でも、それは火縄銃でした。しかし、そう言っているので、井上さんのお宅には宝物として伝わっているんだな、面白いなと思いました。

オオカミは世界で撃退されてきたんです。でも、いなくなると神様になる。生きていると怖い。先ほどの蛇もそうですが、こういう転倒した発想は人間の心をよく表していて、秩父はいいところだなと思いました。

エピソードの二つ目。ここに参加して下さっている杉山さんに連れて行ってもらった伊東の佛現寺でのこと。日蓮宗のその寺に天狗が書いた詫び状と天狗のヒゲがあります。拝見した際、住職は「石塚先生は立正大学の先生だから、調べてください」と言うので、「調べましょう」と言って帰りました。これは漢字が伝わってくる前の日本の文字、神代文字によく似ていると思い、コピーを取って差し上げました。それから、ヒゲは調べれば膠（にかわ）かどうかすぐ分かりますが、そういう元も子もない話はしないで、そういう伝説が五〇〇年以上も伝わっている事実の重要性については、ご住職に手紙を書いて送りました。それがフィールドワーカーの心意気です。

エピソードの三つ目。それは、さいたま市大宮区高鼻町の氷川神社で例年六月三〇日に、さいたま市緑区三室の氷川女体神社で七月三〇日に行われる夏越（なご）しの儀礼です。私の研究テーマにとっては生き生きとした地位転倒の儀礼です。この二か所とも立派な武蔵一宮です。大宮の氷川神社では、儀礼に用いる茅の輪の中に真鍮かステンレスの芯が入っていて真ん丸です。そして、神橋のところに置いて参拝者をくぐらせます。

緑区の氷川女体神社で儀礼に用いる輪はその辺に生えている葦草でできています。いわば雑草を集めて鳥居に縛っているだけで、丸くもなんともない。それで、どちらが古式かというと、女体神社です。こちらでは儀礼が終わると、輪をバラバラにして草を屋根に放り上げます。屋根は藁でできていますから、つまり生活の道具に使います。あるいは畑にまいて肥料になります。要は生活財として使っていきます。

ところが、大宮の氷川神社では、輪に人形（ひとがた）が付いていて、これにポンとさわって一月から六月までの穢れを取ります。女体神社にも人形はあるけど輪に付いてはいない。神主が一つ持っていますが参拝者がポンと触るものではありません。大宮では全員に人形を配ります。各自が氏名・年齢を書きこんで神社に納める。そして、茅の輪とともにお焚き上げと言って、火で燃やして天に送ります。それに対して女体神社では、明らかにこちらは最後まで地上にあるため、屋根に上げたり、畑にまいたりしました。この二例を比べると、儀礼の意義や価値が変わっていったことがよく分かります。女体神社に見られる人間のための儀礼が、大宮氷川神社においては神信仰のための儀礼に代わっていったということです。

これは私がいままでに出版した本です。さいたま市の拙宅に並べて置いてあります。だいたい一〇〇冊くらいですが、これは一昨年に撮ったものなので、このあとまた三〜四冊は出しています。

五　恩師

最後にもう一つ、簡単に私の師匠を紹介します。私の師匠は五人います。みんな亡くなるまで研究から離れませんでした。

一人目。私が立正大学に入学して、専門課程三年生になった頃、一九七〇年頃から知り合った酒井三郎。教育者です。ルソー、ヴォルテールの研究者で文化史の研究もしたけれども、それ以上に教育者です。卒業に際して、蘆水（ろすい）という雅号の印鑑がある色紙を戴きました。有名な「国破れて山河在り　城春にして草木深し」を記してくださいました。そのうえで、「石塚くん、大学院に来ませんか。君は研究熱心で、卒業研究について、君はドイツ語で研究しているし、ぜひ大学院に来てください」と言われました。

そのとき私は、東京の下町、山谷のドヤ街、そこの日雇い労働者を支援するビラを先生に渡しました。「私、ここでこういうことをしますから」と言ったら、酒井先生はニカッと笑って、「分かりました。頑張ってやってください」と。私は皮肉で言ったのではなく、学問とは何かを問う者に満足な対応のできないような大学で研究なんかできるものか、そう思ったんです。自分でやれることは自分でやれるかもしれない、だったら大学でやる必要はない。生活の中でやればいいと思った。けれども、それはたしかに私のほうが甘かったんです。酒井三郎は研究者たる私の行く末を指し示してくれたのだと、今にして思います。

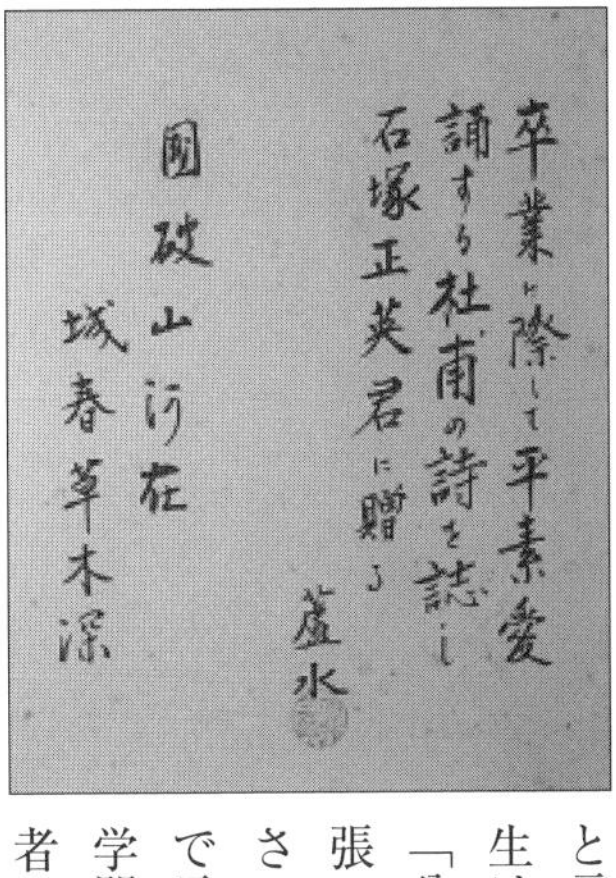

大学卒業の三年後、酒井先生の出題した入試問題を解いて、私は意を決して大学院に進みました。後で知りましたが、ドイツ語問題の素材はエルンスト・カッシーラの文章でした。先生は最晩年の一九八一年に論文集『啓蒙期の歴史学』を刊行されましたが、原稿にはドイツ語の引用が散見されました。先生は私にそれをすべて日本語に置き換え

てほしいと依頼されました。とても光栄でした。

二人目。大学院での指導教授となった村瀬興雄先生のはからいで、私は大井正という明治大学の哲学・社会思想史の専門家と知り合います。この先生は、私が大学院でヘーゲル左派を研究するのに、ありえないほどの厚意を注いでくださいました。先生が一九七〇年頃ドイツに一、二年滞在して持ち帰った資料を、「石塚くん、ほら使え」「石塚くん、好きなだけコピー取りなさい」と惜しげもなく渡してくださるんです。

先生は一九八六年夏に肺を煩って最初の入院生活をおくられるまで、当時明治大学で開かれていた社会思想史研究会の例会にレギュラー出席されていましたが、入院後は、もう大学まで出て来られることはなくなりました。それで、私はもはや先生に直接の教えを受ける機会がなくなってしまったのです。そこで一計を案じて、一九八七年より毎年、正月の一〇日前後に、先生あてで葉書におさまる程の挑発文を送ることにしたのです。最初は大井正『未開思惟と原始宗教』に書かれた文章に対し、三七歳当時の私が文句をつけました。その一つとして私は、先生のきらいな社会学者の一人デュルケムを弁護したのです。そうしたら先生は、反批判の長文を、ワープロの練習だといって送ってよこされた。これに対し、私も負けずに反批判の批判をものして投函したものです。

先生は、公私様々な機会に、シュトラウスとかフォイエルバッハ、シュタインとか、ヘーゲル左派の主要な思想家を私に教授してくださいました。亡くなる間際のことです。喉も切開してあり、しゃべるときに手で塞ぎながら私に伝えられました。「石塚くん、満鉄時代に書いた原稿で、一冊出版してない本がある。それを託すから出してくれ」と。『東印度の農耕儀礼』というのですが、私はそのままの書名は止めて『フォークロアとエスノロジー』にしたんです。編集している間に先生は亡くなってしまったんです。それは先生の死後に出ました。

印象深い、私には忘れぬ恩師です。

　それから三人目。いま三時間ぐらいの話の中によく出てきた、バッハオーフェンとか、フレイザーとか、ド゠ブロスとか、モーガンとか、こういう人物とその仕事を私に紹介してくれた布村一夫先生です。熊本女子大学の教授でしたが、すでに退職していました。何だか分かりませんが、私のことをみっちり指導したく思われたんですね。「石塚くん、熊本から東京に行くから、いついつ新宿で会いませんか」とおっしゃるんです。それで、新宿東口の談話室滝沢という静かな喫茶店が定番の待ち合わせ場所となり、そこでレクチャーしてくれるんです。私が質問すると何でも答えてくださる。私が興味関心あることは何でも答える。二時間も喋ると、「石塚くん、中村屋に行こう」となる。すぐ近くに中村屋というレストランがある。そこに行って、「お昼ご飯食べなさい。何でも好きなの食べていいですよ」。「先生、ありがとうございます」。私が夢中になって食べるとすごく喜んで、また少しお話になる。ご本人は胃が弱って食べられない、スープくらいしか食べられないんです。「石塚くんが食べてるのを見てると、私はうれしいんだ」と言っていました。

　この先生は最晩年に「年来の大事な原稿でまだ出してないのがある。それは正倉院籍帳に関する研究です。立正大学の高島正人先生も私の論文を読んでいるので、高島先生に相談したほうがいいかなとも思うけれども、石塚くん、これを本にしてくれないかな」とおっしゃる。それで、歴史学に関する本をいっぱい出している刀水書房の桑原社長のところに行って出版への道筋をたてました。ただし、刀水書房が編集に時間を取りすぎたため刊行が一年ちょっと延びたんです。その間に布村先生は亡くなられました。

　これも私が手がけたけれども、完成した時には先生は亡くなっていた。危篤のときに、私は連絡を受けて、羽田から熊本に飛行機で向かった。ちょうど、いまの天皇と皇后の結婚式の日で、熊本に行くから高天原を通るなと思って、宮崎県とかあのあたりで高千穂の峯上空を飛行機の窓から眺めてみましたよ。その日は昭和天皇の孫の結婚式だからね（笑）。けれど、上空に昭和天皇はいないし、神武天皇も誰もいない。「あぁ、そうだ。神様の姿は見えないものな」と思いました（笑）。

四人目は、立正大学院で私の指導教授になられた村瀬興雄先生です。先生はナチズムの研究者でした。私のことをすごく心配してくれて、すでに立正を退職してからですが、どこかに私のポストがないか一生懸命これを書いてくれたんです。推薦書。「右の者に対する指導教官として、所見を申し上げます」。最後に、「創価大学文学部特任教授、成蹊大学名誉教授、村瀬興雄」。推薦書は数回書いてくださいましたが、全然恩返しできませんでした。でも、うれしかった。ほかに、先生は旧制高校の竹馬の友である大井正先生に私を預けました。村瀬先生はおっしゃいました。「私はナチズム研究者なので、君に十分な指導ができない。高校時代の親友で、明治大学でヘーゲル学派をやってる大井君がいる。彼を紹介するから三年間行って教えを受けなさい」と言われて、私は博士課程三年間、そこで原書講読とかを全部やったのです。大井先生は私を「盗聴生」と呼んで歓迎してくださいました。大井先生は亡くなるまで、ご自宅で酸素マスクをつけてまでやっていきました。シュトラウスの『イエスの生涯 *(Das Leben Jesu)*』を翻訳しました。

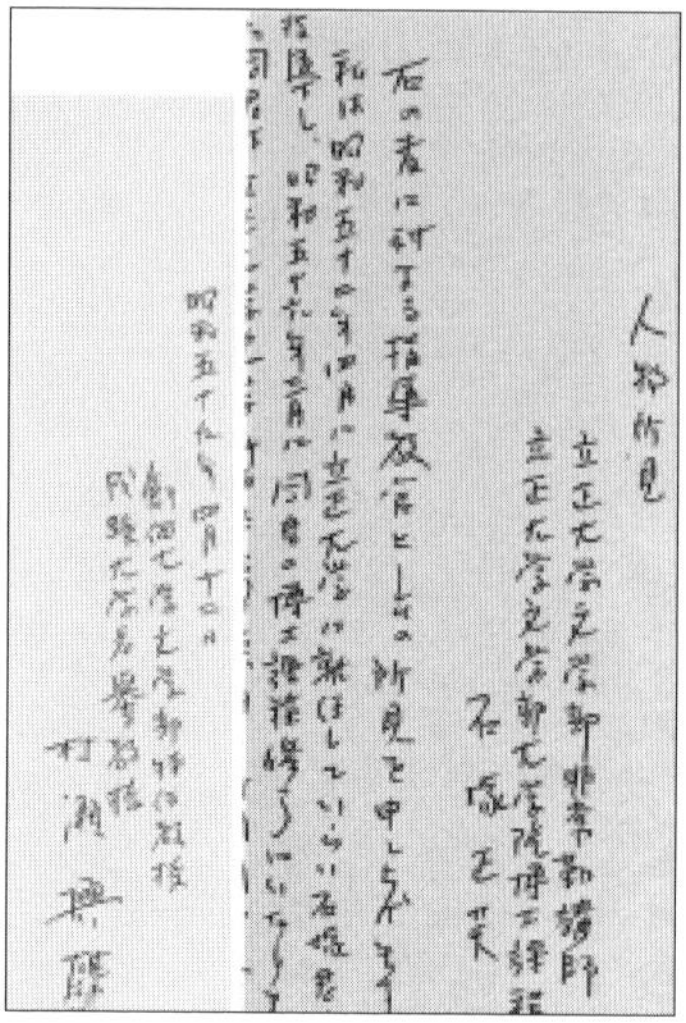
人物所見
立正大学文学部非常勤講師
立正大学文学部大学院博士課程
石塚正英
右の者に対する指導教官としての所見を申し上げます
昭和五十九年四月十〇日
創価大学文学部特任教授
成蹊大学名誉教授
村瀬興雄

ドイツ現代史の連続説をとる村瀬興雄先生には、学問上の論敵が多くいました。ビスマルク時代の統一ドイツとエーベルト時代のワイマール・ドイツ、そしてヒトラー時代のナチス・ドイツが支配勢力および民衆生活のレベルで因果をもって連続しているとの見解は、とくに民主主義科学者協会をはじめとして平和と民主主義を標榜する戦後の諸学界では端から相手にされないことが多かったのです。ファシズムとそれ以外の体制を、だれしも、現象としては一括りにできない。その点は村瀬先生自身がよく語って

いました。ただ、いくらナチスの残虐性と異常性、例外性を強調しても、それだけではナチスはちっとも傷つかない、と先生は我々に語るのです。

次の写真をご覧ください。多摩の中央大学にセミナーハウスができた直後、一九八〇年代の頃、諸大学連携の合同セミナーが開かれた際、最終日に撮影しました。いま福岡からここに来てくれました瀧津伸さんも参加しています。この写真にはいませんが。

私は、その村瀬学説に心底学んだのです。「研究者には机と椅子とペンがあればいい」と言って、家族をかかえ経済的に困難な院生時代の私を慰めてくださった村瀬先生は実に温厚でしたが、ドイツ現代史学界――とくに若手研究者の間――にあっては相当な偏屈者で通っていたらしい。論争において自説を決して曲げないからです。けれども、曲げなくてけっこう。先生は、実証の甘いところはいつも素直に認め、他の研究者の業績に依拠する柔軟性を十分兼ね備えていました。

五人目、上越市で石仏調査にかかわったとき、石仏虐待のことを書いている著者に会いたくなりました。一人だけ見つけました。上越の田舎では、昭和三三年を最後に、地蔵をぶん投げて虐待する風習があった、と書いた著者がいたんです。仏教美術史家の平野団三先生です。会いたくて、会いたくて、私から申し込んで、一九九一年頃に会いに行ったら、平野先生はものすごく喜んでくださった。私が四一歳の時で、先生は八六歳だったから、年の差はダブルだったわけです。「石塚さん、よく来てくれた。私はこれから二年ばかりかけて、あなたを、上越で私が今まで調査した石造物を全部案内します。それからでないと私は死なないよ」と言われたんです。全部というのはどこまでか分かりませんが、この先生が望んでいる箇所はすべて私を案内してくれました。私は胸のポケットにカセットテープレコーダーを入れて、録音し続けました。ちょっとおしっこしたくなったりして草むらに行ったら、その音まで入っ

てます（笑）。平野先生の写真をご覧ください。座って調査をしている時うしろに転びそうになるんです。ぱっと支えてあげたら、「私はもういつ死んでもいいなぁ、石塚さんが上越の石仏についてもうほとんど調査してくれたから、私は安心だ」と言ったのです。「あっ、やばいな」と思って、二〇〇〇年に東京電機大学石塚ゼミのフィールド実習用参考書として、平野団三著・石塚正英編『頸城古仏の探究』という論文集を発行しました。私がワープロで打って綴じ、石塚研究室を発行所にして出したんです。それを平野先生にお贈りしたら、先生はもよりの役場数か所に持って行って寄贈し、その三日後に亡くなられました。

以上です。この五人の先生がたは、私にとっては、いのちの研究者です。生活としての研究者です。きょうは、ここに私よりも若い人が多いから助言しますけど、研究は自分自身の使命です。先生に何かねだってもダメです。先生に何かを求めるのではなくて、自分のやっていることを先生に見てもらうというのが理想です。教育熱心な先生というのは、目を輝かせて近づいてきます。凄まじいです。酒井三郎先生はその典型です。幸運な縁ではありましたが、皆さん全員二〇〇〇年までに他界されました。恩師の紹介はちょっと付け足しのようですけれども、まとめとして、私は少しやっておきたかったのです。

長々といろいろお話ししましたが、私の思いはかなえられました。これで講座を終了させて戴きます。ご清聴、ありがとうございました。（一礼）

あとがき

グローバル、グローバリゼーションという言葉や概念がさまざまなメディアで用いられるようになって半世紀になる。昨今では、モノのインターネット（ＩｏＴ、モノがインターネットと繋がる）とかヒトのインターネット（ＩｏＨ、ヒトがインターネットと繋がる）という時代になっている。そうした環境変化は、私の研究活動を激変させた。

本書に収められた論稿の多くは、ＩｏＴやＩｏＨを介して成立している。例えば、第一章は、最初は大学の教壇で講じた音声記録を文字化し、それをインターネット上のオンラインジャーナルに掲載した。第三章は、「ブックパーティー」と称するオンライン上でのコメントや話題提供として録画録音されたものを文字化し、それをインターネット上のオンラインジャーナルに掲載した。その掲載方法は二段階になっていて、まずはオンラインジャーナル『頸城野郷土資料室学術研究部研究紀要』専用のサイトに載せる。その後これを、国立研究開発法人科学技術振興機構（ＪＳＴ）が運営する電子ジャーナルプラットフォームである「科学技術情報発信・流通総合システム」（Ｊ-ＳＴＡＧＥ）にリンクさせ、世界中から誰もが閲覧できるようにしたのである。

おりしも、二〇一九年末からコロナパンデミックが蔓延した。感染を防ぐため、ある国はロックダウンを強行し、ある国は緊急事態宣言を発出し、人々は外出を自粛していった。私の場合、二〇二〇年三月をもって、それまで勤めていた東京電機大学を定年退職となり、自宅引きこもりは容易になっていた。そのようなさまざまな要素が重なり合ったところで、私は、それまで長く蓄積してきた研究成果を一気に文章化することに意を決したのである。その結果、二〇二〇年から二二年の三年間に、本書を含めて四点の著作を執筆し刊行することになった。『歴史知のオントロギー――文明を支える原初性』、『価値転倒の思索者群像――ビブロスのフィロンからギニアビサウのカブラルまで』、『フレイザー金枝篇のオントロギー――文明を支える原初性』、そして本書『歴史知の百学連環――文明を支える原初性』である。〔原初性〕三部作の完結でもある。

最後になったが、本書を刊行するにあたり、社会評論社の松田健二社主、編集担当の板垣誠一郎氏にはさまざまなご高配を頂戴した。ここにあつくお礼を述べ、ふかく謝意を表したい。

二〇二二年三月　ロシア軍のウクライナ侵攻激化のニュースに接しつつ　さいたま市の〔悠杜比庵〕にて

石塚正英

初出一覧（いずれの稿も、再録にあたり僅かながら加筆修正している。）

☆**第一章**〔講義〕先史の精神あるいはプラトンの相対化、頸城野郷土資料室学術研究部研究紀要、フォーラム第五三号、二〇一九年一一月一日

☆**第二章**〔講演〕神話の三類型―天地開闢・国産み・天地創造（成る・産む・創る）、頸城野郷土資料室学術研究部研究紀要、資史料紹介、第五巻第一〇号、二〇二〇年六月一日

☆**第三章** 土偶は植物そのものという新解釈をめぐって―『土偶を読む』（竹倉史人、晶文社、二〇二一年）へのコメント、頸城野郷土資料室学術研究部研究紀要、ディスカッションペーパー、第六巻第二二号、二〇二一年一〇月九日

☆**第四章** 信濃・上野古代朝鮮文化の関川水系遡上という可能性、頸城野郷土資料室学術研究部研究紀要、ディスカッションペーパー、第六巻第二〇号、二〇二一年九月一日

☆**第五章** 親鸞の弥陀と越後の鬼神〔続編〕―今村仁司の親鸞研究を参考に、頸城野郷土資料室学術研究部研究紀要、ディスカッションペーパー、第六巻第二一号、二〇二一年一〇月一日

☆**第六章** プシュケーという幻想態―蝶か息吹か魂魄か、季報唯物論研究、一五八号、二〇二二年二月

☆**第七章**〔講演〕マルクス『資本論』のフェティシズム無理解、ウェブマガジン・プロメテウス、二〇二〇年二月二二日

☆**第八章** 物象化論を包み込むフェティシズム史学（原題：廣松渉の〝マルクス物象化無理解〟を批判したころを振り返る）、ブログ・歴史知の百学連環、二〇二〇年一一月二〇日

☆**第九章**〔講演資料〕アミルカル・カブラルと3A―アート・アウラ・アフリカ、エターナル・アフリカ＊森と都市と革命―アミルカル・カブラルの革命思想とジョージ・リランガの芸術、多摩美術大学美術館、二〇一九年七月

☆**第十章**〔講義〕技術者倫理の二類型、頸城野郷土資料室学術研究部研究紀要、フォーラム第五五号、二〇二〇年一月一日

☆**第十一章**〔講義〕複合科学的身体論へのいざない、頸城野郷土資料室学術研究部研究紀要、フォーラム第五四号、二〇一九年一二月一日

☆**第十二章**

第一節『記・紀』に登場する「アシカビ」の物質性、頸城野郷土資料室学術研究部研究紀要、フォーラム第四六号、二〇一九年五月一日

第二節〔らんこ〕に聖性はあるか―二風谷の思い出、頸城野郷土資料室学術研究部研究紀要、フォーラム第六〇号、二〇二〇年一月二八日

第三節 ミケランジェロの大理石―〔理想の身体〕をめぐって、頸城野郷土資料室学術研究部研究紀要、フォーラム第三九号、二〇一九年一月一五日

第四節 キリスト教徒は神への呼びかけに〝thou〟（英語）、〝Du〟（独語）〝tu〟（仏語、伊語）を使う、フォイエルバッハの会通信、

第一一五号、二〇二〇年六月二〇日

第五節 ルッソフィル（ロシア原初主義）とスラヴォフィル（スラヴ愛国主義）、頸城野郷土資料室学術研究部研究紀要、フォーラム第三七号、二〇一八年一一月二三日

第六節 ロシア革命の教訓—コミューンからアソシエーションへ、季報唯物論研究、第一四一号、二〇一七年一一月

第七節 歴史限定的概念としての政治政党—結社と政党の相違、世界史研究論叢、第八号、二〇一八年一〇月

☆**第十三章**

第一節 カントのPersonとSacheとフェティシズム、フォイエルバッハの会通信、第一一〇号、フォイエルバッハの会、二〇一九年三月二五日

第二節 疎外を自ら克服しつつ生きるフェティシストへの接近—フォイエルバッハと若きマルクスとの比較、フォイエルバッハの会通信、第一二一号、フォイエルバッハの会、二〇二一年一二月二〇日

第三節 中期フォイエルバッハと初期マルクスの分岐点—フェティシズム理解の相違、フォイエルバッハの会通信、第一一九号、フォイエルバッハの会、二〇二一年六月二〇日

第四節 マルクスにおける〔物神（フェティシュ）＝商品〕と労働ガラート、頸城野郷土資料室学術研究部研究紀要、フォーラム第七六号、二〇二一年一一月二七日

第五節 Umwelt（環境世界）とHinterwelt（内奥世界）、フォイエルバッハの会通信、一一八号、フォイエルバッハの会、二〇二一年三月二〇日

第六節 ヘルダーとフォイエルバッハ—感覚・感性・感念、フォイエルバッハの会通信、第一二〇号、フォイエルバッハの会、二〇二一年九月二〇日

第七節 フォイエルバッハの術語「擬神化（Vermenschlichung）」と縄文土偶、頸城野郷土資料室学術研究部研究紀要、ディスカッションペーパー、第六巻第二二号、二〇二一年一〇月九日

第八節 ギュウバトン—文化で食べる・文化を食べる、季報唯物論研究、一五五号、二〇二一年五月

第九節 木島平「三韓土器」の発見と科学研究の陥穽、日本科学者会議埼玉支部さいたまつうしん、一九八号、二〇二一年二月

第十節 上越地方の葬送儀礼〔焼香銭〕、頸城野郷土資料室学術研究部研究紀要、フォーラム、七五号、二〇二一年一一月

第十一節 ルポルタージュ映画の創始者・羽仁進—not 演技(drama)but 自然所作(dromena)、頸城野郷土資料室学術研究部研究紀要、フォーラム第七〇号、二〇二〇年五月一二日

☆**第十四章**〔講演〕歴史知の知平—あるいは〔価値転倒の社会哲学〕—、石塚正英研究生活五〇年記念誌編集委員会編『感性文化のフィールドワーク—石塚正英研究生活五〇年記念』社会評論社、二〇二〇年三月一〇日

★欧文

★事項

▮索引

★人名

著者略歴

石塚正英（いしづか まさひで）

1949 年、新潟県上越市（旧高田市）に生まれる。

立正大学大学院文学研究科史学専攻博士後期課程満期退学、同研究科哲学専攻論文博士（文学）。

1982 年〜、立正大学、専修大学、明治大学、中央大学、東京電機大学（専任）歴任。2020 年以降、東京電機大学名誉教授。

2008 年〜、NPO 法人頸城野郷土資料室（新潟県知事認証）理事長。

主要著作

叛徒と革命──ブランキ・ヴァイトリンク・ノート、イザラ書房、1975 年

〔学位論文〕フェティシズムの思想圏──ド゠ブロス・フォイエルバッハ・マルクス、世界書院、1991 年

石塚正英著作選【社会思想史の窓】全 6 巻、社会評論社、2014-15 年

革命職人ヴァイトリング──コミューンからアソシエーションへ、社会評論社、2016 年

地域文化の沃土 頸城野往還、社会評論社、2018 年

マルクスの「フェティシズム・ノート」を読む──偉大なる、聖なる人間の発見、社会評論社、2018 年

ヘーゲル左派という時代思潮──ルーゲ・フォイエルバッハ・シュティルナー、社会評論社、2019 年

アルミカル・カブラル──アフリカ革命のアウラ、柘植書房新社、2019 年

学問の使命と知の行動圏域、社会評論社、2019 年

フォイエルバッハの社会哲学──他我論を基軸に、社会評論社、2020 年

価値転倒の社会哲学──ド゠ブロスを基点に、社会評論社、2020 年

歴史知のオントロギー──文明を支える原初性、社会評論社、2021 年

価値転倒の思索者群像─ビブロスのフィロンからギニアビサウのカブラルまで、柘植書房新社、2022 年

フレイザー金枝篇のオントロギー──文明を支える原初性、社会評論社、2022 年

歴史知の百学連環

文明を支える原初性

2022 年 5 月 31 日初版第 1 刷発行

著　者／石塚正英

発行者／松田健二

発行所／株式会社 社会評論社

〒 113-0033　東京都文京区本郷 2-3-10　お茶の水ビル

電話　03（3814）3861　FAX　03（3818）2808

印刷製本／倉敷印刷株式会社

JPCA
日本出版著作権協会
http://www.jpca.jp.net/

本書は日本出版著作権協会（JPCA）が委託管理する著作物です。
複写（コピー）・複製、その他著作物の利用については、事前に
日本出版著作権協会（電話03-3812-9424,　info@jpca.jp.net ）
の許諾を得てください。